Adonis & Afrodite

PATRÍCIA PAPPALARDO

Adonis & Afrodite

EDITORA
Labrador

Copyright © 2019 de Patrícia Pappalardo
Todos os direitos desta edição reservados à editora Labrador.

Coordenação editorial
Patricia Quero

Projeto gráfico, diagramação e capa
Felipe Rosa

Revisão
Alyne Azuma
Laila Guilherme

Imagens da capa
elements.envato.com (Alexbowmore, Heckmannoleg, Piccaya e Sam741002)

Dados Internacionais de Catalogação na Publicação (CIP)
Angelica Ilacqua CRB-8/7057

Pappalardo, Patrícia
   Adonis & Afrodite / Patrícia Pappalardo. -- São Paulo : Labrador, 2019.
   272 p.

ISBN 978-85-87740-67-0

1. Ficção brasileira 2. Literatura erótica I. Título.

19-0376   CDD B869.3

Índice para catálogo sistemático:
1. Ficção brasileira

EDITORA
Labrador

Editora Labrador
Diretor editorial: Daniel Pinsky
Rua Dr. José Elias, 520 - Alto da Lapa
05083-030 - São Paulo - SP
+55 (11) 3641-7446
contato@editoralabrador.com.br
www.editoralabrador.com.br

A reprodução de qualquer parte desta obra é ilegal e configura uma apropriação indevida dos direitos intelectuais e patrimoniais da autora.

A editora não é responsável pelo conteúdo deste livro. A autora conhece os fatos narrados, pelos quais é responsável, assim como se responsabiliza pelos juízos emitidos.

Agradeço a minha mãe e a minha irmã, que sempre estiveram comigo nos melhores e nos piores momentos da vida...

E à turma das Meninas do Rosário de 1968, tão importante para minha jornada atual.

Dedico este livro especialmente a duas grandes amigas: Vânia Zilda de Lucena Bellan e Ana Claudia Chagas Rizzuto. Sem a força e a boa vontade delas, esta obra continuaria dentro de uma gaveta, sem esperança de um dia ser publicada.

— CAPÍTULO 1 —

Quando se é pequeno, muitas coisas que as outras crianças dizem nos magoam, principalmente se você é gordo, baixo e usa óculos. Mas tudo pode mudar. A adolescência transforma meninos em homens, meninas em mulheres, então...

* * *

Uma grossa chuva caía naquela noite, na cidade de Boston, encharcando ruas e pessoas; um forte vento assobiava nas alturas. Madeleine Shelton olhava através da janela do quarto de seu duplex no 25º andar, absorta em seus pensamentos. Já era a terceira vez que o marido chegava tarde, e ela sabia muito bem por quê. Aliás, estava cansada de passar por aquela situação.

William Shelton era um homem importante, e Madeleine aceitava as viagens constantes e as reuniões intermináveis. Só que, nos três últimos anos, tudo havia piorado. Não era só a instituição que lhe roubava o marido. Maddy sabia que, àquela hora, ele devia estar na casa de outra. Não importava de quem, pois eram várias. Bill, seu Bill, não era fiel nem às amantes. Se Madeleine descobria um nome, era sempre um ex-caso do marido. Se perguntava diretamente, William negava. Desmascarado, se redimia. E ela o perdoava todas as vezes.

Madeleine vinha de uma família inglesa aristocrática. Na infância, a eterna chuvosa Londres, com seu *fog* e sua cor acinzentada, obrigava Madeleine a ficar em casa, o que possibilitava a coisa de que mais gostava: ler. Ela lia e relia as pilhas de obras da biblioteca do avô. Seus romances preferidos eram os policiais, os casos insolúveis, os crimes do século, as charadas da literatura. Conhecia o mundo pelas páginas. Foi assim que tudo começou. Desde cedo, ela decidiu ser escritora. O mistério a fascinava. Depois da universidade, foi conhecer o mundo sozinha e partiu para a vida real, para a pesquisa *in loco*.

Tornou-se amiga de policiais e acompanhou o desfecho de assassinatos. Aprendeu como funciona a mente de um criminoso, criou seus personagens e, hoje, depois de doze anos de carreira, lançava seu quinto livro, *Prata da casa*, que antes mesmo da noite de autógrafos vendeu um milhão de exemplares. Tudo perfeito, não fosse a ausência do marido ao evento mais uma vez. Passava das três da manhã, e Bill ainda não tinha dado notícia.

Colocando a camisola para dormir, ela se perguntava por que seu casamento tinha chegado àquele ponto. Lembrava-se do dia em que conheceu Bill. Fazia dez anos. Na época era um detetive da Interpol, chamado para resolver um crime hediondo ocorrido em Oxford, Inglaterra. A pedido da polícia, Madeleine estava lá. O primeiro encontro dos dois, porém, não foi bem um romance. Assim que assumiu o comando da operação, William afastou a "escritorazinha de rodapé intrometida". Birrenta, Madeleine seguiu o caso por fora, e ambos disputaram quem desvendaria o crime. Ela achou a testemunha que levou a polícia ao assassino, e o detetive teve de reverenciar o talento da escritora, convidando-a para jantar.

Daquela vez, ele a surpreendeu. Madeleine conheceu um William galante, sensual e divertido. Foi a primeira vez que o viu sem o terno escuro. Achou-o charmoso e bonito. Um ano depois, casaram-se. Apaixonados. Eles formavam um casal perfeito. Completavam-se, mesmo sendo de diferentes status. Enquanto o lado americano da festa de casamento ria em demasia, o britânico desdenhava com superioridade. Ali começava uma contenda que Madeleine enfrentaria sempre que a "*nobilis* casta inglesa" se reunisse com os "colonos do Meio-Oeste".

Sem grande experiência amorosa — os estudos haviam tomado mais seu tempo do que o amor —, para Maddy, William era um ótimo marido... até a primeira traição. Até perceber que o defeito dele era ser perfeito para as outras mulheres também.

Mas Madeleine também tinha culpa no fracasso matrimonial. Independente e hiperativa, a escritora era cheia de compromissos, sem tempo para fazer um jantarzinho para William. Aliás, ela não sabia cozinhar nem pretendia aprender. Maddy achava que tanto a esposa como o marido deviam cuidar da casa. Mas William não casou sem saber disso. O pior veio depois do casamento.

— Filhos?... Nunca! Eu não tenho dom para a maternidade — ela declarou ao perguntarem quando seria a primeira gravidez.

Foi um empecilho para a felicidade. William não se conformava com a ideia de evitar filhos, de ela tomar pílula e ele usar camisinha. Que união era aquela em que não haveria crianças?

Batista praticante, Bill sentia-se atormentado. Afinal, "crescei e multiplicai-vos" era uma das máximas da Bíblia. Mesmo sendo anglicana, Madeleine tinha uma opinião diversa do que pregavam as duas religiões. Nada de filhos. Para ele, era inconcebível que a esposa preferisse cuidar de três cachorros a dar amor a uma criança.

Ela, às vezes, pensava que, procurando outras mulheres, William queria magoá-la, mas, naquela noite, enquanto ia para a cama, um pensamento pavoroso invadiu sua mente: *Talvez ele só esteja esperando encontrar quem queira ser dona de casa e mãe para me abandonar.* Maddy interrompeu o pensamento ao ouvir a porta do quarto se abrindo bem devagar.

— Você ainda está de pé, querida? — Bill olhou-a surpreso.

— Cheguei agora há pouco — Madeleine disse, indo para a cama.

— Como foi o lançamento do livro? — ele perguntou, sem querer saber.

— Você realmente está interessado ou só fingindo ser educado? — ela olhou raivosa para o marido, antes de entrar debaixo das cobertas.

— O que foi, meu bem?

— Não seja falso, William! — Madeleine se enfureceu.

— Do que você está falando, queri...

— Não me chame de querida. Essa palavra soa podre, principalmente vinda da sua boca imunda, que devia estar beijando uma piranha.

— Que é isso, Maddy? — ele se surpreendeu com seu jeito de falar.

— Não é verdade? Você estava com outra, não é? — ela enfatizou.

— Estava em uma reunião com a chefia, droga!

— Loira ou morena?

— Madeleine... — Bill se enervou.

Maddy forjou um bocejo.

— Estou com sono. Boa noite!

William deu-se por feliz com o fim da discussão. Tomou uma ducha, colocou um short confortável, pois mesmo naquele frio sentia muito calor, olhou-se no espelho para escovar os dentes e então, pensativo, admirou a própria imagem: *Eu sou mesmo gostosão. Aquela garota está certa. Acho que vou procurá-la amanhã. Essa transa me fez muito bem.*

Ao deitar ao lado da mulher, ele tentou fazê-la pensar que a desejava, mas, irritada, Maddy o dispensou com um movimento de braços. *Melhor assim*, pensou ele. Bill havia chegado aos 40 e, apesar de ainda ser novo, achava que duas mulheres no mesmo dia seria desgastante. Virou-se para o outro lado da cama e deu boa-noite, sem ouvir resposta. Madeleine engoliu sua raiva.

De madrugada, ela teve um sonho estranho. Nua, andava por um lugar ermo, pareciam ruínas de antigas civilizações. Ao se deparar com uma passagem para uma das construções, entrou e viu-se em uma câmara escura como um corredor quente e abafado. Também se sentia suada e esquisita. Caminhava com cuidado, mas, ao mesmo tempo, ansiosa.

De repente, uma mão forte e quente apertou sua nádega direita. Depois, duas mãos acariciaram seus seios, e, então, bocas tocaram seu rosto, línguas lamberam sua pele, num segundo que pareceu horas. Ela se sentiu sufocar, sentiu sucumbir, afastou alguns, mas vieram novos braços, novas bocas, agora dentro de sua boca. De súbito, a mão de outrem tocou seu clitóris, e o prazer a dominou, como se o corpo aceitasse o que a mente repelia.

Outras mãos, outros toques. Era algo inacreditável, mas ela se sentia enlevada. Fechou os olhos e se deixou carregar, emitindo suspiros e gemidos enquanto deixava seu corpo ser possuído completamente. Em meio a uma fila interminável de bundas, pênis e peitos, ela foi passada de um a um, em ondas de movimentos ora delicados, ora intensos. Seus sentidos eram testados ao máximo.

Podia distinguir as mãos fortes dos homens, e as delicadas, mas não menos abusadas, das mulheres. Apertavam seus mamilos ou penetravam sua cona. Ela achou que fosse desmaiar, tamanha a sensação de êxtase que toda aquela situação lhe causava. Então despertou úmida, com a sensação de prazer que seu corpo não havia provado antes.

Assustada e ainda arrepiada, olhou para os lados e certificou-se de que apenas o marido estava lá. William... As traições dele se transformaram em pesadelos para ela.

Pela manhã, porém, o humor de Madeleine não tinha mudado. Sentada em frente ao computador há duas horas, a tela ainda estava em branco. Não conseguia criar nada. Já eram nove da manhã, e William dormia pesado. Sua vontade era expulsá-lo de casa. Aliás, se fosse por ele, os dois morariam em uma suíte de hotel cinco estrelas para "aproveitar a mordomia da organização". Só que ela queria distância da Interpol, de normas e comandos. Ajudava a polícia, não fazia parte dela.

Finalmente, William acordou. Foi para a mesa do café, aproveitando o momento em que Madeleine se banhava. Só assim não precisaria ouvir o discurso de traição, deslealdade e outras lamúrias. Não queria ficar estressado, principalmente depois da noite passada, na qual tivera em seus braços uma jovem doce, convicta da inteligência e do charme dele. *O remédio que o médico recomendou*, pensou ele, rememorando o sabor dos lábios da garota.

— Conseguiu levantar depois da farra de ontem? — Madeleine indagou, assustando o marido.

— Não comece, Madeleine! — ele reagiu.

— Agora não? Quando vai conversar comigo, Bill? Na frente de um juiz? O que você espera de mim? — reclamou aborrecida.

— Silêncio para eu tomar meu café.

Bill só teve um segundo para abaixar a cabeça e sentir um copo raspar seu cabelo e se espatifar contra a parede. Espantou-se com a agressividade da mulher.

— Estou cansada de respeitar seu café, seu almoço, seu jantar. Não aguento mais. Você vai fazer suas refeições completamente em silêncio, longe da minha casa. Longe da minha vida! — seu tom de voz era bem mais alto do que o normal.

Ela partiu para cima dele, agarrando seu pescoço como se fosse estrangulá-lo. William tinha certeza de que as duas empregadas e a vizinhança já ouviam o escândalo. As criadas chegaram apavoradas com os gritos, e a cozinheira tentou recolher os cacos.

— Eu chamei vocês? — ralhou Madeleine.

— Não, senhora! — respondeu a mais baixa, gaguejando.

— Então saiam, porque eu quero matar meu marido sossegada! — alucinou a patroa.

As duas saíram tão rápido quanto chegaram.

— Você assustou elas! — Bill falou, com seus costumeiros erros gramaticais — Cadê a dama educada da corte real inglesa?

— Em um cemitério qualquer, depois que você a matou de ódio — ela disse raivosa e então respirou fundo antes de continuar — William, quero que faça as malas e saia daqui hoje mesmo.

— Tá brincando...

— Não. Não quero mais saber de você. Não quero ouvir desculpas. Saia do meu apartamento já!

— Mas esse apartamento também é meu! — nervoso, seu sotaque caipira, de erres arrastados e voz lenta, voltou.

— Filho da puta! Cínico! — Bill ouviu o palavrão aturdido — Se não fosse por mim, ainda estaríamos morando de favor da Interpol em um quarto de hotel.

— Que é isso?! Só os grandões da organização têm essa mordomia! Isso é um benefício do meu cargo — ele tentou reerguer o ego.

— Não interessa mais. Quero você fora daqui. Chega! Acabou — Madeleine fez menção de sair.

— Maddy. Você está nervosa por causa dessa merda de livro...

— William, você não escutou? O problema não é o livro. Cansei de ser traída. *Finito!* — para ela era mesmo o ponto-final.

— Sente-se, deixe-me terminar o café — ele disfarçou o medo.

Madeleine se enfureceu. Empurrou o marido em direção à mesa e o fez enfiar a mão na manteigueira. Ela saiu muito brava da cozinha, e William respirou aliviado. Achava que a tática tinha funcionado de novo. Ignorar as reclamações dela era mais fácil do que bater de frente. Nunca a vira ser agressiva assim. Era sempre tão "britânica"... Pelo menos tirou a ideia descabida de mandá-lo embora.

Por que será que ela ainda fica assim? Já devia ter se acostumado, ora, ele pensou, ao beber o leite desnatado.

Mais uma diferença entre eles. Madeleine insistia em comprar produtos light. Ele achava que comida boa era aquela que se comia no Oregon, onde a mãe costumava servir um delicioso mexido de ovos e bacon no desjejum, sempre acompanhado de um leite grosso tirado da vaca. Comia-se coalhada e nata feitas do mais puro e forte leite da fazenda; não iogurte desnatado e margarina light.

Quando acabou de comer, William pôs a louça na pia, porque Madeleine o obrigava a tirar a mesa do café, afirmando que ninguém era escravo dele. Com nojo, lavou a mão suja de gordura, pegou a pasta executiva de couro e caminhou para a saída. Então viu uma mala na porta, e em seguida Madeleine passou por ele com uma segunda, menor, pondo-a do lado da maior.

— Vai viajar? — ele indagou inocentemente.

— Engraçadinho... As malas são suas! — ela abriu a porta, antes de se despedir secamente — Adeus.

William olhou atônito para a mulher. Como ele demorou para sair, Madeleine jogou as duas malas no *hall*, olhou para o marido ainda em estado de suspensão e disse em um tom como se o despertasse da letargia:

— Pense no lado bom: você vai voltar para o hotel cinco estrelas. Adeus, William.

Bill saiu abobado, sem a mínima ideia do que faria e para onde iria. Viu a esposa fechar a porta, antes mesmo de o elevador chegar. Estava perplexo. Jamais supôs que ela faria aquilo. Mandá-lo embora só porque, às vezes, ele voltava depois das três da madrugada para casa? *Pura injustiça e ingratidão*, ele pensou.

Por que a mulher não era como sua mãe? Carinhosa, dedicada e amorosa? Seu pai tinha a mesma disposição para as mulheres, e, no entanto, sua mãe jamais pensou em colocar o pai dos filhos dela para fora.

Algumas vezes a viu chorar, mas os pais sempre acabavam fazendo as pazes e viviam felizes a maior parte do tempo. As coisas eram mais simples no Oregon. As garotas gostavam de seus rapazes, cuidavam deles e lhes davam filhos.

Mas Madeleine era diferente das moças de sua cidade. Sua mãe tinha dito que ela era muito chique, estudada e rica. Não daria certo. Devia ter ouvido a mãe e não pensado em como era bom ser o marido de uma nobre inglesa. Isso lhe deu muito prestígio na organização, mas não lhe trouxe paz.

O que Madeleine queria dele, afinal? Era um bom chefe de família, fazia amor com ela pelo menos uma vez por semana e gostava dos cachorros. Queria filhos, mas gostava dos três monstrinhos que viviam no apartamento. Apartamento dele, afinal de contas.

Assim que o elevador chegou, William entrou com as malas.

— Vai viajar, sr. Shelton? — o ascensorista perguntou, mostrando-se alegre.

O silêncio sepulcral tomou conta do ambiente.

— CAPÍTULO 2 —

O mar bravio jogava o pequeno barco de um lado para o outro, chacoalhando tudo. A lâmpada fraca piscava como se fosse queimar, enquanto alguns homens tentavam inutilmente amarrar os armários que cuspiam os mantimentos. O barulho era terrível. Não se sabia se vinha da tempestade, do motor velho ou das ondas arrebentando contra o casco. Era o fim do mundo. Aqueles homens sabiam do risco que corriam por colocar a embarcação na água naquela época do ano, quando o Meltemi soprava violento.

A proximidade do inverno não facilitava a vida daquela gente. Quem insistia em pescar naquela estação se arriscava a perder a vida. Adonis sabia muito bem disso, mas, se não saísse naquela semana, só ganharia dinheiro com a pesca dali a quatro meses. Tinha muitas bocas para sustentar, por isso, quando conseguiu a vaga, não pensou na própria vida. Só sabia que tinha de ir. A qualquer preço.

O mar não ajudava. Poseidon estava irado. Eles o desafiaram. Invadiram seu reino quando ele não os desejava. Os mortais eram punidos por sua arrogância ao enfrentar os deuses. Mas a miséria era mais dolorida ao matar uma aldeia inteira, então perder algumas vidas em prol de centenas não era uma questão de orgulho humano, mas de sobrevivência.

Se Poseidon pretendia matá-los naquele barco, que pelo menos se aproximassem do porto. Que não morressem em vão.

As ondas pareciam crescer. Com fôlego para engolir todas as ilhas. Logo estariam fazendo parte do reino das águas, então o deus do Olimpo se apaziguaria e traria a bonança. Se não lutassem, seria melhor.

— Ó meu senhor dos mares! Somos a escória do mundo, mas também temos filhos e mães. Permita que nossa carga chegue ao seu destino. Os teus que aqui jazem não mais podem retornar aos teus domínios, então, por Zeus, permita-nos chegar até o porto de Atenas! — gritava

Adonis ao mar, fazendo com que sua voz sobrepujasse o barulho dos trovões, enquanto atava a corda ao timão para ajudá-lo a não desviar da rota — Ó Zeus, deus soberano dos céus! Imploro que aplaques a ira de teu irmão!

Um luminoso raio cortou o estreito horizonte com um som ensurdecedor e de repente a tempestade diminuiu. Aos poucos, a borrasca foi passando a chuva intermitente, e então era apenas uma garoa forte. O jovem levantou os braços em louvação na pequena sala do leme. Foi então que o capitão apareceu ao ver que a tempestade se desvanecia. Encontrou Adonis ainda rezando.

— Cretino! Não vê que é apenas o olho do furacão? Volte ao comando do barco!

— Não, não, senhor capitão! Poseidon vai nos ajudar a chegar ao porto. Agora está tudo bem — ele agarrou o braço do velho marinheiro, para que não mudasse o rumo.

— Quer destruir meu navio, idiota?

— Não, senhor. Olhe, olhe! — Adonis apontou as luzes da cidade — Zeus se apiedou de nós. Não mais nos casaremos com as sereias.

O capitão não podia acreditar no que seus olhos viam. Bem à frente, a alguns metros, o porto de Atenas os aguardava.

— Com os diabos! — gritou o velho.

— Temos tempo para desembarcar a carga, antes que a tempestade volte — Adonis disse.

— Adonis — o capitão beijou a cabeça do rapaz —, continue a rezar para os seus deuses e navegue sempre comigo.

Foram recebidos como heróis. Vivas eram ouvidas de estivadores. Muitos moradores do porto enfrentaram o mau tempo para receber os marinheiros sobreviventes da ira do mar Egeu. Diante das notícias que chegavam sobre naufrágios, de pequenas embarcações até grandes navios, aqueles homens eram considerados abençoados pelos deuses. Em pouco tempo descarregaram o pescado, ajudados por todos. Adonis era o mais cumprimentado. Queriam apertar a mão do homem que realizou o milagre.

Em uma região onde a Igreja Ortodoxa Grega era a religião dominante, Adonis destoava da população. Muitas histórias já se contavam sobre ele. Vindo de lugar desconhecido, com vasto conhecimento sobre as tradições da Grécia Antiga, acreditava-se até que ele era um herói enviado do Olimpo pelos deuses. Após a travessia quase impossível daquela noite, as lendas se multiplicariam. Era Hércules reencarnado, Ulisses renascido, filho de Poseidon. Em sua simplicidade, ele apenas sorria e, de mãos fechadas, cruzava os braços sobre o tórax. Uma reverência grega bem antiga, da era Arcaica, de 800 a 500 a.C., ou até antes. Mais uma prova de que Adonis era um semideus.

Alguns anos antes, quando surgiu em Atenas com a mãe e os sete irmãos, pedindo emprego de pescador, ninguém imaginava quem seria aquele jovem, conhecedor profundo da história e da mitologia gregas. Adonis trabalhava muito. Parecia um velho sábio. Tinha sempre uma palavra de consolo para desesperados e falava da época em que homens e deuses viviam lado a lado. Era muito convincente. Simpático, apesar de pouco falante, alguns comentavam já tê-lo visto à noite fazendo oferendas aos deuses. Eram cabras ou ovelhas sacrificadas, sangradas em volta de fogueiras que ardiam sem lenha.

Sua vida em Atenas era muito simples. Trabalhava cedo na pesca e à tarde atuava como guia, mostrando aos turistas o Partenon, as Thermas ou qualquer outro monumento histórico. Era uma enciclopédia. Zeus era o Senhor dos deuses, que decidiam o destino da humanidade, e a esses superseres ele dedicava a vida. Àqueles que o chamavam de louco, dizia que o Olimpo traçou-lhe um caminho, e a ele cabia somente seguir seus desígnios.

— CAPÍTULO 3 —

Já impaciente, andando de um lado para outro da sala, William esperava ansioso para conversar com seu amigo Jack. Tinha passado todas as noites remoendo a expulsão do lar. Queria a mulher e sua vida de volta. Não via por que deixar a casa e a esposa, só por ter "chegado um pouco mais tarde".

— Isso é razão para um divórcio? — indagava-se.

Logo a porta do escritório se abriu, e Jack Wippon apareceu com seu rosto gordo e sorridente. Vestia um terno *Armani* legítimo, mas seu físico, quase beirando a obesidade, não lhe dava o mesmo aspecto de elegância que seu amigo William.

— Lorde Bill! Vamos entrar! — Jack fez uma reverência.

No espaçoso escritório, com uma mesa escura de mogno, centrada em um espesso tapete persa, Jack cerrou o semblante.

— O que você quer, Bill?

— Jack, você precisa me ajudar. Madeleine ouve você. Ela não pode me mandar embora assim — Bill estava desesperado.

— Já faz duas semanas que ela pôs você pra fora, não? — Jack perguntou.

— Como um cachorro sem dono — William apiedou-se.

— O que fez para merecer isso? — Jack ironizou.

— Nada.

— Bill! Eu conheço Madeleine há anos. Se fosse por nada, ela não tomaria essa atitude — Jack pegou um charuto da caixa sobre a mesa.

— Eu sei. Só que basta eu chegar tarde uma vez para ela encher o saco — William criticou.

— Uma vez?! — Jack viu que William não falava a verdade.

— Você sabe. Tenho muitas reuniões. Não posso viver atrás dela, paparicando…

— Você nunca foi a uma noite de autógrafos de Madeleine! — Jack estava bravo.

— Eu não gosto daquele bando de intelectuais — Bill confessou cabisbaixo.

— A que horas você chegou naquele dia? — Jack esperou para ouvir a resposta do amigo.

— Acho que três da manhã — Bill apenas murmurou a frase.

— Três?... Ora, Bill, se tivesse sido a única noite, mas ela contou a Helen que você chegou tarde assim duas outras vezes na mesma semana! Todo mundo sabe o que você faz nas reuniões — Jack tentou acordar William.

— Eu não estava... — William perdeu a coragem de continuar a frase.

— Não?...

— Eu ia voltar antes, mas tinha aquela estagiária... — William recordou.

— Bill... Como pôde fazer isso com Madeleine? Ela é tão linda, inteligente, boa... — Jack estava inconformado.

— Mas aquela garota é um tesão!

— Toda jovenzinha de vinte anos é gostosa, Bill. Madeleine é única — Jack acendeu o charuto e tossiu.

William Shelton tinha adorado a bajulação da menina de 23 anos. Audrey Sunders era lindíssima, charmosa, e ele estava muito excitado para pensar, naquela noite, que um impulso poderia estragar de vez seu casamento. Achava que Madeleine jamais o deixaria.

— Eu sei o que você pensa, Jack, mas gosto de uma gatinha de vez em quando. É adrenalina, cara! — William falou animado.

— Para você, de vez em quando significa dia sim, outro também? — Jack não concordava com Bill. Era amigo de Madeleine e não admitia que o marido a enganasse. Jack sabia o quanto Maddy o amava.

William Shelton não lhe foi simpático desde a primeira vez. Era um homem ignorante. Não combinava com a elegantíssima Madeleine. Era uma união estranha. Bill tinha seu charme, era sexy, conquistador, mas sua amiga tinha berço. Era a delicadeza em pessoa. Sofrer na mão de um caipira não era a melhor maneira de uma dama viver.

— Sei que você me acha um bosta, Jack, mas... — Bill tentou se explicar.

— Acho, não, Bill, tenho certeza. Ela não merece isso — Jack afirmou.

— Eu já entendi. Sabe, prefiro falar com Helen. Ela vai me dizer como trazer Madeleine de volta — William desistiu de ganhar a simpatia do amigo.

De repente, o interfone tocou.

— Sim, Glenda? Ah, certo, pode passar a ligação — virando-se para William, Jack sussurrou — Bill, sua chance de falar com Helen...

Sem dar tempo para Jack, Bill se atirou por cima da mesa e pegou o fone de sua mão.

— Olá, querida, sou eu, Bill — com certa impaciência, ele esperou para ouvir a voz do outro lado da linha. E em seguida respondeu — Imaginei que ela fosse falar primeiro para você... — depois de aguardar o retorno, tornou a falar — Eu não vivo sem ela, Helly. Não sei mais o que fazer... — mal Helly terminou a frase, e Bill perguntou ansioso — Como é? Ela disse que vai conversar? Que máximo! Vou para lá agora... — inconformado com a interrupção negativa, ele se apavorou — Não?... Quando? Segunda-feira? Mas é só daqui a uma semana! — por fim, sem alternativa, ele respondeu — Está bem, eu espero. Helen, adoro você, obrigado. Beijo.

Ao final da conversa, com um sorriso cínico nos lábios, Bill passou o fone para Jack.

— Alô!... — ao ser questionado, Jack afirmou — Claro que entendi a conversa. Ela vai dar mais uma chance a ele, não é? — Ao ser interrogado de novo, ele se posicionou firmemente — Não, não concordo, mas é problema deles — ouvindo a esposa um pouco mais, ele perguntou — Tem uma ideia? Que ideia? — enquanto falava, Jack despediu-se de William com um aceno de mão, observando-o deixar a sala alegremente.

William Shelton voltou a ter esperança. Sua Maddy queria conversar com ele na próxima segunda-feira. Isso significava que ela ia dar um tempo para esfriar a cabeça e retomar o que William entendia por casamento. Nada mudou. Seriam os mesmos Bill e Maddy de sempre. Elegantes, frequentadores de festas, com prestígio e distinção. Era assim que o senhor e a senhora Shelton deviam ser sempre.

— CAPÍTULO 4 —

A manhã raiou calma. A tempestade da noite anterior tinha destruído o cais, mas a mercadoria estava salva, e o abastecimento, mantido. O inverno seria mais tranquilo. Ninguém passaria provações. Plantações vingariam, e a paz retornaria ao Olimpo. Geia sorria para os filhos, alimentava-os e dava-lhes abrigo. Esse era o mundo perfeito. Tudo era motivo de júbilo.

Quem passasse pela praia, veria Adonis dando graças com gestos combinados. Todos o achavam esquisito, mas ninguém fazia troça de suas crenças. Era a mitologia grega que o regia, a tradição e a lenda de suas terras. De certa forma, uma veneração ao passado que muitos tinham perdido. Não havia ninguém que contasse tão bem os feitos dos deuses do Olimpo como Adonis. Muitas crianças sentavam-se em torno do jovem e ouviam as histórias fantásticas de um tempo em que homens e deuses habitavam as mesmas terras. Assim devia ser, de pai para filho. Dos poetas para o povo. Dos loucos para as crianças.

— CAPÍTULO 5 —

William também tinha um firme propósito naquela tarde fria. Tocou a campainha, certo de recuperar o que perdeu. A princípio, Madeleine não quis atender, mas, depois de três semanas distante, a saudade foi maior que o orgulho. Abriu a porta. Estava fria, mas educada, como sempre. Ela era uma lady. Não era belíssima, mas tinha classe e charme. Por isso ele voltou a procurá-la. Sentia falta daquela elegância. Ela ofereceu o assento no sofá, enquanto se acomodou em uma das poltronas. Queria manter distância para não se perder.

— Como é... seu livro está vendendo muito? — perguntou William, sem saber onde pôr as mãos.

— Está. Jack acredita que poderemos chegar a cinco milhões de exemplares vendidos — ela se orgulhou, um pouco sem jeito ainda.

— Cinco milhões? Parabéns! Você merece, minha querida — Bill tentou parecer empolgado.

— Obrigada.

Em uma xícara de porcelana inglesa, Madeleine o serviu de chá.

O silêncio era mais terrível que o próprio diálogo. Ambos continham ansiedade. Bill sentia falta de Maddy. Ele chegou até a sonhar em tocar outra vez as pernas fortes da mulher. Adorava, durante o sexo, ficar preso entre aqueles dois troncos hirtos que lhe davam um tesão maravilhoso. Maddy, por sua vez, queria o seu Bill. Sentia-se protegida. Ele podia não ser o homem mais educado do mundo, mas estava longe de ser o "peão de rodeio", como sua mãe costumava chamá-lo.

Por que Bill não podia ser só dela? Às vezes Madeleine se perguntava o que havia de errado com ela, que não conseguia satisfazê-lo. Em outros momentos, achava que ele simplesmente não sabia ser fiel. Não era para uma mulher só. Os dois sentiam no ar a cumplicidade de seus desejos, mas Madeleine se recusava a dar um passo para a reconciliação. Estava muito magoada.

— Falei com Helen hoje de manhã — ele continuou, tentando não perder o fio da meada.

— É? Eu também — Maddy respondeu seca.

— Ela teve uma ideia interessante — Bill quis levar adiante a conversa.

— Qual?...

Como se eu já não soubesse, pensava ela, lembrando da nova maluquice da amiga.

— Quer viajar para a Grécia. Disse que o verão é ótimo por lá — Bill mostrou-se sensível.

— Todo verão é delicioso na Grécia. Isso não é novidade — Madeleine foi irônica.

— Podíamos ir com ela e Jack. Seria uma linda viagem — Bill se apropriou da ideia.

— Bill! Não estamos em clima de lua de mel, estamos separados — Madeleine riu nervosa.

— Eu sei. Não adianta pedir desculpas por eu ser desastrado, não é?

— Desastrado? Adúltero, William. Infiel. Você me traiu tantas vezes que minhas amigas me acham uma otária por aceitá-lo de volta.

— Mas dessa vez não foi — ele disse, ainda mantendo a imagem da estagiária, que o visitara naquela tarde.

— E todas as outras?

— Mas se você também me ama... — ele caminhou atrás dela, antes que se afastasse.

— Eu sofro demais quando você me trai. Se não é hoje, foi ontem e será amanhã. Meu pai está certo, você não é para uma mulher só.

— Uma chance, é só o que peço — Bill caiu de joelhos, finalizando a encenação.

Madeleine o olhou fraquejando. Não queria, mas desejava William. Sentia-se tentada a aceitar, mas e a amargura que sentira ao ser traída? Por que sua mente insistia em lembrar aquilo, se seu coração só dizia "sim"? Afastou-se, mas Bill permaneceu de joelhos.

— Maddy, eu amo você.

— Não posso — ela virou-se para não olhar nos olhos pedintes com que Bill a seguia.

Ele se levantou, foi até Madeleine e, com um gesto exagerado, abraçou-a pelos ombros. Sentiu-a quase se entregar, quando suspirou e voltou um pouco o pescoço para trás, tentando sentir o carinho mais próximo de si. Era o momento certo de agir. Bill virou-a com delicadeza para a frente e beijou-a na testa. Ela recuou um passo, e então ele a beijou com força. Madeleine quis chorar, seu corpo se debatia. Queria que o marido a deixasse, mas não resistia às carícias apaixonadas, aos pedidos murmurantes. Como num golpe de misericórdia, de forma que Madeleine não tivesse mais dúvidas, Bill levantou-lhe as pernas e colocou-a inteira em seus braços, levando-a diretamente para o quarto.

Ao deitá-la na cama, Madeleine apenas o olhou. Como uma criança, ela se deixou guiar por ele. William gostava de senti-la entregue, prostrada. Pronta para ele, só para ele. Exercia o poder com maestria. Foi assim que conseguiu se casar, e era assim que a dominava. À esposa e a toda a tradição que possuía. Seus braços e suas pernas, tão bem delineados pelos anos de academia, eram ao mesmo tempo rijos e macios, fortes e leves. A doçura em pessoa, a obediência total. Maddy era sua. Ninguém a tiraria dele. Ninguém.

Quando o efeito torpe do desejo passou, Madeleine olhou para o marido. Queria despertá-lo para continuar o amor, mas sabia que Bill detestava que o acordassem. Ele dizia que o descanso do soldado após a batalha era um direito imperturbável. Lembrava-se de quando Bill era insaciável e não a deixava em paz nem um só minuto.

Mesmo naquela noite, quando a paixão foi tão calorosa, Madeleine não dispensou a camisinha. Ela precisava recuperar o marido. Sentir-se desejada como antes. Seria bom viajar, e as ilhas gregas eram lindíssimas e afrodisíacas. Adorava aquela palavra.

Ela ainda acordou duas vezes à noite enquanto Bill roncava tranquilo. Nas duas, foi por causa do mesmo sonho que vinha tendo: nua em meio a escombros, ela transava com desconhecidos, e, ao despertar, sua sensação era de prazer. Maddy não costumava ter fantasias eróticas. Sexo, para ela, era com o marido e muito simples, apenas para satisfazer a necessidade física. Aliás, achava que mulheres nem tinham tanto desejo assim. Sua mãe dizia que a mulher controlava o homem no sexo. "Ladies não agem como prostitutas, nem mesmo na cama. A dignidade é o nosso poder."

* * *

— Oi, me conecte com William Shelton — falou uma voz jovial do outro lado da linha de Harriet, secretária de Bill.

— Quem gostaria? — indagou a eficiente senhora, que nunca deixava transparecer nenhum cansaço ou descaso na voz.

— Diga que é Audrey Sunders — a voz anunciou.

— Um momento, por favor — a secretária fechou o sinal da linha e abriu a do chefe.

— Sim? — respondeu Bill ao toque do interfone.

— Srta. Sunders na linha 3, sr. Shelton.

— Obrigado, Harriet — a resposta e o gesto de conexão foram imediatos — Olá, Aud!

— Oi, sr. Shelton. Posso falar?

— Não tem grampo telefônico no escritório, meu bem — disse ele, bem-humorado.

— Liguei pra saber se está tudo ok. A viagem está de pé? — Audrey parecia mascar chiclete.

— Claro, baby! Comprei sua passagem hoje mesmo. Esperei a secretária confirmar a data do meu voo para não bater com o seu. Você vai uns dias antes para ninguém desconfiar — ele definiu.

— Grécia! Estou tão empolgada! — ela exclamou.

— Aud, minha mulher e meus amigos estarão lá. Tome cuidado!

— Eu sei. Mas a gente não dormiu junto mais nenhuma noite desde que você voltou para ela. Quero você — Audrey sussurrou.

— Tenho de andar na linha, senão, ó... — Bill fez um gesto de corte na garganta.

— Então você não vem hoje à noite?

— Desculpe, anjo. Acho que a gente só vai se ver em Atenas. Não quero que Madeleine desconfie, ou tudo vai por água abaixo.

— Oh, mais um mês sem festa! — ela bufou.
— Eu sei, amorzinho, eu também queria — Bill afrouxou a gravata.
— É, eu preciso entender que você é casado.
— Desculpa, Audrey!
— Está bem. Vou me guardar todinha para você em Atenas.
Só de imaginar, Bill teve uma ereção.
— Mando a passagem por um boy. Não quero a secretária metendo o bedelho nisso. Aud, também estou ansioso. Beijo.
— Um beijo de língua na sua orelha!
William sentiu tesão com aquela voz jovial pelo telefone.
— Até breve, querida!
A garota desligou brava. Queria mais uma noite com Bill antes da viagem para reafirmar seu amor. Que bom encontrar o belo Shelton. Se sua admiração platônica já era grande, imagine agora que podia ter, em sua cama, um dos agentes mais bonitos e inteligentes da organização. Sim, Shelton era um sonho que virou realidade. O James Bond de sua vida. Depois de colocar o cabelo ruivo atrás da orelha, gesto que repetia automaticamente, Audrey Sunders olhou para o jornal à sua frente. Leu a manchete: "Livro de escritora inglesa alcança um milhão de vendas". Odiava Madeleine Shelton. Era tão autossuficiente, tão brilhante... Pobre Bill, viver com aquela bruxa!, amargurou Audrey. A mulher era uma fascista que o fazia de fantoche. Sim, Audrey ficaria ao lado dele pelo menos para lhe dar um pouco de alegria. "Você não vai fazê-lo de idiota por muito tempo. Eu vou ajudá-lo", ela afirmou, olhando para a foto.

— CAPÍTULO 6 —

Um mês se passou até junho. O verão iluminava as ruas de Boston, e as pessoas estavam mais felizes. Na pista do aeroporto, o avião estava pronto para partir e, na primeira classe, Bill, Madeleine, Jack e Helen conversavam enquanto bebiam champanhe oferecido em homenagem à "escritora de sucesso". Apesar de isso constranger William Shelton, a bebida era ótima, e ele não queria ser desagradável. Sorria. Precisava aguentar aquela babaquice para, então, se refestelar em Atenas. Uma gatinha linda esperava por ele.

Maddy também não estava nada confortável. Disfarçava, ria, mas ainda achava que era cedo para o reencontro com o marido. Deviam ter esperado mais para se reconciliar. Só que Madeleine Shelton não era estraga-prazeres. Os outros três, ou pelo menos Jack e Helen, pareciam muito alegres, e ela os respeitava muito.

O casal Wippon era um tanto bizarro. Casados também há dez anos, tinham dois filhos, uma menina de dez e um garoto de cinco. Enquanto ele era do tipo bonachão, corpo meio flácido, bochechas caídas, início de calvície, ela era um mimo. Baixa, tipo mignon, superelegante, sempre de salto alto e maquiagem abundante. Sua delicadeza gestual era algo que Maddy admirava muito. Helen dizia ter decorado os gestos de Grace Kelly no filme *High society*, pois achava a atriz um ícone de feminilidade. Helen era lindíssima, com cabelos castanhos brilhantes e olhos azuis realçados pela pintura.

Eram amigos de Madeleine fazia anos. Jack Wippon fazia parte do mesmo clube de golfe de seu pai quando ela nasceu. Apesar de quase dez anos mais velho, os dois eram muito amigos. Jack era um herdeiro, um *gentleman*. Não era, porém, o tipo com quem ela se casaria. Maddy queria desafios. Alguém como... William Shelton.

Quando Madeleine se casou com Bill, o descontentamento de Jack foi visível. Pouco depois, ele se casou com Helen, uma garota inglesa e, como ele mesmo dizia, "bonita, fútil, que uma boa fortuna podia comprar". Maddy não gostava desse jeito de definir Helen. Para ela, a amiga era apenas uma jovem emergente, fashion, da qual gostava, mesmo com aquela típica afetação britânica.

A primeira hora do voo foi tranquila. Os dois casais estavam a caminho do paraíso. A Grécia era um local divino, e Helen era toda sorrisos. Como organizadora da viagem, contava a todos o que os esperava, os pontos turísticos e as picantes histórias de paixão que nasciam às margens do mar Egeu. Madeleine não gostava nada daquela conversa sexual. Podia trazer ideias para o marido garanhão, que, pelo olhar, já vislumbrava as aventuras da ilha paradisíaca. Bill tinha de saber que ela só tinha aceitado ir àquele lugar porque ele insistiu que os dois tentassem se entender. Não aceitaria mais traição. Era a última chance de William.

Jack, após três taças de champanhe, estava solto. Ria alto e gesticulava muito, o que fez Bill lançar um comentário maldoso de que era Jack que parecia um caipira americano. Madeleine o recriminou. Nunca deixava que criticassem seus amigos. Não era hora de picuinhas.

— Ah, querida! Eu nunca vi nosso agente artístico inglês bêbado antes — Bill afirmou.

— Eu não sou seu agente, Bill. Maddy é minha cliente, e eu não estou tão bêbado — Jack reagiu.

— Só que já passou do limite, sr. Wippon — interferiu Helen, tirando a taça da mão do marido.

— Deixe-o, Helly! — Madeleine quis defender Jack.

— Não, Madeleine. Meu marido abusa sobremaneira do álcool — Helen carregou no sotaque britânico.

— Sobremaneira?! — Madeleine riu.

— Qual é o seu problema? — Helen retorquiu.

— Nada, só acho que formalidade não combina com bate-papo entre amigos. Você precisa ser tão britânica? — Madeleine brincou.

— Maddy, nós sempre seremos ladies inglesas. Não importa onde nem com quem estejamos.

— Mas você não tem que falar difícil o tempo todo, porra! — Bill escancarou.

— E você não precisa usar uma palavra deplorável a cada três que pronuncia, sr. Shelton — Helen se incomodou.

— Helen, vai dar pra quem tem tempo.

— Não briguem por minha causa. Já parei de beber. Pronto — Jack apoiou o copo vazio na mesinha de centro.

Todos ficaram em silêncio. As largas poltronas, que até então convergiam umas para as outras, fizeram uma mudança radical de curso, e somente Madeleine manteve sua posição.

— Fale mais das ilhas maravilhosas, Helly. As ruínas, a paisagem, o mar...

— Madeleine, agora é você quem está exagerando na gentileza britânica — murmurou Helen.

— Só não quero que fique esse clima.

A tentativa de paz não funcionou como Madeleine queria. Ela se viu forçada a mover sua poltrona também. Logo a sonolência levou-a para um lugar estranho. Voluptuoso. Como sempre nua, ela sentava-se no alto de um rochedo e se via rodeada de homens e mulheres bonitos que, aparentemente desconhecidos, tinham muita intimidade com ela. Eles a acariciavam e diziam coisas boas, ora colocando-lhe pétalas nos cabelos, ora passando bálsamo em seu corpo. Despertou úmida e se ajeitou. Tentou falar com Helen, mas ela continuava emburrada. Jack já ressonava ao lado. *Que grandes companheiros de viagem!*, pensou Madeleine.

Ela previu que a viagem seria muito, muito longa. Se dez horas de avião na primeira classe, mais 15 minutos num monomotor apertado, já haviam causado tal desavença, imagine duas semanas sob o mesmo teto? Sim, porque Helen Wippon não reservou duas suítes num hotel cinco estrelas, ela queria mais, queria liberdade. Integração. Alugou uma casa na ilha de Zakynthos, no mar Jônico, bem perto da orla, na encosta de Kampi, que o táxi mal conseguia subir, de tão estreita e íngreme a estradinha até a casa.

A vista compensava qualquer reclamação. As ondas batiam nos penhascos, o sol era abrasante em meio ao horizonte, rebanhos caprinos pastavam pelo escarpado. Havia muitas casas caiadas, de tetos brancos que contrastavam com o azul claríssimo do mar e surgiam com um brilho extremo à vista desavisada dos turistas. Um sonho, uma fantasia, quase um pecado. A casa, rústica — de dois quartos, sala, cozinha e um banheiro —, tinha um perfume, um colorido e uma vida que Madeleine sentia, mas não podia explicar.

Aliás, um clima lúdico que ela percebeu desde sua chegada a Atenas. O perfume no ar era de figo, como se passassem debaixo de uma figueira. Os homens pareciam olhar para elas de um jeito diferente. Com malícia. As outras mulheres desfilavam na frente dos maridos como a se mostrar. E nada parecia imoral, proibido. Eram seduções escancaradas. Madeleine estava muito sensível àquele ar de sensualidade. Já Helen, ciumenta, veio parte do caminho cobrindo os olhos de Jack para que o marido não visse a "pouca-vergonha de algumas vagabundas" e aconselhou a amiga a fazer o mesmo.

Bill e Maddy se divertiram com tudo. Tiveram alguns momentos de ternura com beijos e olhares que rememoravam os tempos de namoro. Seria um recomeço ou apenas a atmosfera? Por que Madeleine se sentia tão envolvida por aquele ambiente? E por que, sendo a menos lúbrica do grupo, era a que mais aceitava a maneira explícita como as pessoas agiam? Tudo cheirava a sexo. Teve certeza disso quando, olhando para a praia abaixo da varanda larga da casa, avistou homens de sunga e mulheres de topless se bronzeando.

— Meu Deus! Aquelas mulheres ficam assim o tempo todo?! —Helen se assustou.

— Helly! Você escolheu vir para cá — Maddy recordou o verdadeiro mentor da viagem.

— Não imaginei que fosse essa sem-vergonhice — ela apontou para baixo como se avistasse um monstro.

— Se quiser desistir ainda está em tempo, meu benzinho — Jack disse em tom irônico.

— Nem pensar! — Madeleine protestou — Eu não queria vir, agora não vou embora de jeito nenhum. Vocês não sentem a magia desse lugar? É perfeito para um romance, para um crime...

— Lá vem a dona escritora de novo! — Bill, zombeteiro, saiu na varanda com uma garrafa de uísque e quatro copos na mão, distribuiu-os e passou a enchê-los. Em seguida, olhou para baixo — Puta merda! Olha quanta mulher boa!

Helen saiu de perto, sentindo-se enojada. Madeleine queria continuar ali, mas achou por bem ficar com a amiga. Sentaram-se em volta da mesinha redonda de ferro que ficava numa parte sombreada. Helen balançou a cabeça em reprovação enquanto bebia, mas Madeleine ria com o fato, sem entender muito bem por quê.

— Qual é a graça que a palhaça não viu?

— Desculpe, Helly — ela bebeu um gole do scotch —, mas foi você quem disse que a Grécia era perfeita para o amor. Que aqui podíamos nos dedicar aos prazeres de Baco. Liberte sua libido.

— Você não teme que Bill caia em tentação?

— Se ele cair, será a última vez. Estou aqui para o tudo ou nada — Madeleine sentenciou.

— Se Jack fizesse isso comigo, morreria.

Dramática!, pensou Madeleine. Amigos dela criticavam Lady Wippon, mas Maddy gostava de Helen. E, de certa forma, acreditava que ela só exagerava no tipo por medo de que descobrissem que era apenas uma mulher simples e sensível. Seu lema era: "Jamais demonstre sua fraqueza, pois nunca se sabe o que os outros farão com essa informação". Madeleine achava absurdo o temor de Helen, mas respeitava sua vontade e, ao contrário de outras, tentava ensinar à amiga o que sabia.

Numa viagem a Paris, Madeleine teve a paciência de percorrer, por três tardes seguidas, o Museu do Louvre, pois Helen queria fazer um resumo de vários períodos da arte, para poder conversar com um pintor que queria impressionar quando comprasse quadros. Mas Helen retribuía a dedicação de Maddy. Não foram uma nem duas vezes que passara a noite ouvindo-a e consolando-a pelas traições de Bill. Incansável no esforço de reconciliação do casal, Helen conhecia as tristezas da amiga e nunca dizia "não" a um pedido dela. Há anos que a amizade se tornava cada vez mais forte, e Madeleine não se via no direito de criticar Helen. Amizade era isso.

***

A escadaria de mármore tinha acabado de ser esfregada. Podia-se ver o brilho reluzente no branco das pedras. Adonis semiabraçou a coluna dórica de tamanho e diâmetro incomum. Deu dois passos para dentro do espaçoso hall, e logo uma linda jovem, trajando uma túnica branca, trouxe-lhe a bacia de água com a qual lavou o rosto, as mãos e o pescoço. O calor era forte, e 100 metros sob o sol pareciam um quilômetro. Outra moça, ainda mais jovem do que a primeira, ofereceu uma pequena toalha para ele se secar. Com a mesma reverência que estendeu à primeira garota, Adonis agradeceu à segunda. Ele retirou as sandálias de tiras, sentou-se num banco e, com o resto da água do recipiente, lavou os pés. Depois as moças recolheram os objetos lavatórios e se retiraram sem olhar para trás.

Adonis caminhou alguns passos, desceu por degraus ainda mais brilhantes que os anteriores e, dentro de uma sala que ficava entre um nível da escada e outro, retirou a túnica que usava e, nu, seguiu sua descida, ladeada por várias estátuas gregas tilintando de limpas. Encontrou um homem também sem roupas, que estendeu os braços com as mãos cruzadas e encostou os pulsos nos dele. Não interrompeu seus passos até se deparar com um casal despido.

De novo os pulsos se tocaram, e os dois homens abraçaram a mulher, terminando, então, de descer os degraus. Havia uma enorme sala com bancos, cadeiras e uma piscina fumegante de tão quente. Todos estavam nus em plena integração. Conversavam e divertiam-se. Uma turma de banhistas brincava alegre, e podiam-se ver mãos acariciando corpos indistintamente. Era uma franca confraternização. Adonis buscou um grupo de três mulheres lindíssimas.

— Eis a prima de Afrodite, aquela que escraviza os homens com apenas um olhar! Calíope, bom vê-la!

— Perfeito Adonis! — ela o beijou suavemente nos lábios — Tua presença é que me inspira.

— Por que ficaste tanto tempo sem aparecer? — beijou as outras duas moças também nos lábios.

— Fui a Roma a negócios com meu pai.

— Estás te inteirando das empresas? — Adonis pôs sensualmente o braço nas costas da mulher.

— Sim, Telêmaco diz estar velho demais.

— Que as Moiras não permitam que os dias de teu pai se extingam.

Tomando a mão de Calíope, Adonis levou-a para longe das outras e começou a acariciá-la, primeiro no rosto, depois nos ombros. Ela, por sua vez, fechava os olhos e sorria, sentindo as mãos percorrerem seu corpo. Cada um pegou uma das taças de vinho dispostas no meio de uma mesa de banquete com vários pratos arranjados em graciosos enfeites. Eram bem variados, da mais típica cozinha grega a frutas de um colorido irresistível. Uma festa para os olhos e para o estômago, apesar de as pessoas se interessarem mais pela satisfação sexual do que digestiva. Se a comida era consumida ou não, pouco importava. Jovens fortes e belos trocavam os pratos o tempo todo.

Depois do segundo copo de vinho, Adonis iniciou carícias mais ousadas. Assim como os outros casais, eles se tocavam como se não houvesse mais ninguém na sala. De repente, Calíope empurrou Adonis para dentro da piscina. Algumas pessoas riram com a brincadeira. Atleticamente, ele saiu da água e perseguiu a mulher pelo labirinto de salas e corredores. Os dois correram alegres e livres sem preocupação até o jardim muito bem cuidado atrás da casa.

Havia uvas em parreiras acima das cabeças e lindas flores roxas e amarelas nos cercados. Abraçado, o casal se enroscava quase se tornando um só. Quando pisaram o gramado perfeito, não perceberam um obstáculo no chão e, após um tropeço, caíram um por cima do outro. Calíope empurrou Adonis de novo para escapar, mas, ao olhar para a grama, sua expressão mudou para a de pavor. Arregalou os olhos e, levantando-se rapidamente, soltou um grito.

Adonis aproximou-se do lugar para onde Calíope apontava em crise histérica. Olhou, sentiu o estômago embrulhar, mas segurou a moça descontrolada. Logo outros se aproximaram, e a reação foi a mesma. Perplexidade. Adonis se abaixou para ver melhor. Sabia que não podia tocar e tinha de ser forte para não vomitar. Diante dele estava um homem de aproximadamente 40 anos, as mãos algemadas acima da cabeça, os olhos estatelados, ensanguentado e com o pênis, que tinha sido cortado, dentro da boca. Era estarrecedor. Ninguém conhecia o morto, mas pelas roupas sabiam que era estrangeiro.

— Chamem a polícia — ordenou Adonis.

* * *

Os casais já estavam instalados nos quartos. Madeleine tratou de vestir algo bem leve para sentir menos calor. Um top bege e uma bermudinha de algodão da mesma cor. Mas sua vontade era ficar debaixo da água gelada, pois o ar parecia uma caldeira. Sentia os poros do corpo queimarem. Abriu a geladeira, pegou uma cerveja, tomou um gole refrescante e começou a observar a mobília da casa. Móveis simples de madeira, muitos enfeites estranhos por todos os lados, chão de pedra com a areia penetrando pelas frestas de portas e janelas, que eram altas e estavam abertas para o ar circular. A brisa soprava forte, e isso trazia um alívio para o corpo quente de Maddy. Ela não conseguia explicar o que sentia. Bebia a cerveja com vontade.

Encostou o queixo no parapeito de uma das janelas que davam para a praia e ficou analisando aquelas pessoas lá embaixo. Pensando se havia uma razão para estarem ali, como ela, ou se apenas o desejo de aventura as guiava. Imaginou se teria coragem de andar nua pela areia como as mulheres faziam ou como seu sonho a colocava. Deu mais um gole na long neck sem desgrudar os olhos dos corpos expostos que se moviam abaixo da janela. Estava hipnotizada. Só despertou ao sentir um beijo no pescoço. Voltou-se para ver Bill.

— Lugar esquisito, né? — ele riu.

— Tem um cheiro no ar...

— Cheiro de quê?

— Um perfume delicioso que não identifico — Madeleine olhou para o marido e, excitada, deu-lhe um beijo.

— Que coisa boa!

— Estou com tanto calor... — passou a mão atrás da nuca úmida, pôs o cabelo para cima e recostou-se no ombro de Bill. Ele a abraçou, mas, ao sentir a mão dela apertando sua nádega direita, se afastou e a olhou estranhando a carícia — Você não me quer, Bill? — ela se espantou.

— Claro, boneca!

— Então faça amor comigo.

— Aqui?

— Qual o problema? Somos marido e mulher.

— Mas a gente não está sozinho!

— Eu não me importo — ela beliscou o traseiro do homem, que se distanciou ainda mais, vigiando os lados.

— Madeleine, você está maluca?

— Eu quero você, Bill! — ela beijou-o com paixão.

— C-c-certo, mas vamos lá para o quarto, então — puxou-a pela mão até saírem da varanda. Ela o empurrou contra a porta do quarto, que bateu forte. Imediatamente, como que tomada por uma urgência, Madeleine começou a arrancar as roupas de Bill e as suas. Ele estava impressionado com a vontade com que a mulher o beijava, passava a mão em seu corpo, ria e lhe pedia para amá-la. Era muito diferente da dama inglesa discreta e silenciosa com quem se casara.

Quando empolgado pelo desejo, ele finalmente a deitou na cama, o som anasalado do Bolero de Ravel soou do criado-mudo. Ambos pararam por um instante, apesar de Madeleine tentar impedi-lo de atender o celular, Bill conseguiu se desvencilhar das mãos sedentas.

— Alô? — sua respiração estava ofegante — É William Shelton, sim, quem está falando? — Bill tentou se refazer, buscando a calça que pendia de uma das pernas. Madeleine riu com o jeito envergonhado do marido pego de calças na mão. Prestou atenção na conversa — Sim, conheço. Trabalha comigo — enquanto isso, Maddy pegou a garrafa de cerveja e terminou de bebê-la quase num só gole com impaciência — Que horror! Claro, posso ajudar. Só preciso de um tempo para me arrumar; já estou indo aí. Qual é o endereço? — Ele prestou atenção à voz que vinha do fone, enquanto olhava para a esposa, que fazia uma careta de incompreensão — Até já!

— Aonde você vai?! — ela se espantou.

— Querida, você não sabe que desgraça aconteceu. Aqui na ilha, um homem da embaixada americana foi estrangulado e teve o pin... o pênis cortado e enfiado na própria boca. Que horrível! Tem um agente da Interpol na delegacia e me pediu para ajudar. Imagine, é o terceiro caso em dois dias. Os outros aconteceram em Atenas — enquanto falava, Bill abriu a maior das malas e pegou uma roupa para se vestir.

— William, você está de férias! — Madeleine olhou-o incrédula.

— Maddy, eu sou perito. O agente que está aqui é novato. Eu tenho que ir. Puta merda, cara! O pau enfiado na boca?!

— Bill, pare de falar palavrão — ela o criticou.

— Se você tivesse pinto, ia saber como dói — Bill terminou de se vestir com o terno escuro e a gravata que usava para trabalhar.

— Você não está com calor? — Madeleine indagou.

— Estou acostumado — Bill pegou o celular e discou um número para pedir um táxi — Esses caras não sabem nem falar língua de gente — ele reclamou pela dificuldade que teve para explicar o endereço.

— Eu não entendo por que você vai fazer isso — Madeleine estava pasma.

— Maddy, só vou dar uma força para o cara até outro agente veterano chegar. Volto logo.

Depois de ver o marido sair, Madeleine emburrou. Seu calor não diminuiu. Ela continuava excitada. Raramente tinha um desejo tão forte para o sexo e imaginava que, se mostrasse seu furor ao marido, eles poderiam reencontrar a paixão perdida. Lembrava-se de Bill reclamar algumas vezes que ela fazia sexo como quem folheia uma revista vendo as figuras.

Não gostava muito de sexo, mas achava que fazia parte da rotina do casamento. Entre marido e mulher não devia haver só desejo, mas cumplicidade, amizade. A transa não era a única coisa boa entre um casal. Ela preferia a parte intelectual, o companheirismo. Só que William

Shelton não era companheiro nem culto. Quando o dia a dia pesou no relacionamento, não sobrou muito para falar, e, se o sexo já não era bom, o que restava na relação?

Jack e Helen saíram do quarto e perguntaram por Bill.

— Ele foi ver um defunto que engoliu o pênis — Madeleine respondeu com ódio.

— CAPÍTULO 7 —

Numa delegacia minúscula, onde mal cabiam o xerife e três soldados, duas outras pessoas se apertavam. Fazia uma meia hora que o agente Shelton da Interpol havia se apresentado à autoridade local de Zakynthos e lia sem entender o relatório da polícia, buscando provas. Informaram-no que dois outros cidadãos americanos foram encontrados da mesma forma: algemados, espancados, com o órgão sexual decepado dentro da boca.

Não havia digitais. Nenhuma pista do assassino. Para resolver a situação, o xerife dizia que precisavam ir a Atenas, onde havia médicos legistas para fazer a autópsia. Enquanto relia o relatório, William andava de um lado para outro — o que significava seis passos para ir e outros seis para voltar — daquele lugar quente e abafado.

As paredes de pedra aumentavam ainda mais a temperatura, e as roupas escuras não ajudavam a refrescar. Mas isso não chateava Bill. Ao mover-se de lado a lado, ele observou as pernas deliciosas da jovem sentada num sofá velho de couro marrom perto da janela. Audrey Sunders vestia uma saia de linho branco, sob a qual cruzava e descruzava as pernas. O cabelo estava preso com uma fivela, e ele podia ver uma gota de suor escorrendo pelo pescoço dela.

Bill sentiu um desejo louco de secar aquela gota. Mas não era hora nem lugar. Precisava prometer ao xerife que iria a Atenas no dia seguinte se informar melhor sobre os outros dois crimes para se livrar daquela chateação. Tinha pressa, pois a garota à sua frente mostrava claramente que estava pronta para se entregar.

— Então, xerife, amanhã bem cedo vamos a Atenas. Vou dar uma olhada nos outros presuntos — Bill falou apressado.

— Acha que o criminoso está naquele templo? Devo prender alguém? — o xerife perguntou.

— Não. Não faça nada. Amanhã, ok? Amanhã.

Bill deixou a sala com pressa, empurrando Audrey pelos ombros. A única coisa que o interessava era fazer amor com a garota que se oferecia para ele. Audrey levou-o até o Fiat alugado, vermelho bem antigo e com marcas de ferrugem na porta. Ele perguntou se aquilo andava, e Audrey riu ao dizer que subia ladeiras muito bem.

— Devagar, mas quando engata é perfeito.

— Você ainda não viu meu engate, baby! — Bill falou, descarado.

O xerife viu os dois se beijarem antes de o carro sumir de vista. O automóvel afastou-se lentamente, como se se arrastasse pelas vielas. Zakynthos era a terceira maior das ilhas gregas, mas não demorava muito para percorrê-la, por isso a pousada de Audrey ficava a dez minutos do centrinho.

Bill não conteve a vontade de transar por muito tempo. Ao entrarem no quarto, ele já estava bem excitado e só buscou um local para apoiar a moça que se enroscava em seu corpo. Tirando apenas o paletó e a gravata, ele a beijou, afoito. Um baú de madeira foi o suficiente para ela sentar e permitir o encaixe do amante. Juras de amor, murmúrios e gemidos. Bill estava doido de tesão. Madeleine já o havia provocado, mas era com Audrey que ele se superava e se soltava.

Em cinco minutos, chegou ao êxtase, suspirando profundamente e suando em demasia. A garota ainda o acariciou e segurou com as pernas o pênis dele dentro de si. Bill reuniu forças e carregou Audrey para a cama. Tirou-lhe a calcinha, virou-a com apetite e observou a bunda arrebitada, lisa e durinha. Era linda. Apertou-a com força, depois beijou uma nádega de cada vez. Colocou-se por cima da jovem e com movimentos frenéticos penetrou-a atrás, apesar da recusa dela.

Não a escutou. Ele não pensava, apenas agia por instinto. Só largou a moça quando, satisfeito, desabou para o lado da cama. Exausto. Sorria feliz com o prazer alcançado. Audrey olhou para Bill. Não interessava que ele não tivesse respeitado sua vontade. Estava com ela. Era seu naquele momento e seria só seu um dia. Bastava esperar e fazer o que ele queria.

Deitou-se por cima do tórax másculo e abriu os botões da camisa que restavam presos. Alguns pelos já estavam brancos. Audrey os contou um por um com a ponta do dedo. Amava aquele homem... Não, venerava-o. Pensava no dia em que o conheceu e sonhou estar com ele daquela maneira. Amantes, homem e mulher, marido e esposa.

Por que não? Bill tinha dito que ela era muito especial e diferente da esposa, que pouco lhe dava valor. Audrey sabia como fazê-lo se sentir o maioral. Conhecia sua carreira, a cor predileta, a comida de que mais gostava, sua vida íntima.

Ela era capaz de adivinhar onde estava a cada hora do dia e detestava as noites que ele passava com Madeleine. Se tivesse impedido aquele casamento... mas ele não a notava na época, pois era muito diferente. Hoje em dia, tudo tinha mudado. Sim, podia ser a sra. Shelton. Bill seria só dela. Viu que ele se mexeu e a olhou admirado.

— Eu amo você! — ela murmurou.

— Ah, meu anjo! — ele a abraçou preguiçoso — Eu estava louco para ver você. Sorte surgir esse crime, né? Eu pude ver você mais cedo. Só ia ligar amanhã.

— Eu não aguentava mais esperar.

— Está gostando da Grécia? — ele perguntou.

— Atenas é divina. Mas sozinha não tem graça.

— Amor, você sabe que minha mulher está aqui.

— Eu sei, Bill, eu sei — ela abaixou os olhos, resignada.

— Ah, não fique assim! Trouxe você aqui para a gente se divertir. Achei que essa ilha ia ser um saco, mas com você... — Bill beijou-a ternamente — ...tudo vai ser uma maravilha.

Audrey o viu se levantar da cama e se vestir.

— Espere! Aonde você vai? — ela se espantou.

— Disse a Maddy que não demorava. E isso *fazem* três horas.

A garota olhou para o homem, tão ágil em pôr as roupas quanto para tirá-las. Pensou em chamar a atenção para o erro de gramática que ele cometera, mas lembrava-se de William ter dito odiar quando a esposa fazia isso. Ele estava partindo, mas amanhã os dois teriam de ir a Atenas. Lá, não haveria Maddy. Bill lembrou que, para voltar para casa, precisava de um carro. Audrey ofereceu o seu. Ele não quis. Preferiu ir até o centrinho e alugar um.

Audrey estava contente por ficar com o homem de sua vida por mais tempo. Ao chegarem à agência de aluguel de carro, não havia muitos modelos para alugar, devido à alta temporada. O dono da agência mostrou alguns poucos veículos bem velhos e uma moto nova. Audrey insistiu que William ficasse com o carro dela, ela pegaria outro, mas ele era orgulhoso.

— Não vou deixar minha gatinha andando com uma tranqueira, sozinha nesse lugar esquisito.

Alugou a moto.

* * *

Já eram oito da noite quando William Shelton chegou com o ronco de motor barulhento na porta da casa. Jack abriu a porta e olhou para a moto. Bill simplesmente passou pelo amigo sem responder à piada de que "alguém estava voltando à adolescência". Helen tinha um olhar repressor para o homem atrasado. Madeleine estava na varanda e não se deu ao trabalho de responder quando o marido perguntou se havia algo para comer, pois estava faminto.

Ela apenas entrou pela casa e foi direto para o quarto. Bill não se deu por vencido. Procurou alguns ingredientes para fazer um sanduíche, pegou uma cerveja e se sentou na mesinha redonda de madeira velha que havia na cozinha. Comeu com voracidade, quase como um animal. Helen ficou enojada com o jeito esganado dele, que tinha acabado de devorar o lanche, recolheu a louça e disse boa-noite. Ao entrar no quarto, Madeleine se arrumava. Ele nem percebeu a irritação no rosto dela e tirou a roupa, ficando só de cueca. Para dormir naquela estufa, só mesmo nu. Ela continuou se vestindo. Então ele perguntou:

— Você vai sair?!

— Eu, Jack e Helen vamos jantar — ela respondeu sem vontade.

— Eu pensei que a gente fosse dormir.

Madeleine soltou uma gargalhada.

— William, são oito da noite. Esperamos você até agora. Como o senhor sumiu, demos umas voltas e descobrimos um lugar gostosinho perto daqui onde servem ótimos peixes e frutos do mar — Maddy mirou-se no espelho da penteadeira — Se quer dormir, ótimo, mas nós vamos sair. Vim aqui para curtir a praia, o visual, o povo. E não vou deitar cedo porque meu marido resolveu trabalhar nas férias e está muito cansado.

— Pensei que você tivesse vindo por minha causa — ele disse meio chateado.

— Eu também! — ela respondeu bruscamente.

Madeleine se aprontou e deixou o quarto. Imediatamente, Bill levantou da cama e abriu a porta.

— Espere um pouco, gente, me deixem vestir alguma coisa!

— Bill, como você pode ser assim? Abandonou-nos sem explicação e ainda pede paciência! — Helen estava brava.

— Cacete, Helen! Foi por uma boa razão.

A mulher resmungou ao ouvir outro palavrão. Jack estava impaciente. Aquele homem não ligava para ninguém. Discordava de Helen. Só criticar não era a coisa certa a fazer. Por ele, William ficava sozinho. Só mesmo Madeleine para aceitar o marido como era.

O táxi chegou. Durante o caminho, Bill contou o caso que acompanhou. A terceira vítima de um assassino frio. Os mortos eram homens, americanos, com idade aproximada de 40 anos, casados, a passeio na Grécia, cujos corpos eram abandonados na rua. Exceto o último, que fora encontrado na ilha de Zakynthos dentro de uma propriedade e estava no país a convite do cônsul americano.

O fato mais abominável para Bill e Jack, porém, era que todas as vítimas tiveram o pênis decepado e colocado na boca. Isso era mesmo uma humilhação para um homem: perder o símbolo de sua masculinidade. Quando chegaram ao restaurante, podia-se ler numa tábua pendurada com correntes acima da portinha de entrada: Ouzeria de Zakynthos. Antes de entrar, Bill olhou espantado para os outros.

— Vocês vão comer aqui? Nesse pardieiro?

— Bill, por favor! Você já nos atrasou, agora vai enrolar também. Estou com fome! — Madeleine reclamou.

— Mas, Maddy, isso é um boteco. Pior, isso é um pulgueiro! A comida deve ter bicho dentro.

— Bill, fale baixo. Conversei com alguns turistas e disseram que este é o lugar mais legal da ilha. Como esperamos por você a tarde toda, não deu para planejar nada melhor.

— Merda! Está bem, já que a culpa é minha... E você, Helen, não tem medo de engolir uma barata? — Bill provocou-a.

— Ugh, Bill! Cale-se, por favor!

Todos riram com o ataque de ânsia de Helen. Claro que ela estava detestando. Devia ter escolhido um hotel cinco estrelas em Atenas, perto da Acrópole, mas, como foi ideia dela ficar num lugar mais tranquilo para curtir a natureza e a companhia dos casais, não podia criticar. Ainda assim, sua expressão na hora de se sentar no banquinho de cordame preto de tão usado e encostar-se à parede, marcada de respingos de comida, para escolher o prato num menu de folha de caderno, foi hilária para o grupo todo.

A ilha não era tão calma. Zakynthos tinha grande movimento de turistas, e aquela parte da orla era cheia de restaurantes e barzinhos, mas, para uma mulher exigente como Helen, tudo parecia decrépito.

— Amanhã vamos jantar em Santorini. Dizem que é o lugar mais *in* por aqui — Jack anunciou.

— Obrigada, Jack — Helen tocou o ombro do marido.

— Ou um suntuoso jantar aos pés da Acrópole. Aquela jovem da praia me disse que, em vez de perder uma hora de barco até Atenas, podemos cortar caminho e aproveitar para conhecer o Peloponeso. A terra dos deuses... — falou Madeleine animada.

— Vocês ficaram sabendo disso tudo só nesse tempo em que fiquei fora, é? — Bill se surpreendeu.

— Sim, meu querido. Deu tempo para tudo... — Madeleine maliciou.

Um garçom sem uniforme, só com um avental branco-cinzento por cima de uma roupa velha, aproximou-se da mesa.

— Calí espéra!!

— Olá, amigo! Fala inglês? — indagou Jack com um jeito amistoso.

— Sim, senhor! Aqui todos falam um pouco de inglês, italiano, francês... Vivemos do turismo.

— Ótimo. E o que nos recomenda? — continuou Jack.

— Como entrada, para as donas, um vinho branco doce, vindo direto de Santorini. Para os senhores, corajosos, o ouzo é a melhor pedida. Tudo acompanhado pelas melhores mezédes da região.

— Vai com calma, cara! A gente não entendeu porra nenhuma do que você disse. Está dando uma de engraçadinho, é? — Bill se irritou.

— Eu explico, senhor!

Madeleine beliscou o braço de Bill, reclamando entredentes para que o marido deixasse de ser grosso.

— Acho bom! — O marido nem lhe deu atenção.

— Bem, ouzo é uma bebida alcoólica feita de uva e anis, e mezédes são petiscos que vão de patê de berinjela, passando por bolinhos de polvo, fatias de queijo até frutos do mar.

— Tem cerveja nesta espelunca? — Bill desdenhou do rapaz.

— Sim, senhor.

— Ok. E camarão, tem? — ele continuou.

— Sim. Grelhado ou com molho?

— Fritinho está bom.

— Senhoras? — o garçom olhou para as duas.

— Quero provar o ouzo — Madeleine se empolgou.

— Maddy!! — Helen se arrepiou.

— Ora, Helen. Eu gosto de bebidas alcoólicas.

— Mas é bebida forte para homem — Helen olhou para Madeleine, que fez que não viu — Bem, eu quero vinho branco de Santorini, muito bem recomendado em Boston.

— Também quero vinho. Comece com o patê de berinjela, depois... Quantos bolinhos por porção? — Jack tentou ler o papel à sua frente.

— Meia dúzia, senhor — o garçom respondeu.

— Então já tem nosso pedido, meu jovem — Jack decidiu.

Todos observaram o rapaz se afastar com a folha de anotações.

— Eu é que não vou comer polvo.

— Certo, Bill. Eu e as garotas já sabemos do seu bom gosto *gourmet* — Jack riu do amigo.

— Uma coisa é comer um prato exótico na Grécia, outra é engolir tranqueira num boteco de beira de praia — Bill criticou.

— Ora, você é um pobre metido a besta — Jack falou com escárnio.

— Jack, Bill tem razão. Não se sabe quem faz a comida e de onde vêm essas coisas — Helen passou a mão na mesa melada com nojo.

— Ora, Helen! Todo mundo sabe que peixes e frutos do mar num restaurante de praia costumam ser recém-pescados. Bill não quer comer polvo, mas aceitou o camarão, que, se não estiver bom, pode dar uma intoxicação — Madeleine explicou pacientemente.

— Você acha que não devo comer, Maddy? — Bill se assustou.

— Eu não disse isso. Falei que tudo deve ser bom. São produtos do mar, que está aqui ao lado.

— Mas Bill tem razão também, o lugar aparenta sujeira, e o cheiro no ar é meio azedo — Helen continuou a defender Bill.

— Eu só sinto um perfume delicioso.

— Querida, Maddy, você é otimista para caralho! Se comer merda, ainda vai dizer que está uma delícia.

Madeleine apenas olhou para o marido com uma expressão de irritação. Ele se calou.

Logo vieram as bebidas, muito bem dosadas e geladas, e os petiscos. Madeleine tomou um gole de ouzo e sentiu a garganta esquentar. Era uma gostosura. O doce suave da uva, misturado ao teor alcoólico do anis, tinha um gosto especial. Os bolinhos de polvo eram saborosos e, como o prato de Bill demorou a chegar, ele provou um e adorou. Maddy e Jack riram dele, e Jack comentou que "nunca se deve dizer que não se gosta de alguma coisa sem antes prová-la".

Helen olhou William com ternura. Ela entendia bem o mundinho de Bill e lutava dia a dia para se afastar dele. A mediocridade para ela era algo repugnante. Ela mesma já havia comido coisas bem estranhas e de paladar duvidoso apenas para não parecer ignorante.

Caviar era um prato que ela achava sem graça, mas, quando era servido em uma festa, elogiava o anfitrião. Só não entendia por que Jack e Madeleine faziam aquilo tão naturalmente. Nem com o próprio marido conseguia ser ela mesma. Receava que Jack, debochado e irônico, sentisse vergonha dela.

Certa vez William, chateado por ser esnobado pela família da esposa, desabafou com ela: "Sabe o que é sentir vontade de coçar o saco e ter de enfiar disfarçadamente a mão no bolso para os 'amigos' não repararem o 'costume desagradável', Helly?". Sim, ela entendia muito bem. Por isso preferia ser esnobe.

Enquanto Helen se perdia em pensamentos, o camarão era consumido por todos, pois a porção era bem generosa. Bill, porém, estava inquieto, e Madeleine perguntou se seria tudo por causa do tal crime que ele ajudava a desvendar.

— É bem complicado. Sabe, essa terceira vítima foi encontrada nos fundos de um templo de uma sociedade adoradora do deus Dio…

— Dionísio, o deus grego do vinho e da plantação — completou Madeleine.

— Do vinho, não. Da putaria. Dizem que nesse lugar homens e mulheres trepam dia e noite!

— BILL!! — Helen gritou ofendida.

— Desculpe, Helen, mas é isso mesmo. Ficam todos nus, e todo mundo transa com todo mundo. Homem com mulher, mulher com mulher, homem com homem…

— Bacantes — Madeleine acrescentou.

— O quê?! — Bill desconhecia a palavra.

— Bacantes, pessoas que acompanhavam o deus Baco e participavam do bacanal — Jack foi tutorial.

— Não sei de nenhum Baco… Jack! Estou falando que os tarados se reúnem e fazem essas coisas em nome do tal Dionísio. Deus da sacanagem, isso sim — Bill explicou, mostrando todo o seu preconceito.

— Creio que essa conversa não é própria para o happy hour — Helen disse, espetando um camarão dourado no palito.

— Existe um templo para adorar o deus Dionísio aqui na ilha? — interessou-se Madeleine.

— Tem, Maddy. Não é irado? Mas só um cara apareceu e disse que não dá a identidade dos outros membros da seita macabra.

— Seita macabra? Mas esse homem confessou que foram eles? — Madeleine ativou sua veia investigativa.

— Não. Ele não deixou ninguém entrar lá. Todo mundo já ouviu falar nessa sociedade de putos, mas ninguém sabe quem faz parte dela. Para entrar lá é preciso conhecer um membro do grupo, ser aceito pelos outros e participar das surubas. A polícia revistou tudo, mas não tinha ninguém, a não ser esse fulano. Um tal de Adonis.

— O mais belo dos amantes — disse Madeleine.

— O que você disse, Maddy? — Bill indagou.

— Na mitologia grega, Adonis era um lindo jovem muito disputado pelas deusas Afrodite e Perséfone, mas morreu antes que houvesse uma vitoriosa — a mulher falou quase em transe.

— Como é que você sabe de tudo isso? — Bill mostrou ignorância.

— Adoro ler sobre mitologia grega: o tempo em que os deuses viviam entre os mortais. Por isso as ilhas me fascinam. Dizem que o monte Olímpo foi criado pela Terra para ser moradia dos deuses.

— Ah, que bobagem! — William ouvia sem entender.

— É verdade, o Caos gerou Geia, a Terra, que casou com o filho Urano; juntos geraram o Céu, os Montes e o Mar...

Todos ficaram olhando para Madeleine como se ela falasse outra língua. Aquilo não fazia parte da vida deles. E não se interessaram pela explicação detalhada de um mundo estranho. Para eles, a Terra havia sido criada por um único Deus.

Deuses gregos não passavam de mitos, lendas que o povo criou por desconhecer as origens científicas da natureza. Eles apenas riram e continuaram a beber. Madeleine, porém, teve a curiosidade aguçada; sua verve literária e seus instintos ficaram à flor da pele.

O crime, acrescido à existência, na ilha, de adoradores do deus grego, considerado o mais simpático da mitologia grega, tomava-lhe toda a atenção. Aquela ideia de pessoas reunidas nuas para fazer sexo grupal a fez recordar seu sonho persistente. Haveria alguma relação entre seus devaneios e a ida à Grécia?

De repente, seus pensamentos tornaram-se inaudíveis. Uma música alta e alegre penetrou seus ouvidos. Ela olhou em volta e viu as pessoas se levantarem para um grupo de dançarinos que seguiam felizes um homem com um instrumento estranho na mão. Ela e os outros também tiveram de se mover e dar passagem aos artistas. Quando o garçom se aproximou dela, Madeleine perguntou:

— Que tipo de dança é essa? — ela teve de gritar para ser ouvida, tamanha a algazarra no salão.

— É uma buzukia, senhora. Tipicamente grega. Uma homenagem ao buzuki, instrumento que aquele homem toca, vê? — ele apontou para o estranho objeto musical de cordas que um bigodudo tocava.

Madeleine olhava tudo com alegria e excitação. Pediu ao garçom mais um ouzo, mas Jack tentou contê-la:

— Maddy, você já bebeu dois desses negócios. É muito forte.

— Ah, Jack, por favor! Eu estou bem. Adorei essa bebida. Vou comprar para levar para casa.

Logo todos os presentes entraram na brincadeira. Madeleine rodopiou com alguns dançarinos que a seguravam pela mão e riam animados. Bill, invocado, tratou de tirá-la do meio deles.

— Você não está legal. É melhor a gente ir pra casa.

— Sai fora, Bill! Eu quero me divertir — Maddy tirou a mão dele de seu ombro.

— Não viu que os caras estão se aproveitando? — ele a advertiu.

— Eu não vi nada. Nenhum deles nem sequer passou a mão em mim.

— E você está querendo? — Bill se enervou.

— É mais do que você me deu, amor!

Madeleine se livrou do marido e rodopiou com os demais até a música terminar. Ela tropeçou de repente, meio zonza, e um rapaz a ajudou, segurando-a pela cintura. Bill ia partir para a briga, mas Jack, gentilmente, agradeceu a ajuda do rapaz, pegou Madeleine pelos ombros e tratou de sair do restaurante no embalo da dança. Levou Bill e Helen junto.

Madeleine entoava a canção grega pelo caminho. Bill estava furioso com a palhaçada que a mulher causou lá dentro e veio reclamando que ela não sabia beber e estava muito "saidinha".

— Calma, Bill! Maddy está apenas alegre.

— Bêbada, Jack, você quer dizer. Nunca a vi se jogar para os caras como fez hoje.

— Concordo com William, Jack. Madeleine está estranha desde que aterrissamos em Atenas.

— Vocês dois não conseguem entender que a moça está triste e, por isso, quer se soltar?

— Se soltar significa virar puta?

— Não fale assim de Madeleine. Se alguém é culpado pelas atitudes estranhas dela, é você, Bill — reagiu Jack.

— Vai se foder, inglês gorducho!

— William...

Jack estava quase dando um soco em Bill quando Helen interferiu:

— Vocês dois não veem que terão de ficar muitos dias juntos? Acalmem-se, por favor. Detesto violência!

— Se vocês tivessem bebido ouzo, como eu, estariam mais felizes. Escuta, alguém pode abrir o portão pra mim? Tá tão pesado...

Os três olharam para Madeleine. Ela estava tão embriagada que não tinha forças para abrir o portãozinho de ferro do jardim. Jack riu, olhou para Bill e disse que ele estava certo, Maddy estava bêbada. Rindo, ambos a ajudaram com o portão, enquanto Helen abriu a porta da casa. Madeleine foi direto para o banheiro, e Bill resolveu acompanhá-la. Quase que ela não chegava a tempo. Com o estômago revirando, Maddy inclinou a cabeça sobre o vaso sanitário e começou a pôr tudo fora. Em vez de acudi-la, Bill voltou para a sala enjoado. Helen, ao contrário, correu para segurar a cabeça da amiga para facilitar o ato. Quando se recuperou um pouco, Madeleine começou a chorar.

— Não sei o que faz Bill me recusar dessa forma.

— Ele não a recusa, Maddy — Helen a abraçou.

— Não importa o quanto me esforce. Não consigo fazê-lo gostar de mim — balbuciou a mulher.

— Você está se sentindo mal, Maddy, só isso — Helen acalentou-a.

— Se eu bebo, é porque bebo. Se quero transar, ele acha que eu estou louca. Se não transo, diz que sou fria. O que eu faço para ter meu marido de volta, Helen?

As duas se abraçaram no chão do banheiro. Madeleine chorava copiosamente, enquanto Helen a embalava como a um bebê. Teve pena da amiga. Era uma mulher rica, autossuficiente, mas não conseguiria ser a esposa que Bill desejava. Ele queria alguém que ficasse em casa, cuidando do lar e dos filhos. Não podia aceitar alguém mais bem-sucedido que ele.

Para um homem que nasceu no interior do Meio-Oeste americano, era muito difícil suportar uma esposa intelectual e de modos finos. Se tivessem pedido sua opinião, ela teria dito o que achava da união deles, mas só conheceu Madeleine casada.

Helen se espantava com a forma como Madeleine havia se adaptado aos Estados Unidos. Talvez o sucesso de seus livros a absorvesse demais para ela perceber como era difícil abandonar a vida refinada de Londres e viver como uma americana qualquer.

Voltando ao presente, Helen ajudou Madeleine a tomar banho, depois a levou para o quarto, vestiu-a com uma camisola e a pôs na cama. Amanhã teriam a chance de tornar a estadia na Grécia mais agradável. Tinha sido só o primeiro dia, ainda faltavam dezenove.

— CAPÍTULO 8 —

Adonis estava reunido com vários homens deitados em colchonetes em círculo no chão de pedra num ambiente soturno, em que as sombras tomavam a maior parte do lugar. Era difícil distinguir os rostos. Muitos tinham um manto com capuz, cobrindo a cabeça, e pareciam aborrecidos. As vozes eram incisivas. Eles exigiam providências urgentes para o acontecido e não queriam seus nomes envolvidos no crime.

Ele tentava explicar que não poderiam evitar a polícia. Se tentassem, acabariam ainda mais incriminados. Ele tinha certeza de que nenhum dos membros do grupo era culpado, mas não tinha como provar às autoridades. Os mais velhos prometiam se retirar da sociedade se a investigação continuasse. Alegavam muita publicidade e diziam não querer a atenção do mundo voltada para si, principalmente em se tratando de um crime sexual.

O jovem grego ouvia a todos com paciência. Ele já tinha assumido toda a responsabilidade do caso e representava a instituição sem recorrer à proteção de nenhum dos membros, nem mesmo dos mais ricos e influentes. Sabia o risco que corria. Compreendia que podia ser até preso se continuasse escondendo o nome dos demais elementos da sociedade. Sentia-se como Atlas. Ele se sacrificaria pelos companheiros, pois essa era a sua função e, afinal, foi ele quem chamou a polícia, sob os protestos dos demais. O caminho entre a lei e as convicções religiosas era tênue, e ele tinha de lutar só, apesar de todos os obstáculos. Adonis tinha fé nas tradições e não abandonaria seus princípios. Levaria os dogmas adiante. Até chegar o dia em que passaria a obrigação para outro.

Depois de muita discussão e de se certificarem de que Adonis não denunciaria nenhum deles, os homens se retiraram. Para não serem flagrados juntos, deixavam o local um a um, até que Adonis se viu sozinho, olhando para paredes escuras e colchões vazios. Lembrou-se de como tinha sido difícil chegar até ali. Como no começo, quando procurou as figuras mais importantes da sociedade grega e foi expulso, tudo por ser um visionário que atentava contra a moral "civilizada" das entidades pardas daquelas terras. Agora, lançadas as sementes e iniciada a colheita de uma "loucura", mais uma vez ele era posto à prova. Aonde o levaria mais essa estrada árdua em que os deuses o haviam colocado? Qual era o significado de mais esse teste? Ele precisava pensar e orar para Zeus. Entender as palavras divinas por meio dos atos dos homens.

* * *

Madeleine despertou com a cabeça doendo e tudo rodando em volta. O gosto amargo na boca era horrível. A cama estava vazia. Onde estaria Bill? Levantou-se e foi escovar os dentes para ver se o gosto desaparecia. Nada. Bocejou com certa preguiça. Foi para a cozinha ainda cambaleante e abriu a geladeira. Ficou um tempo na frente do aparelho esfriando o corpo, depois pegou a garrafa de água gelada e despejou metade do conteúdo num copo grande. Bebeu vários goles de uma vez. A sede era terrível. Ressaca brava. Ouviu palmas do lado de fora da casa. Olhou no relógio de pulso, que nunca tirava, e leu sete horas. O sol da manhã já estava bem forte. Voltaram a bater, e ela se perguntou quem poderia estar ali tão cedo. Só restava atender. Foi de camisola mesmo. Entreabriu a porta e viu uma mulher de corpo avantajado vestida com blusa e saia pretas com um lenço vermelho amarrado na cabeça.

— Pois não?

— Sra. Wippon? — perguntou a mulher timidamente.

— Não, sou Madeleine Shelton. O que deseja?

— Sou a empregada que a senhora Wippon contratou.

Madeleine abriu a porta e deixou a mulher entrar.

— Entre, por favor. Desculpe meus trajes, acabei de acordar.

— Eu devia ter usado minha chave, mas não quis assustar ninguém — a mulher disse, entrando devagar.

— Como é seu nome? — indagou Madeleine.

— Maia, senhora.

— Muito prazer. Esta é a sala, e ali, a cozinha. A varanda fica...

— Eu conheço bem a casa, senhora — falou a mulher de meia-idade com gentileza — Na verdade, esta casa é minha, mas alugo nos meses de verão. Nessa época ganho dinheiro com os turistas.

— Que interessante! Aí a senhora se oferece como empregada para tomar conta da sua casa — Madeleine admirou a ideia.

— Sim, senhora.

— Inteligente. Pode vigiar seus hóspedes para que não destruam sua casa. Legal. Bonita casa, sra. Maia.

— Só Maia, senhora — falou meio sem jeito.

— Fique à vontade. Faça de conta que a casa é sua.

As duas riram da brincadeira. Madeleine acabou de beber o copo de água e começou a procurar algo para comer dentro da geladeira. Agora entendia por que tudo estava tão organizado e o refrigerador, tão abastecido. Maia providenciara tudo antes de os visitantes chegarem. Até que Helen, sozinha, soube fazer as coisas direito dessa vez. Era lógico que, estando de férias, nenhuma das duas ia cozinhar.

Enquanto Madeleine procurava alguma coisa para o café da manhã, Maia tirou da sacola dois potes de vidro e dois pacotes menores. A hóspede perguntou o que eram, e Maia explicou que havia iogurte grego e mel nos potes, e nos pacotinhos pitas, tortas recheadas que ela tinha preparado naquela manhã. Madeleine provou e adorou. O iogurte, que lembrava uma coalhada seca, acrescido de mel, tornava-se um néctar delicioso. Os pitas eram bem recheados, e Maddy se deliciou em tentar reconhecer os ingredientes. Ocupada com o desjejum, ela ouviu a porta do outro quarto abrir. Helen veio sonolenta até a cozinha.

— Bom dia!

— Olá, Helen. Esta é Maia, a pessoa que você contratou para cuidar da casa e da gente.

— Pensei que a encontraria aqui ontem.

— Arrumei a casa e deixei comida, senhora. Imaginei que queriam ficar sossegados no primeiro dia.

— Está bem, mas da próxima vez não imagine e me comunique qualquer mudança de planos.

— Sim, senhora — Maia respondeu e abaixou a cabeça.

Madeleine detestou a empáfia de Helen.

— Ela é a dona da casa. Não precisa ser tão indelicada.

— Só para estabelecer quem manda — murmurou a amiga com um sorriso matreiro.

— Helen, você não tem jeito.

Madeleine continuou apreciando as novidades culinárias dispostas à mesa, mas, de repente, procurou alguma coisa com os olhos.

— O que foi, Maddy? — perguntou Helen.

— Não vi Bill por aí. Achei estranho ele ter acordado antes de mim, mas não sei onde se meteu. Será que foi à praia?

— Nossa, Maddy! Você bebeu muito mesmo ontem, não? — Helen riu — Bill saiu bem cedo hoje porque foi a Atenas resolver o crime.

Madeleine a olhou espantada.

— É. Ele disse que precisava analisar o corpo do homem assassinado.

Madeleine bateu a mão na mesa e se levantou com raiva. Lembrava-se de o marido ter dito qualquer coisa sobre Atenas, mas não imaginava que ele daria prioridade a um crime em detrimento à sua tentativa de reaproximação. Saiu pela varanda pisando firme. Chegou perto da mureta e olhou para baixo. Ainda não havia muitas pessoas na praia, mas algumas garotas já faziam topless.

Ela pensou em como gostaria de ficar daquele jeito para que os homens a olhassem com desejo. Seria capaz de ficar nua se isso fizesse Bill ter ciúme e dar um pouco de atenção. Como adoraria ser mais liberal, depravada até. Que adiantava ser uma lady inglesa e uma esposa fiel, se o marido preferia supervisionar uma autópsia em plenas férias nas ilhas gregas? Era muita humilhação. Sentia-se a pior das pessoas. Não devia ser mais atraente para o marido, ou ele não tomaria aquela atitude. A que ponto tinha chegado.

— Não fique chateada, Maddy. Você sabe que o Bill põe a organização acima de tudo.

— Queria ter coragem de deixar esse idiota! Fazer coisas de que gosto. Por que sou tão covarde?

— Bill ama você, Madeleine. Ele é um bom homem...

— Pare de defender Bill, Helly! — as duas se voltaram para o som da voz masculina que vinha da porta da varanda — Madeleine tem razão, ele nunca deveria ter ido para Atenas. Afinal, veio aqui para ficar com a esposa, não é?

— Não existe família para William quando há trabalho a fazer — Madeleine disse, furiosa.

— Deixe para lá, Maddy, vamos nos divertir sem ele. Quem sabe você não encontra um grande amor aqui? Dizem que não há lugar mais divino do que as ilhas gregas para um amor de verão — Jack falou, abraçando a amiga.

— Desde quando Madeleine é mulher para um romance de verão, Jack? Ela é uma nobre inglesa, não seria capaz de ser infiel. Somos outro tipo de pessoas. Mais elevadas — Helen impostou a voz.

— As elevadas não amam? — Jack ironizou.

— Ridículo!

Madeleine riu com a troca de farpas do casal, mas estava de fato querendo se divertir. Viera às ilhas para renovar o ânimo. Nem o descaso de William Shelton a faria desistir daquele passeio.

— Não sei quanto a vocês, mas vou colocar um biquininho e arranjar um passeio. Daqui a pouco tudo vai estar lotado, aí não teremos chance de pegar os melhores lugares — Maddy foi para o quarto.

* * *

Atenas já fervilhava de gente. A população de quase quatro milhões de habitantes, só na capital, podia triplicar durante o verão com a chegada dos turistas. Não havia espaço nas ruas para andar livremente, e as lojas das ruas Plaka e Monastiraki estavam apinhadas. Todo mundo querendo levar uma lembrança e badalar pelos bulevares. Já era meio-dia, e todos pareciam estar à procura de guias e passeios em agências, espalhadas por todo o centro ateniense.

Não havia um só lugar — museus, parques, mercado — onde não houvesse uma pequena fila de estrangeiros tentando se fazer entender pelos barqueiros no porto ou comerciantes. Muitas vozes e muita agitação por todos os lados. Nada disso, porém, pareceu afetar a tranquilidade do quarto 28. As cortinas estavam fechadas, e a espessura de seu tecido isolava muito do som alucinante do lugar. Ali, o barulho era outro. Sussurros e gemidos eram o máximo que se escutava. Braços e pernas se levantavam em meio a lençóis leves, que retinham o suor dos amantes, avessos a passeios ou badalação.

Fazia uns bons 40 minutos que aquela atividade acontecia. Não que fosse o período mais longo que um homem e uma mulher já passaram juntos, mas para William Shelton aquele era um recorde. Nenhuma mulher antes tinha conseguido dele tanto tempo de prazer. Mas Audrey Sunders era uma expert. Após uma hora na delegacia central de Atenas, que ficava perto do Teatro Dionísios, analisando o cadáver encontrado na ilha de Zakynthos, os agentes da Interpol tinham esquecido tudo.

Para ambos, e principalmente para Shelton, aquela era uma cena comum na profissão, não havia traumas nem surpresas que ele já não tivesse superado depois de tantos anos de trabalho. Portanto, não deviam perder tempo demais com o crime.

Ele queria estar com sua admiradora. Não havia, para Bill, nada melhor que uma mulher apaixonada para possuir sem reservas. Alguém que ele pudesse dominar, que estivesse disposta a se submeter a todos os seus desejos e suas vontades. Audrey era tudo o que ele queria e mais. Olhava para ele com adoração e era incapaz de negar qualquer vontade sua. Entrega sem cobranças, essa era a melhor parte do relacionamento.

Audrey tinha toda a energia que a juventude lhe dotava, e, se Bill quisesse, poderia fazer amor com ela a tarde inteira. *Por que ele ri quando eu digo "fazer amor"?*, perguntava-se deitada, observando o amante ressonar a seu lado. Era impressionante como Bill desmaiava depois de transar. Funcionava, para ele, como um calmante. A moça, porém, gostava de ficar abraçada, conversando sobre sua vida.

Às vezes, preferia acreditar que sua inclinação para agente da Interpol era por causa do pai, para não dar a Bill total crédito por sua decisão.

Mas era impossível não admitir que, desde a primeira vez que viu aquele homem, seu destino havia se modificado. Ela queria estar onde ele estivesse, queria fazer o que ele fazia. Não foi o fato de o pai ser um agente da Interpol que a fez entrar para a organização. Foi a possibilidade de encontrar William Shelton pelos corredores, respirar o mesmo ar que ele, tocar os mesmos objetos.

Sorria, olhando-o triunfal. Estava ali, deitado com ela. E desta vez foram três orgasmos. Essa era a razão pela qual Bill chegava a roncar. O guerreiro estava exaurido. Tinha lutado sua batalha e agora recuperava suas forças. Não. Audrey não queria despertá-lo. Temia que ele resolvesse ir embora, como era comum acontecer. Quinze minutos de sexo, cinco de descanso e o retorno do soldado para seu batalhão. Mas como tudo o que é perfeito se desfaz, não demorou muito para Bill abrir os olhos assustados para Audrey.

— Que horas são?!
— Meio-dia e meia.
— Merda! Dormi demais! — ele se levantou e esfregou o rosto.
— Calma, amorzinho. Para que a pressa?
— Minha mulher deve estar puta comigo.
— Fique comigo mais um pouco — passou a mão na perna dele.
— Aud, a gente combinou.
— Que saco, Bill! Aposto que a sua mulher está na boa. Ela não o espera para nada, você já disse — ela reclamou.
— É por isso que vou nessa. Se ela pensa que eu estou largando mão, vai terminar tudo comigo.
— Vou achar ótimo! — Audrey concluiu.
— Eu sei, bonequinha. Só que eu não quero isso.

Bill se levantou e começou a se arrumar. Olhava para Audrey deitada se contorcendo, fazendo caras e bocas para ver se conseguia que o amante voltasse para a cama. Ele tinha pressa. Teria de pegar um avião para Zakynthos urgente. Saíra antes das sete da manhã da ilha, num avião de carga, e pretendia voltar a tempo de fazer algum passeio com a esposa. Apressou-se o mais que pôde, mas o próximo avião para a ilha só saía às duas da tarde. Perderia o almoço.

***

Mesmo que Helen implorasse para que o grupo esperasse por Bill, Madeleine e Jack conseguiram arranjar um guia que os levasse cedo para a Gruta Azul. Um cenário deslumbrante no extremo norte da ilha que causava frisson a todo turista que desejasse conhecer o local. Uma escavação natural dentro das rochas, com as paredes da gruta parecendo ter sido tingidas pelo azul do mar. Apesar de ser uma caverna, aquele lugar era bem iluminado, e as pessoas que sabiam nadar com segurança podiam descer do barco e sentir a água deliciosa e tranquila na cava. Foi exatamente o que Madeleine fez.

Ela mergulhou no mar e admirou aquela construção que somente os deuses poderiam ter feito. Que paraíso! Jack também estava emocionado. Menos corajoso, porém, olhava do barco para todos os lados em admiração. O guia explicava o tipo de rocha da gruta, e ele ora perguntava sobre tudo, ora ficava em silêncio, sentindo a magnitude do lugar. Estava em transe. Helen, não. Odiava barcos, e a ideia de estar numa canoa sem segurança não a agradava em nada. Ficava olhando preocupada para Maddy, com receio de que se afogasse, enquanto pedia a Jack, sem ser ouvida, para retornarem à praia.

— O passeio é de meia hora, senhora — disse o guia, inconformado com o marido que ignorava os pedidos exaustivos da mulher.

Meia hora! Helen balançou o barco tentando se levantar. Logo foi repreendida por Jack, já que, ali dentro, debaixo das rochas, era perigoso falar muito alto, sem contar o incômodo que causava aos outros turistas que faziam o mesmo passeio. Helen se apavorou ainda mais. Bateu a mão na água e, olhando para cima, chamou Madeleine num tom de voz rouco, como se não quisesse ofender a montanha. Jack riu e falou para o guia espantado:

— A psiquiatra recomendou um lugar tranquilo e veja aonde eu a trouxe — ele riu em deboche explícito.

Madeleine voltou para o barco, feliz com seu biquíni preto. O engraçado era como, mesmo molhada, não sentia frio. A gruta retinha o calor através das rochas, e isso causava um efeito próximo de uma estufa. Era tudo divino. Queria ficar ali por muito mais tempo. Antes de voltarem, com a praia cheia de gente esperando para fazer o passeio até a Gruta Azul, Maddy ainda nadou um tanto. A areia era repleta de pedrinhas, diferente de Malibu, Califórnia, onde ela e William costumavam passar o verão. Bill... não tinha pensado nele nem um minuto, a não ser no momento em que Helen disse que era melhor voltarem, pois o marido dela já devia estar preocupado.

— É claro que ele ainda não voltou! — disse Jack emburrado — Podíamos ter almoçado em Volimes. O lugar me pareceu bem legal. Agora o sr. Shelton nem chegou, e eu estou morto de fome.

— Fique tranquilo, Jack. Vamos sair de novo e comer alguma coisa noutra praia. Dizem que Laganas é mais badalada — falou Madeline, animada.

— Madeleine, você não vai esperar o Bill?! — Helen se espantou.

— Claro que não! Estamos com fome, e ele já deve ter almoçado em Atenas. Bill não se aperta.

Antes de saírem, porém, Helen recomendou a Maia que fizesse algo simples para Bill comer. A grega disse que já havia preparado algo e serviria o hóspede tardio. Madeleine nem quis saber o que Helen fazia. Assim que decidiu sair, começou a caminhar pela trilha que desembocava na estrada. Era impossível, é claro, chegar a pé a Laganas. Pensou em pegar a moto que Bill alugara no dia anterior, mas ele havia saído cedo com ela para ir até o aeroporto. O ônibus circular demorava um bocado. Era melhor pegar um táxi.

Fácil, pois, com tantos turistas visitando a ilha, muitos carros circulavam por ali. O casal amigo correu atrás dela, pois Madeleine já estava chegando à via mais movimentada. Andaram por algum tempo, e nada de transporte. De repente, um bugue veio buzinando, e dois jovens gritaram vivas ao passar pelos três. Madeleine teve uma ideia que fez Helen se arrepiar da cabeça aos pés.

— Ei, garotos! Podem nos dar uma carona? — gritou, acenando.

Imediatamente o carro parou e deu marcha à ré. Os dois jovens não tinham mais que 20 anos. Eram loiros, queimados do sol, usavam bermudas de surfistas e sorriam muito alegres.

— Quer carona, dona bonitona? — perguntou o miudinho no banco de passageiro.

Maddy riu.

— Sim. Queremos ir à praia de Laganas, vocês conhecem?

— Não. A gente chegou hoje de manhã. Viemos curtir o sol — o garoto continuou.

Os dois não eram americanos, Madeleine percebeu pelo sotaque meio germânico.

— Estamos hospedados aqui perto, mas é só nosso segundo dia.

— Subam aí, pessoal. É só apontar o caminho — decidiu o motorista.

Helen ficou olhando para o carrinho. Estava apavorada, observou as rodas largas, o veículo baixo, estreito, sem lugar para colocar as pernas. Perguntou como ia se sentar no banco, e os rapazes responderam que teriam de pôr os pés no assento e sentar na beirada. Sem titubear, Madeleine e Jack se ajeitaram, colocando a mão no ferro que deveria segurar uma capota, mas Helen continuou parada, olhando, sem coragem de se aproximar. Jack mandou-a se apressar para não atrasar os meninos.

— Sr. Wippon, não colocarei meu corpo em perigo nesse cubículo por dinheiro nenhum deste mundo.

— Helen, não invente moda! — Jack ralhou.

— Eu não consigo entrar aí. Pronto. Vou voltar para casa, esperar Bill e comer com ele por aqui.

— Peraí! Eu vou atrás, e a madame vai no banco da frente, ok? — o rapaz miudinho saiu do carro.

Ela admirou a agilidade com que o menino desceu do carro e sentou entre Jack e Madeleine. Ela ainda olhou, pensou, mas decidiu subir. Todos a ajudaram a se acomodar. Daí só teve tempo de ouvir "Segura!", e o bugue saiu cantando pneu. Era Jack quem, muito prevenido, levava o mapa da ilha para chegarem a Laganas. Durante o caminho, os rapazes se apresentaram como Jeremy e Stowe, ou Jery e Stoo. Eram holandeses e faziam pela primeira vez, sozinhos, uma viagem às ilhas. Tinham 20 e 18 anos, respectivamente. Lindos garotos loiros que surgiram numa paisagem maravilhosa. Paisagem que Madeleine estava adorando. Jack ficou impressionado com o sorriso fácil do jovem a seu lado. Para os garotos, tudo era razão para riso. Os obstáculos da estrada ou os gritos de Helen pelo caminho. Eram jovens, belos e felizes.

Logo chegaram à praia. Ao descer do carro, Helen sentia ter levado uma surra. Suas costas doíam, suas pernas pareciam dormentes. Jack e Madeleine sentiam-se ótimos, principalmente quando avistaram o azul do mar. Aquilo era o céu. Havia muita gente na praia e, mais adiante, havia alguns lugares para comer. Os jovens disseram adeus e partiram com seu bugue, não sem antes desejar sorte a todos e dizer a Helen que tomasse cuidado para "não machucar os pezinhos nas pedras da areia". Jack admirou os garotos e riu. A esposa demonstrou desdém.

— Vamos lá, comilão! Temos de encontrar um local para almoçar, antes que sua enorme barriga comece a roncar e dê vexame.

— Sim, querida — Jack saiu chutando a areia.

* * *

Quando Bill voltou, foi prontamente atendido por Maia. Já passava de três da tarde, e ele estava faminto. A princípio estranhou a mulher vestida de preto naquele calor vir atender a porta, mas, como apreciava ser bem servido, logo se regalou. Ficou aborrecido que os outros tivessem saído sem ele, mas admitia que não teria disposição para um passeio a uma praia mais distante. Audrey Sunders havia sugado toda a sua energia naquela manhã. Bill pegou o jornal comprado em Atenas e estava olhando as fotos, já que não entendia uma palavra do que estava escrito. Abriu uma página e viu a foto da vítima do dia anterior. Perguntou a Maia o que dizia a notícia. Enquanto lia, os olhos da mulher se arregalavam: "Funcionário da embaixada americana é a terceira vítima do assassino de Atenas. De acordo com as autoridades atenienses, dessa vez o corpo foi encontrado em Keri, ao sul da ilha de Zakynthos, num templo dedicado ao deus Dionísio". A mulher parou.

— O que houve?

— É o templo de Adonis... — ela disse, pensativa.

— A senhora o conhece? — William se levantou da mesa interessado.
— Todos o conhecem. É muito respeitado na Grécia.
— Acha que ele pode ter cometido algum desses crimes?

Maia colocou o jornal em cima da mesa e, abaixando os olhos, disse que precisava ir embora, pois havia acabado seu serviço e já passava de seu horário. Bill ainda tentou detê-la para tentar descobrir o que aquela mulher realmente sabia, mas Maia se desvencilhou e conseguiu sair sem que William arrancasse uma informação sequer dela.

Assim, um pouco decepcionado por perder uma possível testemunha para o caso, ele aproveitou o silêncio da casa e resolveu deitar. Com as janelas abertas, pois o calor era forte, praticamente desmaiou de cansaço. Audrey o esgotara. *Que mulher! Que mulher!*, foi seu último pensamento antes de apagar.

As vozes vieram de longe. Como um sonho. Bill quis despertar enquanto se revirava na cama. Que horas seriam? Não havia um só relógio naquele lugar. Os móveis muito rústicos estavam na penumbra, já que um brilhante luar entrava pela janela do quarto e iluminava a cama diretamente. Bill levantou o tronco e esfregou o rosto com as mãos. Já era noite. Quanto tempo tinha dormido? Levantou da cama tentando achar o interruptor. Quando conseguiu, a luz fraca foi suficiente para acordá-lo de vez. Abriu a porta e viu Jack e Helen no sofá, depois viu Madeleine surgir de dentro da cozinha com duas cervejas.

— Olá, pessoal. Alguém sabe que horas são?

Madeleine olhou displicentemente no relógio e respondeu:

— Oito horas.

— Nossa! Vocês estão voltando do almoço só agora? — Bill estava zonzo.

— Por que o espanto? Você nem chegou para o almoço.

Bill percebeu a irritação da esposa.

— Eu queria esperá-lo, Bill, mas Maddy disse que você ia demorar.

— É, Helen. Nem sei que hora cheguei. Parecia que eu não ia mais sair de lá! Puta merda! Passearam muito, querida? — Bill tentou beijar Madeleine, mas ela desviou o rosto, entregou a outra cerveja para Jack e se sentou numa cadeira na varanda sem responder à pergunta.

— Conhecemos a ilha toda, Bill. Fomos à Caverna Azul, depois almoçamos em Laganas, fizemos compras em Zakynthos. Uma delícia. Alugamos um carro para nos deslocar mais rápido pelos lugares. Antes pegamos carona com uns moleques... — Helen despejou as informações.

— Helly! Pare de falar um pouco. Não viu que o Bill não está prestando atenção em você?

William agradeceu a Jack com os olhos e saiu para a varanda. Queria falar com a mulher, pois estava claro que Maddy estava muito brava com ele. Encostou-se ao vidro da porta e esperou que Madeleine olhasse para ele. Nada. Ela continuou bebendo sua cerveja como se ele não estivesse ali. Resolveu insistir. Pigarreou. Nada. Maddy apenas virava a cerveja de gole em gole.

Decidido a não ser ignorado, Bill pegou uma cadeira e pôs ao lado dela.

— Que lua linda, não?

— Só para os namorados — Madeleine nem se virou.

— E a gente é o quê?

— Marido e mulher — ela finalizou.

— Maridos não podem namorar suas mulheres? — Bill quis brincar.

— Só os que as amam de verdade.

Bill olhou frustrado.

— Você está bem bronzeada. Gostou da ilha?

— Quem não gosta do paraíso? — Madeleine continuou distante.

— Queria ter curtido esses passeios todos com você.

— Queria mesmo, William? Sério? Amanhã vamos conhecer o Peloponeso, que tal?

— Claro, meu bem. Acabei aquele caso. O problema é da polícia agora. O agente Sunders assume daqui para diante. Amanhã vou com vocês para esse Pelneso.

— Peloponeso! — ela se irritou com a ignorância dele — William, você sabe realmente por que veio para as ilhas gregas?

— Claro que sei, benzinho! Para ficar do seu lado — ele abraçou a mulher, que o olhou incrédula.

Não conseguia entender como Bill, tendo estudado até o colegial, feito cursos na Interpol e viajado para tantos lugares do mundo, conseguia ser tão ignorante para algumas coisas. Até parecia que ele fazia questão de se manter na mediocridade. Como se se agarrasse a suas raízes rurais, com medo de perder a identidade.

— Você vai sair com a gente agora? — ela indagou.

— Sair!! Digo... meu anjo, você ainda quer sair, depois de ficar todo esse tempo na rua?

— Eu vim aqui para me divertir, Bill.

— Claro, meu amor. Mas será que os outros não estão cansados? Jack, Helen, vocês ainda pretendem sair hoje?! — falou mais alto se esticando para a porta da varanda e pedindo uma ajuda com o olhar.

— Vou tomar um banho e desabar na cama — disse Helen sem pestanejar.

— Eu estou morto! — respondeu Jack bocejando.

— Viu? Todos estão cansados. Mas se fizer questão, querida, podemos ir nós dois — ele passou o braço pelas costas dela.

Madeleine se levantou da cadeira, encarou Bill e entrou na casa. Foi para o quarto, pegou uma toalha e foi para o banheiro. Ela tirou o biquíni, lavou a parte de baixo, tirando a areia, e depois fez o mesmo com a parte de cima. Saiu do chuveiro e se enrolou na toalha que cobria da metade do seio até o começo da coxa. Antes de voltar para o quarto, mediu Jack e Helen da cabeça aos pés.

— Realmente, a idade chega muito rápido para alguns. Boa noite!

— **CAPÍTULO 9** —

Todos já tinham ido embora. Estava na hora de fechar, mas Adonis quis ficar ainda um pouco mais. Alguém precisava organizar os últimos detalhes. Não só por isso, mas ele de fato gostava de estar ali dentro. O Templo de Dionísio era uma criação sua. Ele tinha se esforçado muito para aquele sonho se concretizar. A realização de seus ancestrais. Um lugar onde adorar os deuses não era pecado nem bobagem. Mas Adonis mantinha-se humilde diante de sua obra. Ele sabia que a soberba era severamente punida pelos deuses. Havia várias histórias de homens orgulhosos que eram castigados pelas divindades. Ele entendia que era apenas uma peça no jogo dos deuses e tinha de se manter atento a todas as falhas que poderia cometer.

Seus senhores a tudo viam e poderiam a qualquer momento elevá-lo aos céus ou atirá-lo aos infernos. Era sua obrigação viver de acordo com seus ancestrais, pois havia muito tinha recebido o sinal e se guiava pelas tradições. Não era guru nem sacerdote. Era um homem em busca da verdade. Às vezes, achava que as pessoas a seu lado o usavam com objetivos escusos, mas tudo não passava de artifício dos deuses para que ele obtivesse sua vitória. Adonis fora escolhido pelos Senhores do Olimpo como o mantenedor das tradições, da história, da glória grega. Muitos o rejeitavam, pois a maioria dos gregos era ortodoxa e não concebia a crença em deuses e monstros lhes comandando a vida. Uma luta que parecia perdida, mas Adonis tinha a vontade de uma rocha. Jamais abandonaria seus ideais. Acreditava que sua fé o levaria à vitória.

O último revés, porém, ameaçava de forma incontestе sua crença. Como se não bastasse o povo apontá-lo como pervertido e adorador do diabo, agora era visto como criminoso sexual. Por que os deuses o haviam punido com o aparecimento daquele cadáver nos jardins? Quem poderia ajudá-lo a provar a verdade? Onde encontrar a resposta para sua aflição? Só lhe restava orar e pedir que Atena, em sua infinita sabedoria, iluminasse sua mente. Ele se aproximou do altar da deusa. Abriu os braços e rogou:

— Ó, Athena, Senhora do Conhecimento e da Justiça! É a ti que imploro! Faz com que a verdade surja diante de meus olhos. Que se desvende a identidade do culpado por essas mortes. Que eu e os meus possamos continuar nossa cruzada para a glória dos deuses. Diz-me o que fazer!

De repente, Adonis sentou-se sobre os calcanhares, cobriu os olhos com o braço direito e desmaiou, tendo só a chance de pronunciar uma última palavra:

— Afrodite!

* * *

Uma música, aparentemente sacra, tomou seus ouvidos. Olhou em volta para a imensidão branca de cortinas de voal, com pilastras de mármore delimitando o espaço, e sentou-se em um canapé de vime, com tiras trabalhadas num bordado. O veludo bege entrava em harmonia com a sonoridade do ambiente.

Ela olhou ao redor e viu-se só e nua outra vez. Perguntou-se por que estava ali. Ao olhar para uma das cortinas, viu o vulto de um animal. De repente, o bicho estava perto dela. Era um bode branco, forte, saudável, com chifres e barbicha. Abandonando o canapé, ela sentou-se no chão e abraçou o caprino com carinho. Viu-o transformar-se num homem, alto, belo. Possuía uma barbicha, a única coisa aparente que ainda lembrava o animal.

O jovem perfeito lançou-se sobre ela e, como se fosse a coisa mais natural, Madeleine aceitou um beijo. Depois, o púbere derramou vinho em seu corpo e a secou com os lábios, parte por parte. Ela o segurou pelos cabelos negros e enrolados e notou, em sua testa, duas protuberâncias. Alisou a superfície pontuda e lisa, e a sensação foi excitante. Tinha a impressão de que ardia em febre. O mármore branco e frio ficou laranja, depois vermelho, parecendo ferver sob seu corpo. Seu consorte devorava-a com mãos e pernas. A música, em um primeiro momento, calma, murmúrea, passou a torrencial, a lhe martelhar os tímpanos. Foi num crescendo, foi uma profusão de sentimentos. Transpirava, derretia... Daí, notou que o som da harpa passou para uma música conhecida. Fixou-se na melodia.

O Bolero de Ravel soava do aparelho em cima do criado-mudo. Madeleine despertou irritada com o som e logo ouviu a voz de Bill:

— Como é?! Repete, estou acabando de acordar... Puta merda! Esse cara está matando todos os americanos na Grécia? (...) Porra! Se não tem jeito... Eu vou, já disse que vou — olhou para Madeleine, que, de pé, já pressentia o que viria a seguir — Querida, eu...

Mal teve tempo de falar. A porta bateu com força, e ele sentiu como se fosse no seu rosto. Audrey ligara com a notícia de uma nova vítima. Encontrado numa doca do porto de Atenas, outro americano, de aproximadamente 40 anos, com marcas de espancamento, algemas nas mãos e pênis na boca.

O assassinato havia acontecido de madrugada e, como sempre, não havia testemunhas. Bill ainda se lembrava do risinho maroto de Audrey, ao dar a notícia com certa alegria, pedindo a Bill que fosse rápido, para que tivessem mais tempo "de encontrar a arma do crime". Entre um dia de loucura sexual com a gatinha e a visita ao Peloponeso, Bill nem pensou. Quem quer ver ruínas e prédios velhos?

Madeleine queria. Queria muito e não se fez rogada quando o marido disse que ia pegar o carro alugado por ela para ir ao aeroporto. Ordenou que Bill lhes desse uma carona até a praia de Zakynthos, de onde ela sabia que saía uma excursão para o Peloponeso e para Olímpia. William foi pedindo desculpas o caminho todo, mas Madeleine nem sequer fazia um comentário. Pegou o panfleto do passeio que conseguiu com um guia e explicava para Jack e Helen como seria bom o passeio. Ao chegar à praia, Bill insistiu que a mulher o perdoasse.

— Tomara que seu avião caia!

***

Mas achar uma excursão para o Peloponeso foi difícil. Depois de buscar lugar para três pessoas em vários grupos de turismo, a resposta foi "não". Jack e Helen já queriam voltar para casa ou pegar uma embarcação que saísse para qualquer outra ilha. Mas Madeleine estava decidida a ir para o Peloponeso naquele dia. Não sabia exatamente por que, mas estava.

Não conseguia entender por que fazia questão desse passeio, mas tinha de conseguir um lugar de qualquer forma. Quando até mesmo ela estava quase desistindo, resolveram ir ao aeroporto para tomar um avião para Atenas. Ansiosa, mas decepcionada, Maddy perguntou a um piloto se havia chance de encontrarem alguém que os levasse ao Peloponeso. Pouco demorou e, enquanto Jack entrava na fila para comprar as passagens no guichê, uma figura muito estranha se apresentou a Madeleine.

— E aí, dona?! Então quer conhecer o Peloponeso? Tenho gás para chegar lá.

— O senhor tem transporte? — ela perguntou, feliz.

— Um aviãozinho que só está esperando por vocês.

— Que ótimo! Jack! — ela gritou para o homem no guichê — Vamos ao Peloponeso!

— Maddy — murmurou Helen em seu ouvido —, você nem viu o avião nem perguntou o preço.

— Ora, nós conseguimos, não foi? — Madeleine seguiu o piloto.

Jack tentou avisá-la do erro que seria aceitar, sem garantias, um passeio com um desconhecido. O homem logo mostrou seu monomotor. Era velhinho, mas parecia seguro — ao menos na visão de Madeleine. No caminho, Madeleine foi ouvindo as histórias mirabolantes do guia. Americano do Brooklin, Nova York, o piloto se apelidava Joe Fly e todo verão vinha para a Grécia fazer um bico de guia. Já era o quinto ano que trabalhava naquela região e dizia conhecer tudo como a palma da mão.

Jack e Helen estavam receosos e não descansaram até chegar em terra firme. Logo pousaram em Olímpia, que, junto com Esparta, é uma das cidades mais importantes do Peloponeso, pelas histórias que relacionavam o lugar aos deuses do Olimpo. Joe aconselhou que alugassem um carro e fossem até Esparta.

Mas as respostas do guia para Madeleine eram extremamente superficiais. Quando ela perguntou sobre a Guerra do Peloponeso e a localização da antiga cidade de Troia, Joe gaguejou muito e logo disse ser hora do almoço. Aproveitou-se da gentileza do grupo e comeu por conta dos turistas. Ele não parecia saber aonde ir. Aos poucos, Maddy percebeu que aquele homem não era o que se esperava de um guia turístico. Ela via construções lindíssimas, e ele não lhe dava nenhuma informação.

Irritada, a escritora exigiu que ele contasse alguma história de Esparta, já que muitos sabiam que foi a cidade que venceu Atenas na Guerra do Peloponeso. Como ele nada acrescentou ao seu conhecimento, ela decidiu dispensar o farsante, que já começava a dizer que era bom fazerem um lanchinho.

— Olha aqui, rapaz, você pensa que eu sou idiota?

— Qual o problema, madame?

— O problema é que a única coisa que você faz bem é mastigar. Não ouvi nenhuma história sobre Esparta e vim aqui para saber mais do que sei sobre a região do Peloponeso — ela foi categórica.

— Bom, dona, eu...

— Eu o quê?

— Olha, tudo bem, não quer minha ajuda, ok? É só pagar o que eu pedi, e está tudo bem.

Madeleine abriu a bolsa, pegou a carteira, tirou algumas notas de euro e entregou ao homem que observava atentamente seus movimentos. Quando viu a quantia em sua mão, reclamou:

— Olha aqui, madame, isso aqui não foi o que combinamos.

— Ouça bem o que eu vou dizer: se não pegar essa porcaria de dinheiro e for tomar o seu "lanchinho" longe daqui agora mesmo, chamo a polícia e denuncio o roubo — ela o ameaçou.

— Qualé, dona!? Eu trago vocês aqui depois do horário, mostro os belos lugares e...

— Mostra o quê? O quê? Eu pedi uma história, um fato, uma data. Você não sabe nada, cara!

Jack tentou segurar Madeleine, enquanto Helen, envergonhada, olhava para os lados para disfarçar.

— Pode perguntar por aí. Eu sou um ótimo guia — o homem quis insistir.

— Eu não preciso. Quer ver? Que lugar é esse, que prédio era aquele? — Madeleine apontou para ruínas de um templo no alto dos montes. Esparta tinha uma parte moderna da cidade, edificada em 1834, e uma outra antiga, onde as guerras e invasões destruíram uma civilização.

Joe Fly ficou olhando apavorado, rezando para que uma luz viesse em sua mente.

— Este é o Templo de Apolo. Aqui, Licurgo, grande legislador espartano, criava leis rígidas para manter o povo sob o domínio da mais alta casta do Exército: os espartacitas. No ano de 404 antes de Cristo, os espartanos, guiados pela espada de Hermes, partiram para derrotar os atenienses que, mesmo sob as bênçãos da deusa Athena, não conseguiram superar a supremacia e a estratégia militar de seus inimigos. O treinamento do Exército de Esparta era tão austero que os sobreviventes de uma guerra não eram considerados grandes homens. Mas os mártires de uma batalha recebiam as honras de herói.

Havia muita gente na rua, e alguns pararam ao ouvir aquele homem. Madeleine também se admirou. Um jovem — moreno, alto, forte, de cabelos ondulados, volumosos ainda que bem aparados, com uma barba cheia, de voz potente, com a pronúncia do inglês clássico muito clara, apesar do sotaque arrastado — apontava para a praça e fazia gestos quase teatrais contando a história. Ela o olhava como se estivesse tendo uma visão. Alguma coisa naquele personagem a impressionava muito. Jamais tinha visto um homem tão belo, e todos pareceram sentir o mesmo.

Logo ele se calou. Muitos ainda se detiveram, esperando a continuação da história, mas ele parou de falar. A única coisa que fez foi olhar para Madeleine. Instintivamente, ela caminhou até o rapaz. Fitava-o sem conseguir desviar o olhar que ele retribuía. E, quando estava bem perto, tentou gravar na mente o belo rosto. Os olhos pretos, o nariz afilado, a boca carnuda, a barba negra e espessa que ornava com o formato da face. Sentiu-se ainda mais estranha ao falar com ele.

— Oi, você é um guia?

Ele sorriu, mas nada disse.

— Desculpe, mas conhece bem a história — ela falou docemente.

O sorriso foi acompanhado de um olhar penetrante. Era como se ele a devorasse com os olhos. Ela mesma precisou mudar o foco para conseguir se controlar.

— Olha aqui, cara, não se mete! — ameaçou o "guia" dispensado.

— Vá embora! — com a mão erguida em um gesto de recusa, o estranho intimidou Joe.

— Não está certo. Você não é dono da Grécia, figura. Ainda não é... — Joe Fly pôs o dinheiro no bolso e saiu andando lentamente, resmungando até dobrar a esquina.

— Bom, aquele lá vai pensar muito antes de enganar outro turista — Jack falou.

O homem sorriu também para Jack.

— Eu sou Jack Wippon. Essa é minha esposa Helen e nossa amiga Madeleine Shelton.

— Que Zeus guie vossos passos! — ele cruzou os braços, abaixou a cabeça e foi se afastando.

— Espere! Queremos contratá-lo! — Madeleine correu atrás dele e o segurou por um segundo pelo braço, sentindo uma energia forte.

Ele parou e virou. Os gestos pareciam ensaiados.

— Como é seu nome? — Maddy indagou com suavidade.

— Adonis.

— De quê?

— Somente Adonis para ti.

Madeleine teve de baixar os olhos mais uma vez.

— Se nos contar um pouco da história de Esparta, pagamos o mesmo que pagaríamos para o outro se ele prestasse para alguma coisa. Que tal? — propôs Jack se aproximando dos dois.

— Conto todas as histórias que quiseres, senhor, mas não quero pagamento por meus préstimos.

— Não quer dinheiro?!! — espantou-se Helen.

— Já recebi meu prêmio.

O olhar foi direto para Madeleine, que recuou, sentindo a faísca dos olhos dele.

— Eu insisto. Temos um carro — Jack ofereceu outra vez.

— Fazei o seguinte: enquanto estiveres comigo, paga o que desejares, se não participares dos passeios, ficarás isento.

Jack titubeou, mas resolveu aceitar. Não entendeu por que o homem achava que ele não iria a todos os passeios, afinal ele estava gostando da Grécia. Era o paraíso que todos contavam e muito mais. Ver aqueles corpos jovens, desfilando pelas ruas e praias, era delicioso.

Naquela tarde, os três turistas ouviram tudo o que se podia saber sobre história grega e as Guerras do Peloponeso, desde a formação de Corintos e Esparta às invasões mais contemporâneas. Madeleine se enlevava ouvindo aquele jovem. Como que hipnotizada, ela sentia a necessidade de estar perto de Adonis e, ao mesmo tempo, repelir sua proximidade. Helen, porém, estava entediada. Tudo era muito instrutivo, mas ela se cansou de ouvir sobre o "destino dos heróis".

— Não sei quanto a vocês, mas, para mim, chega de ouvir sobre o belo destino que os deuses escolheram para os guerreiros.

— Cale-se, Helen. O rapaz é um excelente guia — Jack a criticou.

— Acontece, Jack, que ele só sabe dizer, o tempo todo, que os deuses designam o destino dos homens.

— E o fazem até hoje, senhora. Antes de Caos, o Nada, gerar Nix, a Noite, e Éter, o Dia, não existia o mundo. Logo depois, Caos gerou também as Moiras, divindades cegas que determinam quem nasce e quem morre. Tudo foram os deuses. Até a hora que vês em teu relógio. Sem Cronos, o Tempo, não poderias conhecer com exatidão o momento atual. Não saberias quando é noite nem quando é dia.

Helen achava que aquele homem podia ser um excelente guia, mas, sem dúvida, era louco. Como podia acreditar que o mundo tinha sido criado pelos deuses do Olimpo se estavam no século XXI e praticamente todas as teorias de criação e evolução já tinham sido provadas? De repente, como se ela tivesse dito seu pensamento em voz alta, Adonis respondeu:

— Aceitar comprovações científicas diminui a tua fé em teu Deus?

— Não, porque acredito que um ser maior permitiu que tudo isso fosse criado. Uma inteligência superior, que é Deus — ela definiu.

— Pois já minha crença diz que foram os deuses que assim o quiseram.

Insano. Ainda assim é insano, Helen resmungou internamente.

* * *

A tarde estava no fim, e William Shelton sentia-se molhado, as gotas de suor caíam por suas costas, pelo peito, o pescoço melava de tanta transpiração. Eram cinco da tarde, e ele ainda estava na delegacia às voltas com a autópsia do corpo da última vítima. Ele e Audrey ficaram todo o tempo juntos, mas sem nenhuma privacidade. Se pensavam em algo mais para aquele dia, ficou em segundo plano. Os policiais estavam muito preocupados com os crimes e requisitavam Bill. Quatro americanos mortos, e não havia nenhuma pista.

Talvez alguma organização terrorista acabasse assumindo os crimes como alguma represália pela política exterior americana. Mas a hipótese de atentado estava descartada. Havia comprovação de que todas as vítimas tinham acabado de ter relação sexual antes da morte. Era um crime sexual.

Alguns diziam que o responsável devia ser homossexual, mil e uma hipóteses surgiam, até mesmo as mais absurdas, e todas já estavam deixando Bill aborrecido. Ele queria ir para o hotel, transar com a gatinha gostosa e sentir prazer. Mas aqueles assassinatos o intrigavam muito.

O criminoso era bem inteligente. As últimas pessoas a falar com as vítimas eram das famílias, e nenhum dos mortos tinha relação uns com os outros, com exceção de serem americanos ricos em uma viagem turística. Sim, o agente Shelton gostava do desafio. Precisava descobrir quem era o culpado antes que a próxima vítima aparecesse. Os jornais gregos já noticiavam os crimes, e a imprensa internacional dava destaque para o ocorrido.

A primeira coisa que Bill exigiu da polícia foi discrição. As investigações não podiam ser comentadas com ninguém fora do caso. A Interpol, então, decidiu que o agente Shelton comandaria a "Operação Atenas". Bill sabia que isso complicaria muito seu casamento, mas ele teria a vantagem de ficar com Audrey. Que, muito ao contrário de Madeleine, se preocupava com ele 24 horas por dia.

A esposa, além do descaso com que Bill imaginava ser tratado, estava ainda mais esquisita. Havia uma mudança — no início sutil —, quando de sua chegada à Grécia. Mas, depois do forte desejo sexual que ela demonstrou na ilha, Maddy reforçou ainda mais o estranhamento do marido. Madeleine Shelton não fazia questão de sexo.

Ao contrário, era capaz de passar dias sem aceitar uma carícia, de propor uma noite a dois, não gostava das brincadeiras picantes que Bill costumava fazer e dizia que ninguém devia falar de sexo, pois era uma coisa muito íntima que só interessava ao homem e à mulher.

O susto de Bill foi claro naquele dia, em plena luz do sol, quando ela propôs fazer amor no meio da sala, com o casal Wippon no quarto ao lado. *O que está acontecendo com Madeleine?... E a que horas esta porra vai acabar?*, perguntou-se Bill ao finalmente pegar nas mãos o relatório da autópsia da quarta vítima.

— CAPÍTULO 10 —

A disposição de Madeleine surpreendia Jack e Helen. Ela parecia incansável, enquanto os dois sentiam-se semimortos. O dia foi comprido, os três tinham conhecido vários locais, percorrido quase todo o Peloponeso, e ainda assim Maddy queria mais. Ela e o guia se divertiam com tudo. O rapaz falava da história, e ela completava com alguma informação que conhecia, então os dois discutiam, representavam os acontecimentos. Uma comunhão extrema.

Jack chegou a dormitar no carro, enquanto eles paravam para admirar monumentos ou paisagens que Madeleine não cansava de elogiar. Ela mesma não entendia como tinha tanta afinidade com um desconhecido. E como era charmoso. Às vezes ela se pegava olhando para Adonis ao ouvir uma explanação, pensando na beleza, na simpatia, na alegria dele. Apesar da linguagem formal e dos gestos teatralizados, o rapaz era simples, principalmente ao se dirigir a ela. Quando a noite chegou, porém, Jack disse que estava na hora de voltar. Ele quase nem conseguia abrir os olhos de tão exausto e pediu encarecidamente a Madeleine que o dispensasse de qualquer outra atividade.

— Pena! Queria mostrar-te Mykonos, Jack. Tenho absoluta certeza de que gostarás daquela ilha. À noite acontecem muitos shows de dança, e o zebékipo é muito apreciado.

— O que é zebéki-sei-lá-o-quê? — Jack indagou, brincalhão.

— Um bailado só para homens. Todos sobem num palco e dançam liberando suas almas.

— E quem disse que eu quero dançar com um monte de homem?

— Não te interessas?!

— Que é isso, rapaz... Sai fora! — Jack ficou bravo.

— Perdoe meu engano.

Jack ficou encarando Adonis de cara feia. De onde viera aquela ideia maluca? O rapaz olhou confuso para o homem, mas logo voltou sua atenção para seu público-alvo.

— E tu, ó deusa da sedução! O que pretendes fazer, agora que Hélio cruzou o horizonte em seu plaustro dourado?

— Plaustro?! Meu Deus, Madeleine! Esse guia suplanta qualquer uma das minhas expressões eruditas...

Madeleine riu do comentário de Helen. Concordava com a amiga.

— Se Bill estivesse aqui, perguntaria: "O que é prausto?" — Jack zombou — Ele nunca conseguiria dizer essa palavra, não é, Maddy?

Madeleine Shelton não ouviu, estava de novo ocupada com o guia. Ele era por demais gentil, por demais culto para ser somente um pescador e guia nas horas vagas. Assim que retornaram a Olímpia, Adonis conseguiu um avião bem veloz, e eles logo voltaram a Zakynthos. Na locadora de carros pegou um Mercedes e levou o grupo de volta para casa, sem nenhum acréscimo no preço do passeio. Se Jack estava desconfiado sobre o rapaz, ouviu uma ótima resposta:

— Meu serviço tem o valor exato da satisfação. E qualquer quantia seria onerosa diante da honra de servir Afrodite — Adonis beijou delicadamente a mão de Madeleine, que perdeu a noção de quanto tempo ficou olhando os dedos que ainda emanavam o calor dos lábios daquele homem. Entrou em casa ainda em êxtase e só foi despertada pela voz de Bill.

— Curtiu a Grécia, boneca? — ele piscou para a mulher.

— Como foi a investigação, William? — Madeleine indagou sem aparentar ressentimento.

— Nem me fale! A coisa está pior. Ninguém consegue descobrir quem é o tarado que está matando esse povo — Bill se animou.

— Engraçado... É o seu perfil e o de Jack, não é?

— Como assim, Maddy?

— Americano, casado, de 40 a 50 anos, viajando a turismo...

Bill ouviu Maddy assustado. Não tinha se dado conta de que era o tipo das vítimas.

— Já imaginou que desperdício? — Madeleine comentou e riu e ao ver que Bill, de repente, cobriu o pênis com as duas mãos.

— Melhor ficar de boca fechada, Bill — Jack terminou o escracho.

Bill não entendia como Madeleine tinha tanta facilidade para fazer conexões. Nenhum dos detetives comentou o fato de ele mesmo ser um possível alvo. Isso o preocupou. Não voltaria mais tão tarde de Atenas. Lembrou-se, então, de ter de dar a notícia para a mulher.

— A propósito, Maddy. As notícias não são nada boas...

— Mataram mais um?

— Não. Mas fui designado para comandar a operação desse caso.

— O quê?! — ela olhou furiosa para ele.

— A central me ligou e disse que já que eu estava acompanhando o caso desde o início...

Madeleine esmurrou a parede.

— Eu não acredito, William! Não é possível!

— Calma, meu bem, eu sei que é ruim, mas... — ele tentou segurá-la.

— Solte meu braço!

— Mas, querida... Eu não tenho culpa, eu...

— William, você está de férias. Férias! — a mulher gritou em cólera.

— Eu sei, só que eu tenho ordens...

— Cala a boca! Eu sei... Eu já sei... Você pediu isso.

— Não...

— Pediu. Não quer ficar perto de mim. Eu não entendo por que você veio para Grécia. Não precisava atravessar o mundo para ficar longe de mim. Já estávamos separados em Boston...

— Maddy, você está nervosa, a gente conversa depois.

— Chega de depois, William... Sabe o que você deve fazer? Não tem cabimento ficar indo e voltando de Atenas para a ilha — o tom de voz voltou ao normal — Pegue suas coisas, vá para lá e fique.

— Madeleine, pelo amor de Deus! Bill tem um trabalho... — Helen quis ajudar.

— Fique quieta, Helen, senão vai sobrar pra você também! — Madeleine disse com ódio.

Ela saiu pela porta da varanda e tentou respirar. Estava engasgada. Olhou para o penhasco. Sua vontade era se jogar naquele breu formado pela noite. Estava tudo tão silencioso! Vazio. Era como se o terraço estivesse amparado pelo nada. Bastava um salto, e tudo estaria terminado. Não sentiria mais mágoa, medo, não sentiria mais nada. A queda seria rápida, e na manhã seguinte encontrariam seu corpo entre as rochas. Se alguém quisesse, poderia chorar por ela. Talvez encontrasse paz. Debruçou-se no parapeito, daí sentiu seus movimentos presos. Olhou para trás. Jack a segurava pelas pernas.

— Para que perder a vida por causa dele, Maddy?

— Jack, eu sou um lixo. Deixe-me ir... — ela resmungou.

— Não posso. Eu amo você — o amigo falou, tentando fazê-la descer do parapeito.

Madeleine pôs um pé no chão e desceu o outro da mureta.

— Por mais que eu tente, Jack, meu marido continua me menosprezando. Eu sou um nada.

— Isso não é verdade, Maddy. Eu adoro você, e Helen também. Bill só enxerga o trabalho porque é um idiota... Depois, conheço alguém que foi comparada à deusa Afrodite hoje...

O sorriso matreiro de Jack quebrou o ódio de Madeleine. Ela olhou para a própria mão, e a sensação de prazer voltou à sua mente. Adonis havia proporcionado momentos de muita felicidade, e o elogio no final do dia fora maravilhoso. A vida podia ser "uma droga", mas pelo menos aquele dia fora divino. Maddy sorriu para Jack.

— É isso aí, garota!

— Você está certo, Jack. Um dia pode ser melhor que outro.

Quando voltaram ao living, Bill e Helen esperavam aflitos. Madeleine olhou para os dois com certa superioridade, pois sabia que ambos aguardavam ansiosos pelo seu próximo ato. Andou vagarosamente até o meio da sala, olhou para Bill, depois para Helen, e então deu sua sentença:

— Não precisa ir embora, Bill. Fique se quiser. Mas não pense que vou ficar presa aqui, esperando por você.

— Eu nunca quis isso, meu anjo! — um beijo no rosto de Madeleine logo provocou seus impulsos. Ela segurou o rosto do marido entre as mãos e beijou-o na boca, causando certo mal-estar a Helen. Quando

Bill quis parar, Madeleine enroscou seus braços nos dele, e seus beijos se tornaram ainda mais ousados. Preocupado, o marido se desvencilhou dos afagos. Helen chamou Jack com um olhar apenas, e os dois saíram discretamente.

— Querida, você está constrangendo nossos amigos...

— E daí? Vem aqui. Hoje você não escapa, sr. Shelton. Faz tempo que a gente não transa...

— Maddy! O que você está dizendo?!

Bill olhou a mulher tirar a saia de voal bege e abaixar a calcinha cor de creme, expondo sua nudez sem nenhuma vergonha. Tentou apanhar a saia para cobri-la, mas Madeleine arrancou a blusa e tapou o rosto dele. Entre sufocado e assustado, Bill sentiu sua gravata ser desatada e o cinto, desafivelado. Tentava inutilmente se livrar dos tentáculos que o envolviam. A mulher foi despindo o homem e passou a guiá-lo com movimentos do ventre para a porta da varanda.

— Aonde você vai?

— Quero transar com você aqui fora. Vem! — colocou o braço sobre a esquadria de alumínio e olhou com desejo para ele. Bill estava parado, ouvindo os apelos murmurantes. Ela parecia tomada... Nunca tinha visto Madeleine retribuir um carinho seu em público, agora aquilo. Ela se posicionou do lado de fora, esticou braços e pernas, ficando totalmente à mostra — É tudo seu, vem!

— Entra, Madeleine, por favor!

— Não!

Ela correu pela varanda fazendo uma dança agitada, sempre tocando o corpo com as mãos. Apertou o seio direito, salivou o dedo com a língua e excitou o próprio bico, depois estendeu a mão para Bill. Ele olhou excitado, seu pênis começou a endurecer debaixo da cueca que ainda mantinha no corpo. Madeleine deu outra volta, e o dedo foi da boca à vagina. Movimentou o dedo dentro de si e suspirou.

William estava doido com a cena. Afoito, depois de arrancar a calça ainda presa pelos pés, abraçou a mulher. Ela envolveu a cintura de Bill com as pernas, colocou o seio esquerdo dentro da boca dele e grunhiu quando sentiu a sucção e a língua no mamilo. Levou-o para o chão com a força do próprio corpo. Abriu mais as pernas e enfiou a língua no ouvido do marido.

— Me come!

Talvez pela surpresa de ouvir a mulher pronunciar seu desejo daquela forma, Bill, diante da esposa ardente, sentiu sua ereção se extinguir. Levantou-se do chão olhando para os lados, como se temesse de repente que alguém os observasse. Madeleine ainda tentou segurá-lo pelos braços, mas Bill livrou-se dela amedrontado. Entrou pela sala, recolheu o resto da roupa e foi para o quarto.

Ela nem conseguiu perguntar o que aconteceu. Chamou o nome do marido em vão. Pensou em ir para o quarto também, mas não. Estava com vontade de ficar nua, de caminhar olhando o movimento dos seus seios e aproveitar a sensação de tocar a perna no braço da cadeira de ferro ao lado da mesa. Roçou por um tempo a coxa no móvel.

Recostou na mesa, mudou para a cadeira, esticando as pernas sobre a mesa e cruzando os braços. Ouviu por um tempo o marulhar das ondas e alguns gritos ao longe. Levantou, deu mais uma volta, sem querer entrar na casa. A varanda era muito mais agradável. Olhou de novo para a escuridão da escarpa. Respirou fundo e teve a certeza de ter mostrado ser uma mulher quente, amorosa, atenciosa. Se Bill não a amava mais, a culpa não era dela. Os deuses assim o queriam.

Dentro da casa, recolheu as roupas atiradas ao chão e foi ao banheiro tomar uma ducha. A água estava uma delícia. Deixou que o jato caísse diretamente em sua nuca, massageando-a com força. Podia perceber que o líquido escorrendo por seu corpo era frio, mas o contato com sua pele logo o esquentou.

Desceu as mãos cruzadas dos ombros ao braço com delicadeza, deixou que as unhas compridas tocassem sua pele. A sensação foi ótima. Continuou o toque pelo colo, apertou os seios, pôs a cabeça para trás e deixou que a água molhasse seu rosto. Escorregou a mão esquerda pelo abdome e, quando seus dedos alcançaram o ventre, Madeleine suspirou. Imaginou que alguém a possuía. Buscou seu clitóris de olhos fechados.

Estava muito excitada, mal percebia a água agindo em seu corpo. Se a intenção de tomar uma ducha era se acalmar, não funcionou. Ela esticou as pernas e começou a gemer. Penetrou-se, e seus lábios se contraíram. Com um dedo esfregou-se em movimentos cada vez mais rápidos. A respiração tornou-se arfante, o coração palpitava. Num instante mágico, a sensação prazerosa das contrações da vagina a fez apertar as pernas para senti-las ainda mais. Deixou-se ficar assim por um tempo. Logo a respiração foi voltando ao normal, e ela notou que a água fria engelhava seus membros. Relaxou. Respirou profundamente. Podia ter sido assim ao lado de Bill... Ou talvez não.

— CAPÍTULO 11 —

O terceiro dia encontrou Bill assustado. Ao ver Madeleine tomando café com Jack e Helen, não conseguiu olhar direto para ela. A noite anterior fora extremamente bizarra. De uma hora para outra, a esposa fria e assexuada tornara-se uma fêmea fatal, ousada, indecente. Isso inquietava Bill. Não entendia o que estava acontecendo com ela.

— Bom dia! — falou quase inaudível.

— Bill, querido! Que bom encontrá-lo por aqui de manhã. Pensei que não teríamos sua companhia por mais um dia — Helen tentou quebrar o gelo, e Bill aproveitou a deixa:

— Não, Helen. Hoje vou mais tarde.

Madeleine bateu o copo de suco com força na mesa. Todos olharam, mas ninguém disse nada.

— Como vão as investigações? — Helen perguntou.

Jack olhou para a esposa se perguntando se ela estava fazendo aquilo de propósito para irritar Madeleine ainda mais.

— É muito difícil trabalhar aqui. Não há tecnologia, e os policiais parecem não querer ir a fundo no assunto. Tudo por causa do Templo de Dionísio.

Madeleine ficou pensativa e, então, como se tivesse esquecido a noite passada, perguntou:

— Como disse que se chamava o responsável pelo templo?

— Adonis — Bill respondeu, feliz ao ver a mulher se dirigir a ele.

— Adonis...

— É. O cara tem muita influência por aqui. E olha que ele não passa de um pescadorzinho de merda!

— Conhecemos um Adonis ontem. Chato! — Helen falou entediada.

— Ele não é chato, Helen — criticou Madeleine — Só porque tem muito mais cultura que você e sabe como expor suas ideias não significa que seja aborrecido. Ao contrário...

— Nossa, meu bem! Que defesa! Quem é esse cara que vocês estão falando? — Bill ficou curioso.

— O nosso guia pelo Poloponeso. Gostou muito de Madeleine — maliciou Helen.

— Gostou, é? — William olhou para a esposa.

— Chamou-a de Afrodite — Helen alfinetou ainda mais.

— Já ouvi esse nome. Vem da África?

Madeleine bateu a mão na própria testa.

— Que burrice, William! Só porque a palavra começa com afro você acha que é africana?

— Ué! Você sempre diz que as palavras derivam umas das outras... — Bill falou com inocência.

— É grego. A palavra *aphrodi* diz respeito ao estudo do planeta Vênus. Na mitologia e na astrologia, é o planeta do amor. Na verdade, "afrodita", de acordo com o dicionário, significa que ou o que se reproduz sem ato externo de geração.

— Bom, se não tem ato, não deve ser perigoso — Bill concluiu.

Jack riu.

— Na verdade, meu amigo, não creio que ele seja assexuado. Pareceu-me muito charmoso. Não é, Maddy? — Jack também provocou.

— Delicioso...

Os três se espantaram com o comentário e olharam para ela. Mas Madeleine apenas continuou a questionar o marido:

— Além de pescador, esse Adonis é guia turístico, William?

— Sei lá, por quê?

— Nada... — Madeleine mergulhou em seus pensamentos e se levantou da mesa para colocar a louça de seu café na pia.

— Sra. Shelton — sussurrou Maia, que até então ouvia tudo em silêncio — Adonis é pescador, guia turístico e estudioso da mitologia grega.

— Você quer dizer que esse Adonis que conheci ontem é o mesmo que representa o Templo de Dionísio?

— Só conheço um com essa descrição, senhora — a grega finalizou.

Madeleine parou, pensou, caminhou pela cozinha, saiu para o living, depois, num estalo, pegou a bolsa em cima da mesa. Os três observavam-na sem compreender nada. Madeleine ainda pensou mais um pouco. Daí decidiu e foi até a porta.

— Aonde você vai, meu bem? — Bill perguntou sem entender.

— Preciso tirar uma dúvida. Já volto.

Depois que a porta fechou, os três se entreolharam, abismados.

— Puta que pariu, essa mulher está esquisita! Vocês nem sabem o que ela queria ontem.

— Por favor, nos poupe dos detalhes — Helen fechou os olhos.

— Ok, Helen, mas não entendi até agora qual é a dela — Bill explicou.

— Ora, ela só quer relaxar, Bill. Fazer algo diferente do que faz em Boston — disse Jack.

— Trepar na varanda não é forçado para ela, não? — Bill indagou.

Helen engoliu em seco, olhou para a empregada perto da pia e beliscou o braço de William.

— Porra! Desculpa, Helly, mas é verdade. Ela ficou nua e falou para mim que queria "transar". Ela falou assim mesmo. Transar na varanda. Está doida!

— Jack, você fala da sua vida íntima sexual com a sua esposa para os outros como ele? — Helen irritou-se com a conversa de Bill.

— Bom, Helly, é a primeira vez que ele fala de Maddy sobre sexo...

— Que nojo! — Helen voltou a beber seu leite.

— Ela está esquisita. Por exemplo, alguém sabe aonde ela foi?

* * *

Demorou uma hora até Madeleine obter a direção certa do local que procurava. Da praia de Kampi à de Keri o caminho era complicado, pois havia várias estradinhas que podiam confundir até mesmo os nativos. Mas, ao ver-se diante do tão procurado edifício, ela ficou satisfeita consigo mesma. O cenário era esplendoroso.

Da areia da praia dava para avistar a construção que parecia estar incrustada nas pedras. Havia uma grande casa, tipicamente grega, com o telhado em forma de triângulo equilátero com letras gregas desenhadas no alto. Madeleine parou, desceu do carro e subiu pelo caminho de pedras que dava até o portão de ferro.

Olhou para um cordão que pareceu ser uma campainha e puxou. Um som de harpa ecoou pelo lugar, e Madeleine ficou sem entender de onde vinha, mas recordou de imediato o sonho que tivera havia duas noites. Não levou muito tempo para uma linda jovem, vestida com uma túnica grega, atender ao portão.

— Olá! Por favor, procuro por Adonis. Disseram-me que ele mora no Templo de Dionísio. É aqui, não? — Madeleine olhou curiosa para dentro da propriedade atrás da moça.

— Pode me dizer quem procura pelo mestre? — a menina falou delicadamente.

— Mestre? Claro. Eu sou Madeleine Shelton...

Mal conseguiu terminar de dizer o nome, e o portão se abriu automaticamente. Ela ficou impressionada com a tecnologia numa propriedade de estilo tão antigo e clássico. A moça fez apenas um sinal para que ela a acompanhasse, e Madeleine se maravilhou a cada passo. O caminho estreito, ladeado por um belo gramado com árvores, intercaladas por estátuas quase vivas de tão perfeitas, levava a uma escadaria de mármore com belas colunas brancas, com fuste de vários frisos, como se tivessem acabado de ser pintados, ao topo.

Foi ali, diante de uma glamourosa construção, que Madeleine sentiu o coração bater mais forte. Era um templo tão magnífico quanto o Partenon, que ficava na Acrópole de Atenas. O estilo jônico prezava pela complexidade de sua escultura, ao contrário do portal dórico, que reconhecia pela ausência de rococós no alto das colunas. Mas impressionava-se com a riqueza de detalhes nas estátuas e com o brilho do mármore. Ao entrar por uma porta grossa e alta, deparou-se com uma escadaria descendente.

Fez menção de continuar adiante, mas a jovem logo corrigiu seu caminho e a colocou numa saleta onde havia cadeiras de mogno, com almofadas marrons lindíssimas, trabalhadas com desenhos temáticos em alto-relevo. Olhou para as paredes perfeitas e para as esculturas em torno dispostas em aparadores ainda mais fabulosos. Ela nem sabia para que lado olhar. A jovem pediu licença e reverenciou Madeleine cruzando os braços e se curvando.

Encantada com a magnitude do lugar, Madeleine foi observar as obras de arte de perto. Sem tocar, via algumas das figuras esculpidas em detalhes milimétricos. Olhou para o teto com afrescos, representando algumas cenas mitológicas. Sua vontade era gritar de tanta emoção. Como podia existir um lugar como aquele? Era real? Sentia-se como se tivesse voltado no tempo e toda a civilização grega renascesse à sua volta. Podia sentir os olores, ouvir vozes... não sabia direito para onde olhar, tudo era divino e secular.

— Afrodite deu-me a honra de visitar-me!

Por um segundo, ela teve certeza de ter viajado para o passado. Como os gregos antigos, Adonis vestia uma túnica branca de um só ombro, com pregas formadas na frente e um cordão na cintura. Suas sandálias eram de tiras de couro. Ele estava belo, altivo, como um verdadeiro deus. Ela sentiu um desejo forte de beijá-lo, principalmente quando ele cruzou os braços e fez-lhe uma reverência.

— Jamais pude imaginar que existia um lugar como este! — ela afastou-se, admirando os objetos.

— São verdadeiros, podes tocar. Alguns, poucos, eu lamento, datam exatamente das épocas que representam. Alguns de nossos artistas contribuíram para o que agora admiras.

— São lindas obras de arte. Eu estou... estou embasbacada diante de tudo. Você tem um museu vivo das épocas gloriosas da Grécia. Parabéns! Gostaria muito de conhecer as outras salas e...

O antebraço encostado ao corpo e a mão aberta com os dedos unidos de Adonis a fizeram se calar.

— É impossível, minha deusa, mostrar-te os outros cômodos da casa, pois só é permitido aos iniciados. Estrangeiros só vão até aqui.

— A polícia não pôde entrar?

Adonis deu um leve sorriso.

— As autoridades tiveram acesso aos jardins na parte de trás. O santuário nunca foi maculado.

— Nem pelo assassino? Eu sei que foi aqui que o "Tarado de Atenas", como todos o estão chamando, atacou também — Madeleine continuou a admirar o lugar.

— Não é segredo. Todos os jornais noticiaram.

— Desculpe, estou me intrometendo demais. Vim aqui por curiosidade, para saber se o guia que me atendeu ontem era o mesmo que guardava o Templo de Dionísio.

— Por que a curiosidade?

Adonis intimidava e excitava Madeleine. Ela já não sabia mais se estava ali por curiosidade literária ou apenas para revê-lo.

— Sou uma escritora de romances policiais. Meu marido é um dos agentes que cuidam do caso.

— Desconheço teu marido, bela Afrodite, mas tua fama há muito precedeu tua vinda.

— Sério?! — ela se sentiu elogiada.

— Para ser bem sincero, os deuses anunciaram a tua chegada. Eu já sabia que virias ao templo.

— Os deuses disseram a você que eu vinha?! — ela desdenhou — Olha, eu não sou tão incrédula quanto a Helen, mas essa história de os deuses falarem com você...

— Tenho a maldição de Cassandra, deusa do Amor. As visões vêm até mim. Os deuses disseram que enviariam Afrodite para encontrar o assassino.

— E por que você acha que sou eu?

— Apenas sei.

Quando pronunciou aquela frase, Adonis estava bem próximo de Madeleine. Tanto que ela sentiu o ar quente da respiração dele. Fraquejou. Era difícil ficar sozinha com ele. Teve uma ideia:

— Bem, se acredita que eu posso desvendar o mistério, o que acha de me mostrar os jardins?

— É uma ordem, minha deusa. Só um minuto, por favor.

Adonis deixou a saleta por um tempo. Madeleine aproveitou e subiu uns degraus para ir até uma abertura que parecia dar em uma varanda. Quando se aproximou, percebeu que não havia uma porta, apenas uma cortina de tecido branco leve servindo de separação entre a parte de dentro e a de fora do templo.

Qualquer um poderia entrar sem dificuldade. Os detalhes do batente eram muito delicados, com figuras minúsculas escavadas na pedra de mármore. *Inacreditável!* Madeleine foi saindo e observando, não só aquela porta, mas as outras portas também, além da movimentação.

— Podemos prosseguir.

Assustada, ela viu que Adonis já a aguardava, como se soubesse aonde a curiosidade a levaria. Desconcertada, preferiu só acompanhá-lo pelo local. Seguiram por um longo espaço só delimitado por colunas até chegarem ao fundo da casa. O jardim era tão extraordinário quanto a casa. Um novo grupo de estátuas e formações de flores e árvores compunha o cenário. Madeleine sentiu-se estranha ao caminhar pelo lugar. Era diferente, mas ao mesmo tempo familiar. Adonis levou-a até o ponto onde o corpo havia sido encontrado.

— Nós o achamos... Desculpe... eu achei o morto bem aqui.

Madeleine olhou para a grama: uma parte estava muito bem cuidada, mas havia um pedaço marcado como se tivessem arrastado alguma coisa pesada pelo gramado. Perguntou se haviam limpado a cena do crime, já que tudo parecia estar arrumado 24 horas ao dia. Adonis respondeu que deixaram como estava, para o caso de a polícia querer examinar mais uma vez. Ela seguiu as marcas, acompanhando e tocando em alguma gramínea ou outra, até chegarem perto do muro.

— O que tem aqui atrás? — ela perguntou, apontando para o muro.

— Uma trilha que dá na estrada para a praia.

— O assassino teve trabalho para carregar o corpo. Olha o muro, parece descascado e, diante da limpeza desse lugar, é de estranhar que um pedaço da murada esteja raspado. Depois aqui, está vendo? — ela apontou para marcas na grama — O corpo deve ter sido jogado e arrastado pelo tronco, já que os pés deixaram trilhas mais fundas.

Adonis olhou e percebeu que havia duas riscas mais fortes.

— O criminoso fez algumas paradas para descansar — continuou ela — Devia ser mais fraco do que o morto. Isso prova, Adonis, que o crime deve ter sido cometido fora desta propriedade.

— Sabes que nenhum policial chegou a essa conclusão? Eles nem se ativeram às marcas. Estavam mais interessados em adentrar o templo para saciar sua curiosidade do lugar do que achar pistas.

— Não os culpo. Isto aqui dá mesmo uma comichão na gente — Madeleine olhou para a casa e, mesmo ao longe, notou que pessoas a observavam. Esticou o pescoço para tentar identificar alguém.

— Se quiseres, poderás conhecer nosso templo.

— Oba! Posso agora mesmo — ela começou a caminhar para a casa.

— Mas antes terás de tornar-te membro de nossa sociedade.

— Ah, por um momento você me animou.

Adonis deu-lhe um sorriso meigo. Madeleine se perdeu naquele jeito de menino, desejando novamente beijá-lo. Olhou para os braços fortes, de músculos definidos, para as pernas grossas e queimadas do sol. Era um Apolo em carne e osso. *E que carne!*, pensou.

Notou que ele percebeu sua excitação e tentou disfarçar. Foi pior. Ele ficou olhando ainda mais fundo em seus olhos, fazendo algumas caretas para vê-la sorrir. E conseguiu. Madeleine riu da situação. Era ridículo sentir-se como uma adolescente diante de um homem mais novo que ela, vestindo uma saia. Daí, veio um desejo tentador. *O que ele está usando por baixo desse traje estranho?!* Fechou os olhos, envergonhada pelo pensamento.

— Não há nada de pecaminoso num adágio sexual. Tu sentes, e basta, é certo. Nossos instintos não devem ser contidos, e sim expostos, para serem satisfeitos.

— Desculpe, não sei do que você está falando...

— Sabes, sim, só não estás preparada para isso, mas há tempo.

Adonis afastou-se, dizendo para voltarem à sala onde estavam anteriormente. Madeleine queria continuar a ver as evidências espalhadas, mas o jovem grego disse que era tarde e os sócios começariam a reclamar da presença dela. Decididamente não gostavam de visita. Mesmo contrariada, Maddy achou por bem acatar o conselho de Adonis, mas jurou que voltaria para averiguar o lugar tão estranho e, ao mesmo tempo, tão atraente.

Na verdade, Madeleine não sabia se era o local ou o homem que a fascinavam. Havia muito que não se impressionava com alguém como Adonis. A última vez foi com Bill. Um jantar, uma sedução barata e o casamento, que a levou por um caminho diferente do que pretendia para si. Tinha de fazer amor com o marido o mais urgente possível ou aquele odor másculo à sua frente a faria perder o juízo. Pensando em Bill, Maddy se perguntava por que um agente tão experiente da Interpol havia deixado provas irrefutáveis, como as que ela acabava de descobrir, esquecidas? *O que desviou William?*, ela se questionou.

Despedir-se de Adonis foi ruim. Maddy gostava da companhia dele. Havia muito em comum entre os dois. Ela sentia que poderia conversar sobre tudo com ele. A cumplicidade nos olhares, o clima, tudo cooperava para que o relacionamento fosse adiante. Madeleine estremeceu ao pensar em quão fundo poderia ir, quando a imagem daquela túnica de Adonis lhe veio à mente.

Nunca permitira que pensamentos indecentes invadissem sua cabeça, mas desde que tinha chegado a Atenas era impossível se controlar. Eles vinham como ondas e cada vez mais fortes. Decididamente precisava transar com Bill. Ela ligou o motor do carro e partiu veloz para casa.

* * *

— Ele disse que o outro agente ligou. Tinham uma nova pista — Helen explicou para acalmar a urgência na voz de Madeleine.

— Que merda!

— Madeleine?!

— O quê?! Ah, desculpe, Helen! Não dá para respeitar o estilo lady agora. Estou puta com essa história. Bill parece fugir de mim. O que é que está acontecendo com a gente? Eu não entendo!

— Talvez seja o seu novo estilo tarado — Helen comentou antes que Jack pudesse impedir.

— Estilo o quê?!

— Bill disse que você quis fazer sexo com ele na varanda. Isso assusta os homens, sabia? — Helen continuou, acusativa.

— Ele disse que não gostou? — Maddy olhou para Jack.

— Ele nos falou quão constrangido se sentiu ao ver sua mulher seduzindo-o como uma prostituta...

— Helen! — Jack gritou, bravo.

— É a pura verdade — Helen emendou de vez.

— Não, Maddy. Ele só ficou espantado — Jack tentou desfazer o tom maldoso com que Helen descrevia o desabafo de Bill.

— Diga uma coisa para nós, querida. Você está doente? — Helen falou com ar de compreensão.

— Por quê, Helen? Porque quero transar com meu marido?

Ao ouvir a palavra "transar" vinda da boca de Madeleine, Helen virou o rosto com repulsa.

— O que há, Helly? Só porque você não transa com Jack pensa que as outras não transam com seus maridos?

Então foi Jack quem ouviu surpreso. Ele nunca disse à amiga que sua vida matrimonial era celibatária. Mas é claro que Helen diria... Ela fazia questão de que todos soubessem que sua vida sexual era um fracasso, só para humilhá-lo.

— Você não tem nada com a nossa vida sexual — Helen amuou.

— Eu digo o mesmo, meu bem. Bill e eu fazemos o que bem entendemos. Nem você, nem Jack, nem mesmo o próprio Bill têm o direito de criticar o que faço — Madeleine tremia de ódio.

— Calma, Maddy! Não se estresse.

— Como não, Jack? Sua mulher está me ofendendo.

— Só estou dizendo que você está fora do seu normal, Maddy — Helen agora tentava achar um jeito de ficar de bem com a amiga — Bill comentou conosco, só isso.

— Querer trepar não é doença, viu, Helen? — a amiga tentou se afastar de Madeleine, mas ela a segurou pelo braço — Trepar, Helly, eu falo trepar. E, mesmo sendo uma dama inglesa, eu falo trepar. Você devia tentar, libera a alma — ela riu com as caretas que outra fazia ao tentar se livrar dela.

Depois de muito esforço, Helen conseguiu fugir.

Inconformado com a briga das duas, Jack reprovou Maddy com um movimento da cabeça e foi até o quarto onde Helen tinha se jogado à cama aos prantos.

— Ela não fez por mal, querida. Só está nervosa — Jack afagou os cabelos da esposa.

— Ela só quer me agredir, Jack. Não se conforma que eu, sem nunca ter estudado em um colégio para damas, posso ser tão ou mais educada que ela — Helen soluçou.

— Não é nada disso, Helly. Maddy é sua amiga…

Helen tinha a voz embargada. Madeleine ouvia em silêncio. Achava que todo aquele drama era encenação. Não ia dar o braço a torcer. Helen precisava crescer, pois todo mundo passava a mão em sua cabeça, e Jack, principalmente, era o primeiro a correr e dizer que ela não era culpada. Mas Madeleine no íntimo sabia que Helen era mesmo preconceituosa.

Ela falava das amigas de cujos amantes sabia e das mais velhas com namorados jovens, tudo era criticado. Mas Maddy não havia feito nada de errado, ao menos não achava ter feito. Afinal, querer fazer sexo com o marido não era pecado nem imoral. Pior seria se ela tivesse transado com Adonis.

Se Helen soubesse das coisas que vinham em sua mente agora… Mas, de acordo com o próprio Adonis, um adágio sexual não devia ser reprimido. Recordou como sua pele pegou fogo apenas com a proximidade dele. Como é belo, sedutor… Ela transpirou só de pensar.

Sim, ela estava diferente, estava viva, pensando em si mesma, coisa que não costumava fazer. Eram sempre Bill e a família e os amigos e o trabalho. Tudo vinha antes da própria felicidade. Quando estava com Adonis, tudo ficava distante. Se Helen a julgava culpada, então que fosse. Ela tinha direito à vida. E Bill, se demorasse mais um pouco para transar com ela, talvez acabasse recebendo mesmo um par de chifres. Não se importava mais com julgamentos. Queria sentir.

— Ela não é ruim, sabe? Apenas não admite que as pessoas sejam diferentes dela — Jack amenizou a situação.

— Ninguém é igual a ela, Jack — Madeleine continuava brava.

— Ah, Maddy! Vocês são amigas.

— Não vou engolir esse sapo só para agradar a Helen, Jack. Não fiz nada de errado. Ela insinuou que eu estou louca, que sou suja porque penso em sexo — Madeleine gesticulou.

— Ela não quis dizer isso...

— Desculpe.

Os dois ouviram uma voz baixa vinda do quarto. Helen estava de cabeça baixa e enxugava os olhos. Madeleine evitou olhar para a outra, pois tinha certeza de que a perdoaria assim que visse seus olhos tristonhos. Algo naqueles azul-claros era digno de pena. Às vezes Helen parecia tão inocente, tão frágil, que ninguém resistia a seus apelos, nem mesmo ela.

— Helen, você precisa parar de acusar as pessoas — Maddy olhou para a outra mulher, mas manteve distância.

— Eu sei, Maddy, desculpe. Gosto muito de você e do Bill e não quero que se desentendam.

— Mas é um problema nosso, não seu — Madeleine afirmou.

— Concordo. Eu não quero brigar. Viemos aqui para nos entender, e não trocar ofensas. Só queria alertar para o que Bill disse.

— Está anotado.

— Amigas de novo? — Helen sorriu e estendeu a mão.

Madeleine olhou para Helen e saiu sem fazer as pazes.

— Vamos ver, Helen... Vamos ver...

Helen sentiu a frieza de Madeleine. As duas jamais tinham terminado uma discussão sem um abraço ou pelo menos um pedido de desculpas sincero. Dessa vez, tanto Helen como Jack acharam que de fato Madeleine Shelton estava diferente.

* * *

Adonis abraçado a Calíope regalava-se com o momento. Os dois corpos relaxados faziam parte daquela paisagem idílica. Ouviam o barulho do mar e a própria respiração, que voltava finalmente ao normal.

— Ela diz que o assassinato foi cometido atrás dos muros. O homicida jogou o corpo por cima do muro e carregou-o até aqui — Adonis contou o que Madeleine tinha lhe dito.

— Que horror! Por que alguém faria isso? — Calíope espantou-se.

— Para nos incriminar — Adonis respondeu pensativo.

— Quem poderia fazer tal sandice?!

— A cidade toda? — ele ironizou em resposta.

Adonis queria acreditar que nenhum grego seria capaz de um ato daqueles, mas tinha consciência de que o templo era indesejado. Na ilha de Zakynthos ou em qualquer outra. Os gregos cristãos não podiam admitir um local que desafiasse a moral. Ao mesmo tempo, Adonis conhecia pessoas que frequentavam o templo e, fora dali, o renegavam. Lembrava-se bem do pai de Calíope, Telêmaco, que criticava o templo, dizendo ser a "igreja do diabo", mas ao mesmo tempo era assíduo nas noites de Dionísio.

Quais as provações que Adonis ainda teria de passar para realizar sua missão? Calíope, porém, era uma seguidora das tradições. Por isso estava ali, a entregar-se ao convívio dionisíaco. Adonis acreditava que muitos ainda se converteriam de coração à sua crença, mas muitos continuariam a usar o templo como prostíbulo.

Calíope o chamou três vezes antes de Adonis voltar à realidade. Mas, ao escutar se tinha confiança na escritora para desvendar o crime, Adonis sentiu-se ofendido. A visão apontara o caminho de Afrodite. Como ser incrédulo àquela sorte? Ela só podia ser o Destino tecendo suas linhas para levar a Adonis a resposta para sua aflição. Afinal, como a maior escritora de romances policiais podia viajar para a Grécia justamente na época daqueles crimes? Só podiam ser os deuses. Eles a trouxeram para ajudá-lo. Discutir isso seria macular a fé.

— Isso parece mais uma paixão — Calíope afirmou.
— O quê? — Adonis espantou-se.
— Seu envolvimento com a estrangeira.
— Madeleine Shelton é Afrodite e eu, somente um servo.

Calíope tocou o rosto de Adonis, puxou-o para si, beijou-o nos lábios, e ele, num movimento rápido, segurou-a entre as pernas e colocou-a por cima dele. Não havia espaço para discursos agora. O desejo falava mais alto, e eles precisavam saciar a vontade que os consumia.

— CAPÍTULO 12 —

Audrey buscava num arquivo de metal velho algumas pastas de crimes. Não havia tecnologia necessária para uma averiguação rápida, e as investigações estavam lentas. Ela e Bill ainda não tinham tido tempo para ficar juntos. Desde a chegada, ele aparentava desânimo. Como gostaria de abraçá-lo, consolá-lo...

O que ele estaria sentindo? Alguma coisa muito séria tinha acontecido na noite anterior que o preocupava. Tentou algumas aproximações, mas as respostas de Bill foram sempre vagas. "Está tudo certo", "não tem nada errado". Ela tinha certeza de que sim. Bill escondia algo, e ela não gostava que ele guardasse segredos dela.

Finalmente foram almoçar. Estavam no hotel, vestidos somente com roupões, e William não havia tocado em Audrey até então. Um beijo, um carinho, mas só. Ele estava calado, absorto em seus pensamentos. Ela desejava entrar em sua mente para desvendar o dilema do amante. Instigou-o, provocou-o, até que Bill resolveu falar:

— Desculpe, Aud, não estou com cabeça para isso hoje.

— Por quê, Bill?

— Sei lá. Estou cheio de dúvidas, cansado desse trabalho... A gente devia ter ficado em Boston. Esse lugar é uma aldeia de pescadores atrasados e malditos...

— Credo, Bill! Por que esse nervoso todo? A Grécia é linda.

— Mas enlouquece as pessoas. Madeleine...

O semblante de Audrey mudou no mesmo instante. Só a menção do nome da esposa pelo amado já gelava seu sangue.

— O que tem a sra. Shelton? — ela ironizou.

— Nada...

— Vai, Bill, agora fala! — Audrey se irritou.

— Nada. Bom... Desde que chegou aqui, ela está diferente...

— Diferente como?

— Sei lá, parece doida... — Bill estava distante.

— Que tipo de loucura?

— Só pensa em fazer sexo... Ela nunca foi disso. Ontem mesmo, por exemplo... Ah, esquece...

— Desembucha, William! — O tom de voz de Audrey Sunders mudara totalmente. Estava mais agressivo, nem parecia a jovenzinha doce e compreensiva que ele admirava, só que Bill estava preocupado demais com o próprio problema para perceber a transformação.

— Ela quis transar comigo na varanda da casa, de onde todo vizinho poderia ver a gente. Ela ficou nuazinha e rodando pelo lugar feito uma maluca, e quase que eu entro na loucura.

— Você transou com ela?! — preocupou-se Audrey.

— Não. Caí fora a tempo. Já imaginou se alguém me visse ali?

— Você estava preocupado com o olhar dos vizinhos, não porque estava fazendo sexo.

— Claro. O que tem fazer amor com minha mulher?

Com ela é fazer amor, pensou a estagiária da Interpol.

— Como o que tem, Bill?! E eu?!

— Você é minha gatinha. Ela é minha esposa.

— Pensei que você tinha dito que me amava — cutucou a amante ferida.

— É... — ele nem olhou para Audrey.

— Como pode transar comigo e com ela?

— O que foi, Audrey? Você nunca se preocupou com isso...

— Antes você não sentia nada por mim. Era só um caso. Mas agora, depois de você me dizer que eu sou a garota que você ama... ontem à tarde, lembra?

William olhou aborrecido. Não queria ouvir a história de fidelidade de novo. Não entendia por que as mulheres sempre cobravam isso dele. Já tinha a mulher, queria uma namorada. Tudo começava assim, depois ele se enchia e "adeus, amante". Partia para nova conquista. Se ao menos não tivesse admitido estar apaixonado por Audrey... apaixonado não era o termo, sentia muito tesão. Ela era um furacão.

Ele tinha falado em amor para mantê-la a seu lado. Nunca deixaria a esposa para ficar com a menina. Madeleine, como Jack dizia, era uma mulher de verdade, Audrey… era gostosa. Quando olhou de novo para ela, seu corpo reagiu como sempre, dava muita vontade de deitar com ela, beijar o corpo todo. Bill não pensou muito. Aproximou-se, arrebatou-a num abraço apertado e murmurou em seu ouvido que ela o excitava.

Audrey se debateu, empurrou-o para se soltar, mas Bill era mais forte. Ele enfiou a língua dentro de sua boca, e seus braços a apertaram mais, impedindo qualquer movimento contrário. Por mais que tentasse afastá-lo, Audrey apenas os fez cair na cama. Ela se agarrou aos lençóis e tentou deslizar o corpo pelo meio do corpo dele. Mas Bill segurou-a e não a soltou, mesmo quando as unhas dela se fincaram em seu ombro.

Audrey o repelia, mais ele se excitava, esfregando o pênis duro nas reentrâncias daquele corpo feminino, aparentemente frágil e dominado. Com os braços, Bill segurou as pernas abertas de Audrey, encaixando-a em seu abdome, de joelhos. Ele forçou o pênis dentro da mulher com um sorriso perverso de domínio. A dor da penetração provocou uma ira em Audrey, que, descontroladamente, esmurrou Bill, fazendo-o se levantar da cama e se afastar meio zonzo.

Ele olhou atordoado para a moça. Nenhum homem o tinha acertado daquele jeito. Ficou branco, suas pernas bambearam, e foi cair perto da borda da cama. Audrey parou cinco segundos, recuperando a respiração. Sentou-se na cama e olhou para o chão. Seu amado, sua paixão, estava desacordado, e a culpa era dela.

Deitou-se ao lado dele e começou a alisar seu corpo, primeiro com gentileza, depois com mais intensidade. "Desculpe, meu amor, meu amor…". Pegou na mão o pênis esmaecido, começou a esfregá-lo e, como não respondesse, colocou-o na boca e numa catarse de movimentos lambuzou seu objeto de desejo.

Em meio à felação, ele despertou abobalhado. Bill via a cena como se não fosse com ele. Mas Audrey estava lá, e o pênis dele estava ereto mesmo sem sua vontade, ela o acariciava rápido, como se sua boca o trouxesse à vida. Sugava toda a essência que aquele falo continha. Ao vê-lo de olhos abertos, ela nada disse. Sentou-se por cima do corpo ainda dormente de Bill e o cavalgou; demonstrando no rosto o prazer que o ato lhe trazia, ela o excitava cada vez mais.

Eram gemidos ininterruptos. As mãos de Audrey grudavam no peito de Bill, e ela o animava com palavras, com gestos. Quando não suportou mais, Bill soltou um grito gutural e ejaculou incontido dentro dela. Audrey estava exausta, mas sorria com prazer. William tentava respirar e relaxar, mas olhava com receio para a moça, pensando no que viria depois. O riso e a voz apaixonada dela deram-lhe uma dica:

— Está cada vez melhor, não é, meu bem?

*   *   *

Madeleine se viu, de repente, rodeada de jovens estudantes a lhe fazer perguntas. Tinha acabado de chegar a Atenas, conheceu a Acrópole, mas agora mal conseguia dar um passo. Eram perguntas sobre sua vida, seu livro, seus projetos futuros. O inglês de sotaque estranho a confundia ainda mais; eram vozes ávidas por respostas, por atenção. Se no início Madeleine sentiu-se honrada pelo reconhecimento público, naquele instante queria desaparecer, abrir um buraco e escapar sem que ninguém a visse.

O que estava acontecendo? Por que causava tanto frisson naqueles jovens o fato de ela ser Madeleine Shelton, a escritora de romances policiais? Toda aquela gente a conhecia na Grécia? Quando se tornou tão famosa? Nem mesmo Jack, seu agente, sabia explicar aquele alvoroço e, mesmo que tentasse, não conseguia separar Madeleine da confusão nem proteger as duas mulheres que estavam com ele. Helen estava horrorizada.

Só a chegada de alguém mais célebre no porto fez os garotos mudarem de rumo. E Madeleine soube então de quem se tratava. De dentro de um pequeno barco, pulava um atlético Adonis, que recebeu com sorrisos e cumprimentos os rapazes e as garotas que se amontoavam no cais. Madeleine conseguiu se afastar e observar a popularidade do rapaz.

A bela imagem da toga na tarde anterior lhe veio à mente. Ela sentiu um arrepio alcançar sua espinha, e o coração bateu mais acelerado. Seu corpo estava todo elétrico. O burburinho atrás dela foi aumentando, e logo os estudantes se aproximaram de novo.

Alguns turistas também se juntaram aos jovens para saber quem era a pessoa tão requisitada. Madeleine olhou para Adonis, que lhe ofereceu aquele sorriso que a tinha encantado no dia anterior.

— Afrodite, teu público a venera.

— Eu não sou uma pop star para ficar dando autógrafos.

— És muito melhor que isso! — gritou Adonis em meio a um conjunto de vivas que se irrompeu pelos estudantes — Vês, eles sabem que és a bem-aventurada que desvendará os assassinatos.

De repente, Madeleine segurou Adonis pela gola da camisa e praticamente gritou no ouvido do rapaz.

— Você disse que eu vou resolver os crimes? — a barba de Adonis roçou seu rosto, e ela sentiu um choque. Olhou assustada. Ele abriu um sorriso, bastante malicioso, que a fez corar. Adonis livrou-se das mãos que o seguravam e levantou o braço, chamando a atenção da turba.

— Jovens gregos e gentis turistas! A sra. Shelton precisa partir agora. Peço desculpas, mas voltarão a vê-la em momento mais oportuno.

Como enfeitiçados, todos se acalmaram e olharam para Madeleine. Com um aceno de cabeça ela se despediu e, pelas mãos de Adonis, saíram do porto rapidamente sem mais interpelações. Helen e Jack ficaram aliviados.

Madeleine interrogou Adonis pelo caminho. Não conseguia entender por que ele havia espalhado pelas ilhas que ela investigava o caso. Se Bill soubesse, ia esbravejar. O marido odiava quando Maddy descobria as coisas antes dele. Com Adonis dizendo à Grécia toda que ela era a salvadora, logo o problema com o marido ficaria pior do que já estava. O rapaz respondia com um sorriso nos lábios. Adonis não apenas sorria, como parecia zombar dela. E, quando não mais aguentou a desfaçatez dele, Maddy o empurrou para a parede.

— Do que está rindo, moleque? Não sabe o que nos fez passar ali atrás? — gritou Madeleine ainda para um Adonis sorridente.

Foi Jack quem interferiu, tirando as mãos de Madeleine cravadas no peito do grego, armafanhando a camisa de linho cru.

— Que é que há, Maddy? Calma!

Confusa, Madeleine soltou Adonis. Ela transpirava, o coração querendo explodir. Jack a segurou pela mão e não sabia direito para que lado seguir. Adonis caminhou em paralelo, indicando a Jack aonde ir. Chegaram a uma ouzeria, e Adonis os acomodou em uma mesa.

Madeleine estava irada, era transparente em seus olhos. Adonis conversou com Jack enquanto esperava o nervosismo da escritora passar. Ele sabia que não era hora de falar, caso contrário colocaria tudo a perder. Helen via que não era somente o acontecido que fazia Madeleine tremer, mas não conseguia determinar exatamente o que a perturbava, só tinha certeza de que a presença do jovem incomodava a todos.

As pessoas do lugar demonstravam muito respeito por ele, mas Helen o menosprezava. Era um rapazola metido a guia turístico, que jogava charme para cima de Madeleine. Helly achava que a amiga tinha a mesma opinião, mal sabia ela que sentimentos Maddy nutria por Adonis. Bastava olhar em seu rosto, e tudo se tornava secundário, como na hora em que o garçom se aproximou da mesa.

Distraída, ela se espantou ao ver que todos aguardavam sua resposta ao garçom. Madeleine se endireitou na cadeira e perguntou o que acontecia. Jack, pacientemente, repetiu a pergunta do garçom.

— Peça o que você quer, Maddy! — Helen, irritada, chacoalhou Madeleine para tirá-la do transe.

A mulher olhou para o garçom e fez o pedido com classe:

— Quero uma dose de ouzo.

— Pronto — falou Helen em tom reprovador —, ficou viciada.

Para Helen, Madeleine estava se perdendo na Grécia e, se ninguém tomasse uma providência, o casamento com Bill acabaria.

Enquanto os pensamentos de Helen voavam para as recordações do começo de seu casamento e do de Madeleine, Jack ficava animado com a presença de dois conhecidos, de quem ele guardava uma boa imagem. Jery e Stoo tinham acabado de entrar e avistaram os amigos na mesa quase imediatamente. Aproximaram-se, como sempre sorridentes.

— Como estão bronzeados, garotos! — comentou Jack com alegria.

Os dois, animados, disseram ter passado quase cinco horas por dia debaixo do sol, cortando as ondas dos mares das ilhas gregas. O homem maduro ria com certa inveja da jovialidade daqueles dois. E pensava que poderia ter sido daquele jeito. Sim, Jack desejava aquela liberdade, aqueles sorrisos despreocupados, aquele mundo a descobrir, aqueles corpos saudáveis, vivos.

— Não há diferença entre o velho e os jovens, a não ser a ignorância de um que acredita não poder realizar o que os outros podem.

Todos olharam para o grego, mas ninguém pareceu entender o que a frase significava. Então Jack apresentou os meninos para o guia. Eles disseram conhecer a fama de Adonis e estavam muito interessados no Templo de Dionísio.

Os meninos afirmaram praticar há tempos alguns costumes gregos. Adonis apenas sorriu sem continuar a conversa. Madeleine ficou curiosa com aquele assunto e cochichou ao ouvido de Adonis.

— Não estou entendendo nada do que vocês estão dizendo.

— É seu amigo Jack quem precisa escutar e decifrar minhas palavras, Afrodite. Poderá ajudá-lo, quando for a hora.

Confusa estava, confusa ficou. Mas, também, logo a dose de ouzo chegou para pôr um fim à sua incansável curiosidade.

* * *

William Shelton estava meio atordoado. Recordava as últimas horas como fatos ocorridos com outra pessoa. Levara um murro de uma garota e ainda se ressentia do golpe. Caminhava pelas ruas de Atenas sem saber para onde. Apenas andava, com o pensamento de que tinha de voltar à delegacia, mas não se lembrava da direção certa.

Era uma tarefa árdua, já que suas pernas não queriam cooperar e, meio tortas e bambas, jogavam seu corpo, antes tão leve, de um lado para outro, como se estivesse bêbado. Difícil manter-se de pé.

Aquele não era ele. Como agente da Interpol, Bill recebera um treinamento de guerra para enfrentar qualquer tipo de terrorista ou espião, mas Audrey foi a maior surpresa que já teve desde seu ingresso no serviço secreto. Bill sentia-se perdido, cansado, esfolado, abatido. A estagiária gostosinha tinha exigido dele mais do que estava acostumado, e ele temia agora não ter mais a tranquilidade de antes para transar com a moça.

Não por ela ter enlouquecido nem pela agressão, mas porque receava que, ansioso, brochasse na hora. Intimidar-se com a volúpia de uma garota? Ele não permitiria que isso acontecesse. Era homem. Ela era somente uma amante, realizando os desejos mais íntimos dele.

Mas então eu gosto de apanhar?, pensou Bill, assustado. Era um masoquista? A ebulição de pensamentos não o fez perceber que entrara na delegacia e estava em frente do balcão, olhando para um guarda.

O guarda, diante do estado apoplético de Bill, serviu um copo de água ao agente e apressou-se em chamar o xerife, que acabava de chegar com um pitá e um copo de café. O homem olhou para Bill, que, mecanicamente, fitou-o. O corpo, meio flácido e de cadeiras largas, lembrava muito seu amigo, Jack. Sim, Jack Wippon era tão bonachão quanto aquele xerife. Foi então que Bill começou a despertar. Em sua memória veio Jack.

— Não pode ficar o tempo todo correndo atrás de outras, Bill. Madeleine um dia cobrará essa farra.

Maddy, ah, Maddy... Ela nunca seria capaz de esbofeteá-lo. Era uma mulher de classe... Precisava voltar para Madeleine, a esposa que o amava, e pôr os pés no chão. Concentrar-se.

Aos poucos, Bill se recuperou, tomando outro copo de água, e conseguiu se explicar para o xerife. Para Hermes, aquela história de bater a cabeça numa placa de ferro no caminho era estranha. William Shelton não tinha característica de uma pessoa distraída... Mas, como não o conhecia o suficiente, nem mesmo comentou o quanto ele estava esquisito naquela hora.

Mais incompreensível foi o pulo que William deu ao ver sua parceira, a agente Sunders. Ficou de um lado para outro da sala, como se quisesse fugir. Ela também notou a diferença e teve certeza disso quando Bill, assustado com a proximidade dela, quase derrubou o copo de café. Discretamente, Audrey indagou se Bill estava nervoso e grudou as unhas no braço dele, rasgando sua pele.

— Claro que não, querida! — a voz era tremida, e o olhar, arregalado. Audrey leu em todos os tiques do amante a resposta "Lógico, sua maluca!". Por entre os dentes, Audrey apenas falou o que Bill temia ouvir:

— Eu só fiz o que você estava querendo, meu amor.

William fechou os olhos.

* * *

Adonis continuava dedicando-lhe total atenção, e Madeleine não mais desviou o olhar do guia, o que deixou Helen preocupada. A amiga dava muita bola para o grego, escancarando seu interesse. Temerosa pela tentação da outra, Helen decidiu pôr termo nas intenções daquele guia abusado. Cutucou Jack por debaixo da mesa e esperou retorno. Ele nem notou o toque, mas foi impossível conter um "ai" de dor quando a mulher quase quebrou sua canela.

— Dê um jeito nesse grego, Jack. Ele está com intimidade demais com Madeleine.

Jack olhou para eles e viu que o interesse era mútuo.

— Ela está dando intimidade para o moço, Helly!

— Mas ela está bêbada!

— Não seja ridícula!

A mesa toda se voltou para a voz alterada de Jack.

— Perdão, mas às vezes minha mulher me deixa doido — ele falou.

— Você é doido, Jack! — Helen se levantou do lugar, chamando a atenção de todo o restaurante — Vou voltar para casa. Já estou cheia desse fétido ar grego. Tudo aqui cheira azedo.

Todos a viram sair sem esboçar nenhum gesto para detê-la nem acompanhá-la. Ao contrário, estavam aliviados e voltaram a conversar animadamente. Aconselhados pelo guia, Jack, Maddy, Stoo e Jery provaram pratos típicos deliciosos, servidos com vinho tinto. Na volta, Jack pensou que Helen estivesse esperando por eles, mas no porto souberam que a esposa havia pegado um monomotor para a ilha de Zakynthos. Foi a última vez que se lembraram dela.

Em casa, encontraram Helen sentada à mesa da cozinha, com Bill de cara amarrada. Eles olharam para Madeleine como a uma criminosa.

— Maddy, o que está acontecendo? — Bill estava sério.

— O quê?

— O que é essa história com esse guia? Você sabe que ele pode ser um criminoso. O que você pretende fazer?

Quando Bill começou a falar, Helen se levantou e puxou Jack pela mão para deixar o casal a sós. Mas, no quarto, o marido injuriou:

— Por que você instigou Bill contra Madeleine? O que a faz se intrometer tanto na história desses dois?

— Eu?! Quem está sempre protegendo a donzela em perigo? — Helen desafiou o marido, como sempre.

— Eu sou amigo dela. Só quero o bem, não faço intrigas...

— Se ela continuar aceitando o assédio daquele garoto, os dois vão se separar. Bill nunca vai aceitar uma traição da esposa — Helen afirmou.

— Porque ele é um machão filho da puta. Ele pode. Ela, não.

— Olha o palavrão, Jack Wippon... Você quer que o casamento acabe porque não vê a hora de tentar se reaproximar de Madeleine, pedi-la em casamento como já fez uma vez...

— Helen, ciúme de mim? Não me venha com essa...

— Você é meu marido.

— Eu sou o cara que paga os seus luxos.

— Cale a boca, Jack, ou não me responsabilizo pelo que farei... — Helen se levantou, desvairada.

— O quê? Vai bater em mim?

* * *

— Quantas vezes vou ter de dizer para não se meter nos meus negócios? Esse crime é caso para a Interpol. Você não deve interferir.

Bill estava mais irritado com o fato de Madeleine tentar resolver os assassinatos do que imaginar que ela pudesse ter um affair com o grego. Em sua mente, Madeleine Shelton seria incapaz de uma traição.

— Ele só pediu algumas dicas, Bill... — Maddy sabia que viria bronca.

— Está fazendo de novo, Madeleine Shelton, está passando por cima de mim. Não vou aceitar seus palpites, suas suposições. Não quero você nisso. Ouviu? — Bill ameaçou-a.

— Ok. Prometo não procurar provas, nem darei mais nenhuma opinião sobre o caso. Está bom assim?

Ouviram a porta do quarto bater, e Jack saiu rapidamente pela porta da frente, também fechada com um forte estampido. Olharam para Helen assim que ela abriu a porta do quarto para chamar Jack.

— Eu... eu não queria... Ele me desafiou... — estava chorosa.

— Que aconteceu, Helen? — Bill ficou entre abraçar a amiga e ir atrás do amigo.

— Dei um tapa no rosto dele, Bill. Fiquei nervosa...

— Helen, por quê?! — espantou-se Madeleine.

— Oh, Maddy, eu sou uma pessoa horrível!

Ela abraçou o casal, sofrendo. Madeleine acudiu a mulher, mas estava muito mais preocupada com o amigo. Sabia do poder opressivo que Helen exercia sobre Jack. E não entendia por que ele ainda suportava aquilo. Os dois já tinham conversado, mas o amigo sempre se esquivava. Era duro para Maddy ver Jack tão submisso. Eram amigos fazia tanto tempo, mas havia algo obscuro na vida de Jack de que ela não desconfiava.

Viver tantos anos sob os caprichos de Helen não combinava com a personalidade empreendedora dele. Como agente, o sr. Wippon era um homem respeitadíssimo no meio artístico e empresarial; em casa, ele obedecia cegamente a Helen Wippon.

— Vá atrás do Jack, Bill! — Maddy mandou.

— Mas e a Helly?!

— Eu cuido dela. Fale com Jack, não o deixe sozinho.

Assim que Bill fechou a porta, Madeleine olhou bem para Helen.

— Pare de chorar, Helen. Bill já saiu.

— O que você quer dizer, Maddy, que estou fingindo?! — ela perguntou, indignada.

— Não. Mas exagerando.

— Eu não estou...

— O que Jack disse de tão terrível para você bater nele? Bater, Helen! Por quê?! — Maddy não compreendia.

— Bobagem... — Helen se levantou do sofá e foi até a porta da varanda.

— Nem tente fugir. Não ia bater nele por bobagem — Maddy segurou-a pelo braço.

— Ele me criticou por ter contado para Bill sobre o tal guia — Helen abaixou a cabeça.

— Ele está certo. Você não tinha que falar para o Bill que o rapaz...

— Que o rapaz está dando em cima de você? Era disso que queria guardar segredo? — Helen empertigou-se.

— Não. Mesmo porque Bill ficou mais bravo por eu estar ajudando Adonis com o caso de assassinato do que enciumado.

— Para que se meter nessa história, Maddy, se você veio aqui para recuperar seu casamento?

— Porque esses crimes estão me impedindo de ficar com Bill. Qual o problema de eu dar um palpite ou dois? Ajudei a solucionar alguns assassinatos dando ideias aos investigadores e agentes. Bill sabe que sou boa nisso.

— Madeleine, Bill acha que o rapaz que você ajuda pode ser o criminoso...

— Não creio... — Madeleine pensava nas provas do jardim.

— Você vai magoar Bill, ele não merece.

— Não merece?! — Madeleine se aborreceu — Quantas vezes o Bill me traiu, Helen? Quantas vezes eu sofri sem merecer?

— Você está se vingando dele com esse jovem?

— Eu não tenho nada com Adonis. Ele é só um homem que me compreende... E, afinal de contas, por que você defende tanto o Bill? Por que todo esse empenho em manter meu casamento se é o seu que parece que acabou? — Madeleine estava injuriada.

Helen abaixou a vista e se calou por um tempo.

A porta da frente se abriu de novo, e Bill entrou sozinho. Não encontrara Jack. O homem, apesar de fora de forma, desaparecera. Madeleine se chateou, queria dar apoio ao amigo, queria dizer que estaria do lado dele. O ataque físico, para ela, era o desrespeito final de um relacionamento. Não admitiria isso se fosse com ela.

* * *

O lusco-fusco na Grécia era belo. O sol brilhava até as nove, mas a noite caía de repente. Naquele dia não foi diferente. Com as ruas ainda cheias, era difícil acreditar que havia carregado o homem, sem que ninguém notasse, até aquele lugar. O calor fazia o corpo transpirar, e as luvas de borracha não ajudavam a sustentar o peso. Podia ouvir o movimento de pessoas apressadas, andando na rua perto do beco.

Colocou o corpo recostado no muro e tirou a faca de dentro da bainha. A lâmina reluziu em seus olhos. Sabia que precisava fazer o corte rápido, enquanto a carne ainda estava quente. Abriu a braguilha da calça, puxou o pênis devagar para fora, com o cuidado de não o encostar em sua roupa, e num só talho amputou o órgão que imediatamente liberou um sangramento. A boca da vítima ainda estava semiaberta, portanto foi fácil encaixar o membro ali dentro. Arrumou-o e segurou-o até ter certeza de que os dentes o prendiam.

As roupas foram o mais difícil. O homem era gordo. As pernas pareciam pesar uma tonelada, e o tórax, muito mais largo do que quando o viu tirando a camisa. Olhou mais uma vez para o rosto flácido e pálido. Pegou as mãos dele e colocou-as para trás, até ouvir o clique para ter certeza de que as algemas estavam mesmo travadas. Guardou a faca na bainha, tirou as luvas e as guardou num saco plástico. Deixou o lugar agilmente, e ninguém notou quando mais um turista caminhou pela rua. Só descobririam o corpo na manhã seguinte.

— CAPÍTULO 13 —

— Ele ainda não voltou.

Madeleine gostou da preocupação de Helen, afinal ela merecia um castigo por ter sido tão agressiva com o marido. Ao mesmo tempo, estava apreensiva por Jack. Nas primeiras três horas, talvez ele estivesse andando para espairecer e deixar sentirem sua falta. Depois de mais duas horas, passando das dez da noite, o temor aumentou, mas ainda assim Madeleine se deitou acreditando que o amigo voltaria. Quando, às três da manhã, Helen bateu à porta do quarto, Madeleine quis acionar a polícia.

— Não, Maddy. A polícia já tem problema com os assassinatos e com os turistas, para que mais uma encrenca? Jack deve ter tomado um porre num bar qualquer. Eu vou pegar o carro e dar uma volta outra vez. Vocês duas esperem aqui, para o caso de ele voltar — disse Bill, bem profissional.

As duas mulheres se sentaram, preocupadas. Madeleine não entendia o relacionamento do casal, pois desconhecia se e quanto Jack gostava da esposa. Numa relação na qual um era submisso demais, podia existir algum tipo de dependência emocional... Como saber? Olhou para Helen, seus lábios tremiam, sinal de que realmente estava apreensiva. Ela dizia nunca ter brigado com o marido daquela maneira, nunca tê-lo agredido. Madeleine ouvia e voltava a sentir pena da amiga. Esqueceu que ela a chamara de prostituta, que a acusara de adúltera. Riscou sua mágoa para consolar a esposa aflita.

Meia hora se passou, quando o celular de Madeleine soou. Correu até o quarto, pegou o aparelho e atendeu.

— Alô! Você o achou, Bill?

— Maddy, me chamaram da delegacia de Atenas. Encontraram mais uma vítima do "Tarado" — Bill falou com a voz trêmula.

— Que saco! Já sei, você não pode procurar mais o Jack.

— Escuta, Maddy. Pela descrição do agente Sunders pelo telefone, parece... ouça, parece que é o Jack. Ele vestia uma camisa de manga curta azul-clara e uma calça bege, não é?

Madeleine desabou na cama.

— Não me lembro, mas acho que sim — Madeleine não queria acreditar.

— Prepare o espírito da Helen. Vão mandar um helicóptero para me buscar aqui em Zakynthos, e vou demorar um pouco para fazer o reconhecimento. Não assuste a Helly sem ter certeza. Fale do perigo, da violência... Mas precisamos ter certeza em primeiro lugar.

— Claro, Bill. Eu entendo.

Maddy desligou o celular e ainda ficou um tempo sem se mexer, olhando para o nada. Logo Helen apareceu na porta do quarto.

— Bill encontrou aquele maluco?

— Helly, avisaram Bill que mais uma vítima do tarado foi encontrada...

— Ah, meu Deus! Ele não vai procurar mais o meu marido.

— Sabe, Helen, este lugar está ficando muito perigoso — Madeleine começou, sentindo vontade de chorar — Com esse assassino à solta, todos nós corremos perigo. Precisamos estar preparados para tudo...

— O que você quer dizer, Maddy?

— Quero dizer que, apesar de difícil e angustiante, temos de esperar as notícias... Por piores que sejam...

Os olhos de Madeleine se encheram de lágrimas, e Helen estranhou.

— Por que você está chorando? Fale a verdade, o que houve com o meu Jack?

— Nada, nada... — Madeleine abaixou a cabeça.

— Madeleine Shelton, eu sei muito bem quando você esconde algo de mim. Vamos, fale. O que houve com o Jack? — desesperada, Helen chacoalhou a amiga quase em histeria.

— Pare, Helen, pare! — ela desabou em choro — Bill disse que... disse que é possível que seja Jack... Mas não é certeza.

— Jack?! Morto pelo veado tarado?

Madeleine ficou olhando para a amiga, que se levantou da cama e começou a andar lentamente, com os olhos arregalados.

— Você está querendo dizer que Jack foi assassinado pelo Tarado de Atenas? — Helen tinha os olhos arregalados, apavorada.

— Bill acha que a descrição é parecida com a de Jack. Nada foi confirmado, mas precisamos ficar preparadas para tudo, Helly...

— Não... Jack jamais iria se meter com uma bicha... — Helen balançava a cabeça em negação.

— Que bicha, Helen? — Madeleine se surpreendeu com o comentário.

— Se Jack foi morto, ele devia estar com o gay assassino.

— Quem falou que o assassino é homossexual? — Madeleine não compreendeu.

— Bill disse que nesses crimes, onde o pênis é cortado, o mais provável é que o criminoso seja veado.

À cabeça de Madeleine veio a lembrança de um assassinato que ela tinha ajudado a polícia a desvendar. Um jovem de 22 anos, com o pênis amputado, foi vítima do amante: um homem de 43 anos, casado, pai de três filhos. Crime passional. Os policiais disseram à época que, às vezes, os homossexuais gostam de cortar o membro do parceiro para mostrar sua dominação. Ela tinha achado uma grande bobagem. Qualquer psicopata podia fazer isso por mil outras razões.

— Ligue para o Bill, Madeleine — Helen decidiu.

— Para quê, Helen?

— Diga que estamos indo para lá.

Madeleine saiu atrás da amiga, que disparou para a sala.

— Estamos indo aonde? — Madeleine ficou atônita.

— Para Atenas. Não vou ficar aqui sem notícias. Quero meu marido... — O choro foi incontrolável. Helen soluçava. As pernas bambearam, e Madeleine teve de ampará-la.

— Helen, Helen, venha aqui — ela a segurou pelos ombros e a guiou até a cozinha. Sentou-a forçosamente na cadeira, pegou um copo, encheu-o de água e deu para a amiga — Sabe, Helly, são cinco da manhã, estamos numa ilha, a pelo menos uma hora de barco da capital, sim, porque a esta hora ainda não há monomotores nem hidroaviões funcionando. Bill não tem certeza se é o Jack. Talvez não seja...

— Mas, se for, Maddy, o que vai ser de mim? — Helen chorou.

Foram duas horas sem notícias. Bill não ligava. Sozinhas, as mulheres estavam cada vez mais aflitas, cada vez mais convictas de que Jack estava morto. Angústia e sobressalto com qualquer barulho. Ouviram o portão da casa ser aberto. Madeleine pensou em Maia, já devia estar na hora de ela chegar. A maçaneta se mexeu devagar.

O celular tocou.

— Jack! — gritou Madeleine ao atender o celular e olhar para a porta ao mesmo tempo.

— Maddy, oi. Vi o corpo, não é o Jack, você está ouvindo? Por que a Helen está gritando? — Havia uma algazarra ao fundo, e Bill não entendeu direito a voz da esposa.

— Jack acabou de voltar, Bill.

Madeleine nem se preocupou em se despedir do marido ao desligar. Estava aliviada por ver Jack são e salvo à sua frente. Abraçou o amigo com carinho. Helen já se agarrava a ele e ria dando-lhe beijos no rosto.

— Se soubesse que seria tão bem recebido, teria voltado antes — Jack falou irônico, como sempre, ao se desvencilhar da esposa.

— Achamos que você tivesse morrido! — Helen enxugava as lágrimas de felicidade.

— O quê?! Por quê? — Jack estava aturdido.

— Encontraram mais uma vítima do Tarado de Atenas, e Bill disse que a descrição do morto batia com a sua — Madeleine explicou.

— Credo! — Jack desconjurou.

— Mas não era você — Helen beijou Jack mais uma vez.

— Querida, arrependimento não adianta — ele segurou o rosto da mulher e afastou-a de si — Eu não me esqueci do que você fez.

Helen observou Jack caminhar até o quarto e, ao olhar pela porta, viu-o tirar a roupa do armário. Ele dobrava tudo sobre a cama ainda desarrumada. Maddy entendia o amigo e estava pronta a lhe dar apoio. De fato, como ela imaginava, desta vez o golpe havia sido muito forte.

Ser mandona, fazer exigências, era uma coisa; bater no parceiro já era demais. Mas ela não teve tempo de falar, pois Helen entrou no quarto e começou a recolocar as peças no armário de madeira escura. Jack ainda olhou para a mulher.

— O que está fazendo, Helen? — Jack perguntou.

— Guardando a sua bagunça. Não precisa vasculhar o armário todo para escolher uma roupa. É só me perguntar que eu sei onde está tudo de que você precisa, Jack.

— Eu não estou procurando nenhuma peça, Helen. Estou fazendo a mala. Volto para Boston hoje mesmo.

— Por quê? Não gostou da Grécia?

— Helen! Vou embora e não vou perdoar você — Jack se irritou.

— Não seja tolo. Foi sem querer — Helen tentou fazer de conta que nada tinha acontecido. — Agora diga, vamos!

— Dizer o quê?!

— Onde você passou a noite? — Helen tentou continuar dominadora.

Conversa surreal, pensou Madeleine, voltando para a sala.

— Maddy, fale com ela, por favor — Jack saiu do quarto.

— Helen, Jack está indo embora sozinho porque está magoado, ofendido. Você o agrediu — Maddy tentou ser clara.

— Ele dormiu fora. Quero saber onde e com quem, sr. Wippon.

Os dois mal acreditavam no que ouviam.

— Mas eu... ora, eu não vou dar explicações — Jack falou, cansado.

— Onde você esteve? Fiquei desesperada. Passei a noite inteira preocupada porque tem um maluco à solta matando americanos, e você diz que não vai me explicar nada. Jacob Wippon, odeio quando tenta me ludibriar... Como fez com seu pai.

Jack virou-se para Helen.

— Não faça isso — Jack sabia que ela ia mexer na ferida.

— Lembrou-se de sua herança de família? Recordou os sacrifícios que seu pai fez para levá-lo para a Inglaterra e dar a você um futuro? Não esqueceu seu passado, não é, Jacob? Como poderia... O pobre pai morrendo sozinho, e você nem foi ao funeral... Estava "fazendo fortuna". Vai me abandonar como fez com o velho Esaú?

Quando ela o chamava pelo nome judeu era porque queria impor a própria vontade. Ele não gostava de ser chamado daquela forma, pois, ao contrário de outros, não fazia questão de ser reconhecido por sua origem. Tinha orgulho de suas raízes judaicas, mas preferia não ser rotulado. Era inglês, e isso lhe bastava.

O sofrimento de sua família ao fugir da guerra, o peso político-social de ser judeu, tudo era passado. A ele importava o hoje. E hoje ele era Jack Wippon, agente do meio artístico que morava em Boston. Mas Helen sabia exatamente como diminuí-lo, como demovê-lo de seus planos. Era assim que, recorrendo a seu mais profundo remorso — de não ter estado em Londres para o funeral do pai —, o obrigava a ceder e atender às suas vontades mais estúpidas. Como agora. Forçava-o a esquecer uma humilhação com outra.

— Está bem. Fiquei na pousada dos meninos, Stoo e Jery. Eles foram gentis e ofereceram o quarto para eu dormir.

— Só que há um tarado matando americanos... — Helen falou.

— Eu não sou americano, Helen — Jack terminou.

— Como o assassino vai saber? Fala inglês... É americano. Um grego veado não saberia distinguir entre um e outro...

— Veado?! — Jack se espantou.

— Assim como Bill, Helen acha que o assassino, por cortar o pênis das vítimas, é um homossexual — explicou Madeleine, frustrada com a passividade do amigo.

— Será? — Jack pareceu preocupado.

— Claro. Bill me disse que a polícia está convencida de que o criminoso é gay — continuava Helen no intuito de não deixar o marido ir embora — Forte, capaz de carregar corpos de homens por muros, escadas e por longos percursos, só pode ser outro homem. Corta o pau dos parceiros, então só pode ser bicha.

— Helen, você falou um palavrão! — Madeleine riu.

— Eu?! Ora, Maddy, foi um deslize. Desculpe.

— Que vergonha, que nojo... — Maddy balançava a cabeça reprovando, como se fosse de fato algo terrível.

— Deixe-me em paz...

Depois de Helen entrar no quarto, Jack e Madeleine riram. Olharam-se, então, por um instante. Madeleine mordeu os lábios.

— Você vai mesmo ficar, Jack? Depois disso tudo?

— O que eu posso fazer, Maddy?

Ela apenas suspirou. Achava que o caso não tinha mesmo jeito. Jack era abnegado. Madeleine resolveu sair e disse a Jack que estava com vontade de ir à praia, mesmo tendo passado a noite toda acordada. Levantou-se do sofá e estava indo para o quarto pôr o biquíni.

— Maddy.

— O quê? — ela interrompeu seus passos para ouvir o amigo.

— Você acha que a polícia vai perseguir os homossexuais? — Jack indagou, nervoso.

— Se a hipótese da polícia se espalhar ou se eles tiverem interesse em culpar alguém... A gente não sabe como o público reage, não é, Jack?

— Não. A gente não sabe.

O amigo abaixou a cabeça, parecendo pensativo, mas Madeleine não quis perguntar no que pensava. Sua mente viajou para a bela imagem de Adonis. Ainda não o tinha visto de sunga, mas hoje marcaram para ir a Keri. Preferia estar numa praia badalada para não correr o risco de ficar sozinha com aquele homem seminu em alguma praia deserta. Ficou excitada. Estranho como essa sensação era constante desde que tinha chegado à Grécia. Ao passar pela sala, notou Maia na cozinha. Nem a tinha visto chegar. Cumprimentou-a com um sorriso, e a mulher retribuiu, muito simpática. Jack ainda estava na mesma posição que ela o tinha deixado antes de ir se arrumar. Foi até ele e fitou o rosto preocupado com uma careta sorridente.

— Vai ficar aí parado?

— Eu...

— Jack — ela acomodou-se ao lado do homem —, quero dizer que o apoio em qualquer atitude que tomar. Não importa o que seja, você é livre para fazer o que quiser.

— Obrigado, meu anjo.

— Então, agora, ponha um calçãozinho, e vamos à praia. Estamos em férias nas ilhas gregas — balançou os braços de Jack acima de sua cabeça, fazendo-o rir.

— Como você consegue, Maddy, ser feliz quando a vida parece tão sem graça? — ele indagou, um pouco mais animado.

— Eu finjo que tem graça, Jack... Mas quem pode ficar infeliz com uma paisagem dessas? — apontou na direção da varanda, para o sol alto.

— Eu só enxergo o que está à minha frente...

— E temos um belo dia de praia pela frente.

Jack sorriu tristonho, mas decidido a acompanhar a amiga.

* * *

Ao se aproximar do local, viu que não era um casebre, mas também não tinha luxo. Era uma casa de pescador comum, ao contrário do que imaginava quando lhe falaram na delegacia da importância daquele homem para a região. Ao perguntar pelo caminho, ouviu algumas impressões do povo local a respeito daquela estranha figura. Diziam que era um pervertido, um gigolô, com o que concordava plenamente, mas também escutou elogios exagerados, como se ele fosse um messias, um semideus, o escolhido pelos deuses.

Prometeu a si mesmo que tudo seria profissional. Não tomaria partido. Agiria como um agente: frio e calculista. Só perguntaria coisas pertinentes ao caso. Afinal, aquela era a única testemunha com que podia contar. *Preservar identidade dos sócios, francamente!*, pensou William. Bateu palmas, já que não havia campainha. Esperou um tempo. Uma mulher idosa, vestindo preto, atendeu à porta. Olhou para o estrangeiro desconfiada. Um turista nunca se vestiria assim...

— O que deseja? — gritou da porta, num inglês horrível, sem fazer menção de ir até o portão alquebrado de madeira.

— Bom dia, senhora. Meu nome é William Shelton, procuro por Adonis, me disseram que mora aqui.

— O que deseja dele? — a velhota indagou curiosa.

Bill se enervou.

— Sou agente federal, quero falar com ele — Bill mostrou o distintivo.

A mulher, mesmo assustada, caminhou com vagar e abriu o portão. Ao entrarem, ela mostrou uma cadeira para ele se sentar e desapareceu por um corredor. Aquela casa era a mais humilde onde Bill já estivera. Menor que aquilo só a delegacia de Zakynthos. *Como esse homem pode ter um templo tão suntuoso e morar num barraco como esse?*, ele maquinou.

— Minha riqueza é a minha fé, sr. Shelton.

William voltou-se rapidamente ao ouvir a voz masculina atrás de si. Nada entendia de mitologia grega, mas Adonis era como o tinham descrito. Agora sabia dizer o que era um tipo, "deus grego". Podia compreender o interesse da esposa pelo jovem, mas queria saber por que aquele moleque estava usando sua mulher.

— Enfim nos conhecemos, Adonis. Qual é mesmo seu sobrenome?

— Khrngma— ele respondeu em grego, mas Bill não conseguiu repetir.

— Dá para falar na minha língua? — Bill perguntou irritado.

— Kerigma. O anunciador, o arauto — Adonis explicou.

— Ok, sr. Kuringa. Vamos ao que interessa. Como sabe que sou William Shelton?... Bom, não importa — falou com autoridade — Não sou supersticioso como os policiais deste lugar. Sou americano e sei muito bem que você está assediando minha mulher para se safar da acusação de assassinato. Portanto, não vamos perder tempo.

A ideia de não mencionar Madeleine foi totalmente esquecida por Bill.

— Pode perguntar, agente Shelton.

— Você é muito espertinho, não é? Se faz de bom-moço, dizendo que quer ajudar a polícia, mas no fundo está escondendo o jogo.

— O senhor quer me perguntar algo? — Adonis mantinha-se calmo.

— Aí, palhaço — apontou o dedo para o rosto de Adonis — Não estou brincando, abra logo o bico, e vamos resolver tudo.

Crianças entraram correndo pela sala. Bill se assustou. Logo avistou outros três vultos, encolhidos no canto do corredor. Olhou melhor e viu a mulher que o atendeu e mais duas adolescentes.

— Quanta gente mora aqui? — perguntou, cada vez mais nervoso.

— Contando comigo, nove — Adonis falava pausadamente.

— Porra! Você vive nesse aperto sendo que tem aquele templo inteiro para morar? Por que não dá uma vida melhor para sua família, cara?

— Este é o meu melhor, senhor. Sou pescador. Vendo meu pescado e trago tudo o que recebo para a família.

— E aquele palácio que você construiu, de onde veio aquela grana? — Bill não se conformava com a calma de Adonis.

— Fiéis amigos de nossa causa.

— Praticantes de magia negra, tarados de plantão! — Bill definiu.

— Somos uma sociedade que pretende recuperar a cultura grega.

— Sei, respeitáveis filhos da puta — o policial deu um sorriso cínico.

— Gostaria de retomar seu inquérito, senhor?

Bill, além de não irritar Adonis, se distanciava de seu objetivo. Tinha de desvendar o crime e sair daquele lugar o mais rápido possível. Era preciso se concentrar. Qualquer distração o atrasaria. Com Madeleine investigando o caso, ele tinha pouco tempo para achar o serial killer. Por que sua mulher teimava em disputar com ele todos os casos? Odiava a habilidade dela. Desta vez não o venceria. Ele arrancaria do grego o nome do criminoso.

— Vamos lá, seu Kuringa.

— Kerigma.

— Pouco me importa como se pronuncia seu nome, babaca. Acha que vim aqui para ter aula de grego? — a raiva de Bill era visível.

— Não, senhor.

— E aí? Quem são seus membros da seita? Quero nomes. Não tente ser mais esperto do que eu.

O agente Shelton se corroía por dentro. Adonis não o confrontava, mas Bill o via como adversário. Esperou uma atitude agressiva, mas Adonis manteve a calma.

— Como já expliquei antes, agente Shelton, somos uma sociedade secreta que visa recuperar as raízes gregas, e não posso divulgar os nomes desses membros. Mas acho que depois das outras mortes ocorridas em Atenas está provado que terem encontrado uma das vítimas em nosso templo foi acidental.

— Cale a boca, cretino! Você não tem que achar nada — Bill ficou mais agressivo — E se algum desses homens tão nobres estiver matando todos os americanos que não acreditam nos deuses gregos? Está cheio de terrorista querendo comer a gente, sabia? Você pode ser esse cara. Aliás, eu estou a fim de pôr você na geladeira. Quem sabe você deixa a Madeleine em paz.

— A sra. Shelton apenas cumpre o destino reservado pelos deuses.

— Que destino? — Bill ficou invocado.

— Encontrar o criminoso para manter nossa crença a salvo.

— Quem disse isso? — Bill tremia de raiva.

— Os deuses. Eles colocaram Afrodite em nosso caminho para nos ajudar — Adonis quis ser compreendido.

— Afrodite é a minha mulher? — Bill estava curioso.

— Ela é, sim.

— Se liga, cara, ela não é para o seu bico! — o marido respondeu, irado.

— Não podemos ir contra os desígnios dos deuses.

— Vou encher você de porrada quando levar você pra cana, miserável! — Bill agarrou Adonis pela camisa e ficou na ponta dos pés para ficar na altura do grego. Ele era bem alto, William chegou a se desequilibrar.

— Para prender uma pessoa são necessárias provas, não é, senhor? — Adonis se preocupou com a mãe, que se escondia atrás da parede.

— Vou provar a minha mão na sua cara, seu imbecil.

— Desculpe-me, senhor. Mas toda essa sua raiva não advém do ciúme que sente de sua mulher?

— Não ponha Madeleine na história — Bill empurrou Adonis.

Depois de se recompor, endireitando a gravata, olhou para o grego. Ao contrário dele, o jovem continuava impecável, sem uma gota de suor. A idosa entrou na sala, abriu a porta e olhou para Bill.

— O quê? Quer que eu saia? Ok. Eu vou. Mas escute bem, garotão! Seus deuses disseram que Madeleine vai encontrar o assassino, não é? — Adonis apenas meneou a cabeça, confirmando — Então diga pra eles que eu vou foder com a profecia deles. Vou achar o maldito tarado.

William Shelton saiu pisando duro da casa, olhou para a mulher com muita vontade de queimar todo mundo ali. Ninguém, senão ele, iria achar o criminoso. Ou qualquer um, menos Madeleine. Mesmo que todos os deuses aparecessem na sua frente, ele não permitiria que ela estragasse tudo. *Maldita hora em que vim para esta terra*, blasfemou.

Seu pensamento voltou para o hotel. Audrey dissera que o esperaria nua, na cama, "ardendo" por ele. Depois de uma contenda com o grego, nada melhor do que o sexo para afastar as preocupações. Ele já tinha se esquecido da última vez que transara com a garota. Sem querer, lembrou-se de Helen. Ela, em seus devaneios, certa vez, tinha dito uma verdade: "A mulher não consegue fazer amor preocupada. O homem faz sexo para esquecer os problemas". Uma assertiva lógica, concluiu ele, antes de entrar no quarto e deparar com a jovem nua de pernas abertas, sorriso nos lábios e um suspiro liberto quando a boca de Bill tomou seu mamilo esquerdo.

* * *

O sol já estava alto. Madeleine, deitada de bruços sobre uma toalha, fazia desenhos na areia, e Jack, a seu lado, estava de bermuda, camisa e — por mais que Maddy zombasse — de meia e sapato. Madeleine havia desistido de esperar Adonis. Achava que ele devia ter arranjado um trabalho melhor naquele dia. Ao dizer para si mesma que aceitava o fato, ainda havia uma pontinha de mágoa. Afinal, Adonis dizia que ela era muito importante para ele e, agora, que se dispunha a aceitá-lo, o rapaz parecia se afastar. Depois a razão falou mais alto. *Por que ele tem obrigação de estar aqui? Não temos compromisso*, ela raciocinou. E por que, afinal, a mulher precisava ser tão insegura com relação ao sentimento masculino? Sempre esperando uma ligação, sempre esperando...

Ela levantou o pescoço devagar e acompanhou de baixo para cima as pernas musculosas e grossas, que terminavam num calção pequeno preto, destacando o volume de poderosas medidas, que se seguia num abdome de desenhos musculares incríveis. Acima, um tórax notável com pelos espessos. Suspirou fundo antes de vislumbrar o rosto divino. Adonis a fitava como se enxergasse toda a química que acontecia dentro dela. Madeleine fincou as unhas na areia, e seu ventre vibrou como nunca. Era a primeira vez que tinha um orgasmo só de olhar para um homem. Na posição em que estava, pôde cruzar as pernas ainda mais e estender a sensação por mais tempo. Sem esperar que Madeleine se levantasse, Adonis sentou-se na areia e sorriu.

— Perdoa-me, tive um imprevisto.

Jack olhou para Adonis e abriu um sorriso. O grego era bonito. Jack entendia Maddy. Na praia, todos se viravam para Adonis, como se sua presença os hipnotizasse. Madeleine sentia o transe. Moveu-se um pouco para vê-lo melhor e se sentou de pernas cruzadas sobre a toalha. Adonis estendeu o braço e tocou seu ombro. Ela se arrepiou.

— Já estás há bastante tempo sob o sol. Talvez devesses cobrir-te pelo menos com o chapéu — apontou para o panamá de abas largas perto da sacola de praia.

— É, talvez tenha razão.

Madeleine se esticou para alcançar a proteção para a cabeça, e Adonis segurou-a pelos joelhos para que não perdesse o equilíbrio. Foi o suficiente para que ela se perdesse e ficasse em suspense por segundos. Agarrou o chapéu como pôde e, ao voltar, encontrou Adonis com a boca suculenta tão perto que precisou desviar, evitando beijá-lo. Não estava mais resistindo. Ele a olhava como se não houvesse segredos entre eles. Sem que ela esperasse, ele a puxou pelos braços e roçou o tórax em seus seios. Sorriu de novo e, quando Madeleine quase sucumbiu, imaginando ser beijada naquele instante, Adonis a conduziu pelo braço.

— Venha! Vamos refrescar nossos corpos.

Madeleine ainda olhou para trás, tentando pedir socorro a Jack. Ele riu da expressão desesperada da amiga, torcendo para que se entregasse ao jovem grego. Olhou para o casal nas ondas do mar. Apesar de calmo, Adonis devia saber da fúria do mar. Stoo tinha dito a Jack que ali todos acreditavam nas águas como o reino do irmão de Zeus, Poseidon, que tinha a incumbência de cuidar das criaturas marinhas.

Os meninos aprenderam muita coisa desde que chegaram. Os meninos... Onde estariam Stoo e Jery?, perguntou-se. Eles deram certeza de que viriam. Sua mente pareceu chamá-los, pois logo Jack avistou Jery.

— Oi! — cumprimentou o garotão sorridente.

— Olá, Jery. Cadê Stoo?

— Foi comprar um suco. Está vindo aí.

— Que bom que vocês vieram — Jack falou sinceramente.

— A gente combinou, né? Mas o Stoo dorme muito. É um folgado — Jery falou, sentando-se na areia.

— Quem, eu?! — perguntou o segundo jovem, ao se aproximar.

— É, brochão. Dormiu até tarde, e a gente quase perde a praia.

— Nem vem, tá?! Você disse que ia me acordar!

— E aí, Jack? Está curtindo? E a mulher? — perguntou Jery.

— Em casa. Vocês tinham razão. Ela se preocupou e chorou.

— E você? — Stoo indagou, curioso.

— Fiz que não era comigo.

— Valeu, cara! — Jery estendeu a mão e bateu na de Jack.

Os rapazes tiraram as camisetas e se estiraram na areia. Jack se sentia bem com eles. Pareciam renovar os ânimos. Com eles, era muito fácil se divertir. Soltar-se. Assim como Madeleine se divertia com o deus grego. Impressionante como pareciam felizes.

Maddy sentia o corpo em chamas cada vez que Adonis encostava-se nela ou sorria ao emergir do mergulho entre as ondas. O sol batia nos cabelos negros, e ele ficava ainda mais belo. Ela o admirava, mas, de repente, sua vista começou a turvar, como se fosse uma névoa. Queria se aproximar de Adonis e chamar por ele, mas sua voz não saía, e ele se distanciava. Ao olhar em volta, o nevoeiro a tinha isolado do restante das pessoas.

Havia uma fumaça que parecia exalar de seu corpo, não havia ninguém por perto, e assim ela tentou buscar o grego indo para mais distante da praia. Seu apoio tornou-se a ponta do pé, depois só os dedos tocavam a areia, e Madeleine mal conseguia se manter acima das ondas. Engoliu um pouco d'água e notou que não tinha mais chão. Veio uma onda mais forte, e ela engasgou, debateu-se em desespero e, quando pensou que se afogaria, sentiu um braço forte erguê-la.

— Sente-se bem, Afrodite?

Olhou em volta, atordoada. Ela não havia se movido. A água estava pela cintura, e os vagalhões não passavam de marolas espumantes. *Sonhei acordada? Que visão estranha foi aquela?*, pensou. Poderia ter sido excesso de sol ou falta de sono, já que tinha passado a noite acordada. Adonis notou sua inquietação, insistiu, e ela contou.

— Um encontro com Poseidon!

— Encontro? Ele quase me matou... — Madeleine atentou.

— És a Deusa do Amor, Afrodite, todos os deuses a desejam. O reino de Poseidon é o mar. É lá que ele quer possuí-la.

— Tudo para você tem a ver com os deuses, é? Foi só ilusão de ótica — ela não quis dar importância ao fato.

— Se assim o queres, amada senhora...

O jovem beijou a mão de Maddy de forma tão sensual que ela se derreteu. Não era normal o que sentia por Adonis, era físico demais para ela, que sempre deu menos importância ao sexo.

* * *

Jack também sempre controlava seus impulsos. Era uma questão de cultura, criação. Para um homem como ele, qualquer manifestação de desejo era errada. Já aqueles rapazes, vindos de uma terra ainda mais gelada do que a sua, não tinham medo de seus sentimentos.

Ele se divertia, mesmo fingindo não notar as brincadeiras de mão que os garotos faziam o tempo todo. Sentia-se parte de um grupo, de uma tribo, tal qual Stoo e Jery se intitulavam. Não estava sozinho.

— Ei! Dizem que tem um lugar por aqui onde o povo mergulha para provar sua coragem. Vamos lá? — Stoo propôs.

— Preciso avisar Madeleine — ele olhou para o mar — Ela deve estar... — Jack ficou procurando Madeleine na água.

— Ela está muito feliz com o grego bonitão — Jery afirmou, rindo.

— É, é. Você tem razão, Jery. Ela está feliz — ele procurou mais uma vez o casal com os olhos antes de seguir os meninos. Realmente, nenhum dos dois se preocuparia com ele...

O físico pouco preparado e a diferença de idade entre ele e os meninos deixaram Jack para trás. Os rapazes pareciam alpinistas, tão fácil foi subirem o penhasco íngreme que havia no final da praia. Era uma parede de rocha dura e pontiaguda, que fez Jack pedir ajuda várias vezes. Quando alcançaram o topo, Jack tinha um palmo de língua para fora, os pés fervendo dentro daquelas meias, e o olhar ainda mais assustado quando viu a altura que teria de pular se quisesse acompanhar os garotos.

— Que maluquice!

— Não é, não, Jack. É uma curtição! — Jery animou o homem assustado.

— Vamos lá! — Stoo queria pular.

— Bem, meninos, desculpem estragar a alegria de vocês, mas eu não vou, não. Desço de volta e espero lá embaixo.

— Ah, assim não tem graça. Vem com a gente.

— Não, não. Eu me conheço, Stoo. Vou me estabacar lá na água e vou dar trabalho para vocês, para Maddy.

— Mas você não pode descer sozinho.

— Claro, Jery. Sem problemas. O máximo que pode acontecer é eu ter de ir arrastando meu traseiro nas rochas até o final.

— Bunda assada não é muito gostoso, não, Jack!

— Eu sei, Stoo. Vou me cuidar.

Os rapazes acabaram aceitando. Se um deles descesse com Jack, perderia o passeio. Mas quiseram que o mais velho os visse pular. Com um terror pela altura, o homem olhou de longe a queda dos dois. Stoo pulou de cabeça, fazendo uma ponte perfeita com o corpo; Jery foi de pé e "cortou" a água com rapidez. Jack tratou de descer. Veio mesmo de cócoras, se agarrando nas fendas do rochedo, com receio de cair a qualquer momento. Aliviado por alcançar a areia, seu corpo sentiu a puxada. Parecia ter subido o Everest. Tentou correr um pouco para encontrar logo os garotos, mas não teve jeito.

Com muita dificuldade, deu pequenos passos e chutou muita areia antes de chegar ao local onde os jovens surgiriam da água. Exausto, sentou-se na areia. Dali a pouco ouviu risos e olhou para trás. Numa reentrância do rochedo percebeu que pessoas se divertiam. Tentou enxergar o que se passava subindo numa rocha ao lado e ficou estarrecido. Stoo e Jery estavam nus, se beijando e se abraçando como um casal. Jack, em vez de disfarçar e sair como um cavalheiro faria, ficou olhando, sentindo um estranho prazer em assistir àquela cena. Jery apertou as nádegas de Stoo, que deu um gemido mais alto e olhou para cima. Jack percebeu que foi visto e tentou fugir.

— Vem cá. Vem para perto da gente. Não precisa correr, não — Jery o chamou.

Desconcertado, Jack Wippon desceu da pedra em que estava e se aproximou dos dois. Ao contrário do que ele imaginava, os meninos não se vestiram. Continuaram do mesmo jeito: abraçados e sem os calções. Jack ficou ainda mais envergonhado. Disse não querer atrapalhar, que tudo fora um acaso. Quis se enterrar na areia. Os garotos pareciam impassíveis e, quando o homem tentou escapar, Jery segurou-o pelo braço e beijou-lhe o rosto. Ainda mais assustado, o homem mais velho viu que Stoo também o abraçou.

— Sabe, acho que é disso que você precisa — Stoo falou.

Jack sentiu as mãos dos rapazes cobrirem seu corpo. Os dois o tocaram, e ele estremeceu. Teve aquele sonho antes, mas nunca o realizou...

* * *

— Vou dizer uma coisa, Audy. Não entendo isso. Sempre há regras, todo psicopata tem uma linha de ação. Mas esse maluco é muito estranho. Não é terrorismo. Nenhum fanático mata sem assumir o atentado. Isso é coisa de doido mesmo. As únicas coisas que sabemos é que ele mata americanos, corta e mete o pinto na boca do infeliz. Chupar o próprio pau deve ter um significado... Mas qual?

— Chamar a atenção — respondeu a estagiária.

— E o que mais?
— Precisa mais? A pessoa deve estar querendo atrair atenção.
— Não faz sentido. Quantos se ferraram até agora?
Audrey olhou no relatório.
— Três em Atenas, depois o caso do adido americano no Templo de Dionísio, mais um na capital, na Acrópole, e outro no porto, seis.
— Seis infelizes no caminho do veado — Bill concluiu.
— Você tem certeza que é um gay? — Audrey indagou.
— Absoluta. Corta o pênis, carrega corpos pesados... Deve ser um desses travecos que dão o rabo pra homem casado.
— Bill, às vezes você diz cada coisa... — a moça riu do comentário.
— Falo o que penso! Agora, por exemplo, eu estou com vontade de comer você inteirinha...
William levantou a moça, ela o abraçou. Olhou para seu amante enternecida. Amava tudo em Bill. Era tudo o que ela sempre desejou. Ele a beijou na boca, depois no pescoço e jogou-a na cama; caiu por cima dela e admirou-a nua. Era uma menina linda, de corpo escultural. Achava que ela era capaz de tudo. Faria qualquer coisa que ele pedisse. A entrega era total. Como podia abdicar daquele prazer só para ser fiel? *O que é a fidelidade, afinal?* Bill chacoalhou a cabeça diante desse pensamento.
— Que foi? — Audrey ficou curiosa.
— Bobagem — ele repetiu.
— Fala. Gosto de ouvir bobagem.
— De repente fiquei com vontade de discutir relação. Coisa que a minha mulher adora e eu odeio.
— Quer discutir a nossa relação?
— Não — Bill se arrependeu de expressar o pensamento.
— Eu adoraria, Bill. Tenho muitas coisas para dizer a você.
— Não. Isso é o que mais odeio em Madeleine. Tem sempre que ficar entendendo por que fazemos isso ou aquilo. Quero ter prazer, não saber como cheguei lá.
— Mas como descobrir o que o outro sente se ninguém fala? — Audrey filosofou.

— Simples. Assim...

Bill pulou em cima de Audrey, beijou-a com tesão, levantou suas pernas e a possuiu com a certeza do fascínio que exercia sobre ela. Não importava o curto tempo que dedicava às carícias, Audrey sempre alcançava o orgasmo ao mesmo tempo que ele. Era perfeita.

* * *

— Eu não concordo que ter mais de um parceiro é uma coisa boa para um relacionamento — Madeleine defendia sua ideia.

— Por quê? Se ambos têm a oportunidade... — Adonis explicou.

— Mas se você tem vários relacionamentos, não tem nenhum.

— Às vezes, convives anos com alguém sem gostar, apenas por achar que uma relação estável é melhor. Quantas chances tu perdeste até descobrir o teu erro? — a linguagem do grego era empolada.

— Acha que trair é melhor?

— Trair?! Não falo de traição, mas de prazer, sensações, desejo...

De repente, Madeleine abaixou os olhos para a areia, onde estavam sentados, para não olhar para Adonis. Estava claro que o grego sabia muito bem o que ela sentia por ele. Perdia-se, encabulava-se. Sentiu as mãos do homem em sua coxa.

— Por que renegas teus sentimentos, se isso só te traz sofrimento?

— Eu não poderia trair meu marido.

Madeleine queria se livrar das mãos que acariciavam suas pernas, mas, ao contrário de sua intenção, passou a esfregar os braços do homem, como se independesse de sua vontade. O toque de Adonis tornou-se mais quente e mais ousado. O calor e a cumplicidade fizeram Madeleine perder o pouco controle que tentava manter.

O grego puxou-a sem que ela pudesse evitar e a beijou com volúpia. Era uma sensação indescritível. Um prazer que jamais sentiu nem imaginou existir. A língua ávida dele capturava a dela, ora delicada, ora predatória, chegando mesmo a mordê-la. Foi então que ouviu uma voz ao longe chamar seu nome. Lembrou-se do marido. Como quem desperta de um sonho, empurrou Adonis e viu Jack, ofegante, aproximar-se e atirar-se de joelhos na areia perto deles.

— Vamos embora, pelo amor de Deus, vamos sair daqui!

— O que houve, Jack?! — Madeleine se assustou.

— Simplesmente me tire daqui, pelo amor de Deus! — Jack parecia ter visto o diabo em pessoa.

Maddy olhou para o guia a seu lado e se deu conta de que também precisava sair dali o quanto antes. Pegou a sacola de palha, quase derrubou Adonis ao recolher a toalha debaixo de seus pés e enfiou o chapéu na cabeça do lado errado. Olhou para o jovem grego, enquanto tentava inutilmente colocar a toalha na sacola. Ele calmamente a ajudou com um sorriso. Adonis acompanhou os dois até o automóvel e, antes que Madeleine manobrasse e arrancasse com o carro, disse:

— Não poderão fugir de seus destinos para sempre.

Jack ficou ainda mais apavorado, pois não era apenas para Madeleine que aquele oráculo havia predestinado um futuro. Enquanto ela colocava o carro na estrada para casa, o homem mais velho começou a chorar.

— O que foi, Jack? — Madeleine sentiu pena do amigo cansado.

Apenas o som de um soluço saiu de Jack.

— Pelos deuses, Jack! Fale comigo! Nunca vi você chorar antes — ela não quis paparicá-lo.

— Por quê? Deixei de ser homem porque estou chorando? — Jack estava indignado.

— Eu não disse nada disso. Só que você me assusta assim. Eu quero ajudar — Maddy tentava compreendê-lo.

— Obrigado, mas prefiro ficar calado.

— Mas chorar, Jack... Deve ser algo muito ruim...

— Esqueça, querida. Não há nada que possa fazer — Jack abaixou a cabeça.

— Posso escutar.

— Não. Depois, você já tem seus problemas.

Madeleine se calou. Sabia que, quando Jack empacava, ninguém o fazia mudar de ideia. Mas ele estava certo. Ela tinha sérios dilemas.

Tinha ficado muito vulnerável perto de Adonis e queria não mais vê-lo. Aquele beijo fora demais. Que força Adonis exercia sobre ela! Nunca se entregara daquele jeito a um simples beijo. O sexo jamais tinha sido uma coisa tão incrível que a fizesse perder a razão. Adonis a enlouquecia. Sentia-se inebriada pelo perfume dele, pela boca carnuda, pelos olhos negros vibrantes. Quando pensava naquele beijo, esquecia-se de tudo. Mas ainda pôde dar atenção ao amigo que voltava a chorar.

— Ah, Jack, eu queria mesmo ajudar você — ela passou a mão em sua cabeça.

— Eu estou perdido, Maddy. Cheguei ao fundo do poço — Jack balbuciou.

Madeleine brecou o carro antes de alcançarem a casa. Na ladeira. Jack olhou sem compreender.

— Não vou deixar você entrar com essa cara de perdedor. Quer que Helen fique feliz por você estar chorando por causa dela? — Madeleine se enervou.

— Não é por causa dela — Jack respondeu, amuado.

— Então o que aconteceu, Jack?

— Eu fiz uma imensa bobagem... — balançou a cabeça desolado.

— Eu também. Estou tentando me recuperar até agora — Madeleine quis se convencer de que estava arrependida.

— É diferente. Adonis é um tipo atraente... Difícil de resistir.

— Credo, Jack! Que estranho que você ficou! — Madeleine o chacoalhou.

— Faça-me um favor, Maddy? Chega de perguntas. Vamos entrar.

— Ok, Senhor Mistério.

* * *

— Mas eu preciso voltar, Audy! — Bill se livrava do abraço forte.

— Quando você vai contar sobre nós dois para ela, Bill? Quando?

— Eu não vou me separar de Madeleine, porra! Já falei várias vezes para você. Sabe que é isso que estraga tudo — tirou as mãos dela de cima dele.

— Isso o quê?!

— Essa história do "você me ama?, que horas você vem? fica comigo?" Saco! Não dá para transar sem pensar onde vamos estar daqui a um ano? Ele queria ir embora.

— Não dá, não. Eu amo você, Bill. Como toda mulher, eu quero me casar, ter um marido...

— Eu já sou casado. Eu já tenho mulher.

William bateu a porta ao sair. Estava zangado com Audrey. Ela acabou com a alegria dele. Os bons momentos daquela tarde estavam esquecidos. Sentia tanto prazer ao lado dela... Suas mulheres não entendiam que ele só tinha todo aquele fogo porque elas não eram suas esposas. Madeleine e ele nunca foram bons na cama. No casamento deles, o sexo era relegado ao segundo plano. Constituir família, ampliar patrimônio, obter dignidade, esses eram os objetivos de um matrimônio. Não importava que a mulher e o homem não sentissem prazer juntos. "Homem procura sexo fora, sem atrapalhar o casamento", dizia seu pai em suas memórias.

Crescera no Meio-Oeste americano, e foi ali que adquiriu sua base familiar. Apesar de já ter traído a mulher incontáveis vezes, William Shelton não se sentia culpado. Trair, ora, era instinto de homem ter mais de uma mulher. Não era pecado. Estava escrito na Bíblia que o homem era o cabeça da casa. Sustentava e amparava a família. Fora dela, a vida era sua.

* * *

Madeleine ainda estava encafifada com o comportamento de Jack. Não era seu estilo permanecer calado por tanto tempo. Não era seu normal chorar. O que tinha acontecido com seu amigo? Aquele dia na praia não saiu como planejado. Maddy sentia o gosto de Adonis na boca. Como conseguiria esquecer? Era algo que nunca sentira antes. Traíra Bill. Pela primeira vez traiu o marido não só em pensamento. Era real. O beijo aconteceu de verdade. Mas só agora ela se dava conta de que nada fez para impedir aquilo. Tinha de esquecer o rapaz. Afastar-se sem remorso.

Enquanto remia suas ideias, olhava para Jack, sendo bombardeado com a fala persistente de Helen. Ele estava longe. O olhar perdido, as respostas lentas e confusas. Helen mal notava, pois o som de sua voz era suficiente para preencher o silêncio que Jack deixava no ar. Mesmo que o marido não respondesse de acordo, Helen continuava a martelar as orelhas dele. Jack não a ouvia. Nem Madeleine. Tanto que só ouviu as batidas na porta com muita dificuldade. Levantou-se da cadeira e foi abrir.

Surpresa, mas explicitamente feliz, ela viu Adonis diante do portão. E o convidou para entrar. Logo aquela sensação em ondas inconstantes tomou-lhe o corpo. Seu ventre pululava mais que seu coração. O grego passou por ela com o olhar indecentemente declarado. Madeleine se agarrou à porta para que suas mãos não se atrevessem a tocá-lo. Ele parou diante de Maia, que se aproximou e reverenciou Adonis com os braços cruzados no peito. Ele retribuiu. "Kalispéra, ómorfi Máia" (*Boa tarde, bela Maia*). A mulher respondeu: "Kalispéra o kýriós mou" (*Boa tarde, meu mestre*) e voltou para a cozinha.

— O que este elemento faz aqui? — indagou Helen, agressiva.

— Vim para combinar o próximo passeio às ilhas, senhora — Adonis foi educado.

— Eu não quero fazer nenhum passeio — Helen foi direta.

— Mas eu quero — disse Jack, afrontando a esposa.

— Jack, esse homem está flertando com Madeleine. É um insolente — Helen avançou para o marido.

— Isso não é problema nosso. Depois, quero conhecer tudo o que puder na Grécia. Ainda nos restam dez dias — Jack se voltou para Adonis — Sabe, rapaz, talvez você e Madeleine devessem conversar noutro lugar. Como vê, ela fica incomodada com a sua presença. Provavelmente porque também não resiste ao seu charme.

Helen fuzilou Jack com os olhos azuis, e ele praticamente empurrou Madeleine e Adonis para fora da casa, enquanto Helen o xingava. Jack riu quando Madeleine implorou para ficar.

— Desculpe, querida, mas eu e Helen vamos ter uma briga, e não gostaria que ninguém nos ouvisse — sem nem olhar pra trás, Jack fechou a porta e sorriu satisfeito.

Madeleine precisava ficar a sós com Adonis. Na praia, os dois tinham sido interrompidos por ele. Então, nada mais justo que ele mesmo consertasse aquilo. Só havia um dilema em sua mente: o ocorrido na praia com os meninos. *Devo ter enlouquecido*, pensou um pouco antes de enfrentar a fúria de Helen.

* * *

Madeleine olhou para Adonis num misto de vergonha e desejo. Era impossível para ela ter raiva dele por tê-la beijado. Ao contrário, estava eufórica com isso. Não queria demonstrar, mas Adonis sabia conduzir sua fraqueza muito bem. Aliás, parecia natural, para o grego, que ela estivesse seduzida. *Convencido. Deve achar que toda mulher quer dar para ele*, pensou ela com certo rubor nas faces.

— Eu não entendo os estrangeiros e seu costume de dissimular o que desejam. A vida seria tão mais fácil e feliz se, em vez de ocultarmos nossos sentimentos, os expuséssemos sem medo, de coração aberto.

— O problema, Adonis, é que a gente se machuca ao dizer tudo o que pensa — Madeleine quis ser sincera.

— Machucamo-nos muito mais quando escondemos a verdade, quando elucubramos em cima daquilo que poderia ou não acontecer se tivéssemos sido honestos conosco.

— Mas você já imaginou se todo mundo saísse por aí dizendo a verdade? Do tipo "eu odeio você", "eu quero o seu lugar na empresa", "você é feia" ou, ainda, "olha, eu acho você gostoso, queria transar com você"?

Madeleine mal teve tempo de pensar no que disse, Adonis a pegou no colo e a beijou com mais desejo ainda do que havia demonstrado na praia. Ela tentou escapar, mas o homem tinha muito mais força e ela, muito menos vontade. Adonis caminhou com Maddy nos braços até um lugar escondido entre as pedras na ribanceira. Recostou-a numa pedra grande e deixou sua boca percorrer o pescoço e a nuca da mulher desejada. Maddy sentia as mãos dele alisando sua perna, erguendo sua saída de praia branca rendada. Então Adonis murmurou no ouvido dela com extrema sedução:

— Eu te desejo, minha senhora, quero possuir-te.

A língua de Adonis correu pelo corpo de Madeleine, desceu até as pernas, então, com a mão esquerda, ele puxou a parte de baixo do biquíni para o lado e beijou-lhe a vulva com suavidade. Madeleine, instintivamente, segurou os cabelos de Adonis e permitiu a sensação de prazer invadir seu corpo. Era tão bom, quente, arrepiante, parecia que ia perder a respiração. Ela gemeu. Aquilo era novo para ela. Não fazia sexo oral. Era uma coisa que uma dama não fazia. Ela era uma dama, uma mulher casada...

Madeleine agarrou os cabelos de Adonis e o empurrou para longe, com uma força que pensava não ter mais. Sem entender a reação, o homem voltou mais decidido. Madeleine lhe deu um tapa no rosto.

— Suma, suma daqui, seu tarado. Saia daqui, ou eu chamo a polícia! — ela gritou, colocando as mãos ao rosto.

O grego ainda ficou ali, ajoelhado no chão, olhando para Madeleine, sem compreender o que se passava. Se só queria fazê-la feliz, por que ela estava tão brava? Ele se levantou e se afastou. Viu-a chorar. Quis se aproximar, mas ela continuava consternada.

— Vá embora, vá embora!

Ele sumiu ladeira abaixo. Queria ficar, dar a Afrodite o que ela desejava, mas os gritos chamaram a atenção de outros moradores. Não podia se arriscar. Se mais algum escândalo se abatesse sobre ele, o templo estaria perdido. Desapareceu pela estrada no mesmo relâmpago com que surgiu. Maddy cruzou e apertou as pernas entre soluços misturados a gemidos e alcançou um, dois, três. Jamais tivera orgasmos tão fortes. Talvez nunca tivesse tido um de verdade.

* * *

Quando entrou na casa estava esbaforida. Como se tivesse corrido muito e precisasse ganhar fôlego. Encontrou Jack, Helen e... Bill na cozinha tomando um lanche. Assim como ela, os outros também se assustaram com a entrada brusca, o que fez Bill estranhar e perguntar o que havia acontecido.

— Achei ter visto uma cobra no meio da estrada — Madeleine mentiu.

Bill não se convenceu.

Helen achou que era mentira.

Jack tinha certeza.

— Escolheu o lugar onde iremos passear amanhã, Maddy? — Helen cutucou.

— Não sei... — Madeleine estava abstraída.

— Mas você saiu com o tal guia justamente para resolver o que fazer amanhã. Não se esqueça de que é o nosso décimo dia.

— Eu sei, Helen.

— Amanhã eu vou com vocês, querida. O dia será só nosso — Bill abraçou a esposa, mas ela nem se deu conta disso.

— Você só promete, William Shelton. Nunca faz o que diz.

— Maddy, eu estou... — Bill não conseguiu terminar a frase.

— No meio de uma investigação importante. Eu já sei. E quer saber, Bill, não tô nem aí.

Madeleine saiu da sala.

— "Tô"?! Desde quando Madeleine Shelton fala desse jeito? — Helen não entendeu.

— Qual o problema, Helly? — Jack riu da atitude da esposa.

— Ela nunca fala errado. Jamais usa gírias — Helen continuou.

— Ah, bobagem!

— Helen está certa, Jack. Eu falo errado. A nossa escritora, não, nunca. É a influência do cara — Bill estava invocado.

— Engano seu, Bill. Adonis fala um inglês correto, arcaico até. A influência gramatical chula só pode ser sua — Jack defendeu o grego também.

* * *

Madeleine estava passada. *O que foi aquilo?*, questionou-se. *Obsceno*. Como ela deixou o grego ir tão longe? O que a fazia se descontrolar e permitir que um desconhecido invadisse sua intimidade daquele jeito? Sexo oral... *Jamais imaginei...* Ela lembrou o prazer. Nem permitia que Bill beijasse suas pernas, quanto mais aquilo. A sensação ainda permanecia em sua pele. O ardor dos beijos, o afã incontrolável. Sim, ela tinha a mesma volúpia que ele. Era igualmente indecente. Adúltera. Em meio a seu devaneio, nem percebeu a porta se abrir.

— Maddy, o que você está fazendo? — Bill perguntou.

Só então a dama inglesa voltou a si. Estava nua, encostada na parede, e suas mãos buscavam o mesmo local em que a língua de Adonis estivera antes.

— Eu... ia tomar banho, mas não achei a toalha — ela dissimulou, ainda aturdida.

— Puxa, você está tão queimadinha...

Bill fechou a porta e se aproximou, olhando com desejo para o corpo da mulher. Ela parecia mais bonita, mais sensual. Diferente. Viu que estava excitado.

Já fazia tempo que não transava com a mulher. Finalmente tinha um pouco de sossego para se dedicar ao verdadeiro motivo que o trouxera àquele lugar. Madeleine olhou para Bill sem entender. Não tinha certeza se era desejo que via no olhar do marido. Era um desconhecido para ela, agora, distante.

— O que você quer, Bill? — Maddy reagiu quando ele pegou seu braço.

— Ah, meu amor, você disse que queria muito... — beijou-lhe a boca.

A língua áspera dele a incomodou. Mas tinha de aceitar. Era seu marido. Foi para refazer seu casamento que tinha viajado para tão longe. As mãos de Bill envolveram seu corpo. Não tinham a lascividade e a firmeza das de Adonis. Ela queria mandá-lo parar, não sentia faltar o chão como com o outro. Mas era seu marido... Quando ele segurou sua mão para levá-la à cama, Madeleine se decepcionou. Queria que ele a possuísse ali mesmo, na parede. Deitaram-se.

— Como você tá gostosa — disse ele, admirando o corpo sob o seu.

A mulher permitiu ser acariciada no peito, um beijo no pescoço. Quis que o marido a fizesse esquecer o momento com o grego. Desejou que Bill fosse mais ousado. Segurou-o, cruzando as pernas atrás das costas do marido, apertando os pés nas nádegas dele e permitindo que seu sexo ficasse à altura do de Bill, que olhou para ela sem acreditar.

— Querida, você andou assistindo algum filme pornô? — Bill parou.

— Por quê?!

— Está fazendo umas coisas diferentes...

— Cala boca, Bill, e transe comigo! — ela o apertou ainda mais.

Ele abriu a calça e baixou-a junto com a cueca. Olhou-se excitado, *É um pau e tanto esse meu!*, pensou antes de perceber que Madeleine, instintivamente, rodou o marido para debaixo de si e, sob o olhar incrédulo dele, colocou-se de joelhos por cima e moveu-se com ritmo até permitir a penetração. Então, como se sempre soubesse fazer aquilo, cavalgou um Bill completamente estupefato. Ela sentia o membro dentro de si, mas nem de longe o prazer que teve só com o beijo de Adonis. Queria um daqueles orgasmos com o marido, isso era o certo. Passou a tocar o clitóris para tentar se excitar mais. Acelerou os movimentos dos quadris e ouviu Bill gemer.

— Está bom, meu bem? — ela quis saber a reação dele.

— Maddy, você está muito doida, ui!

— Quero que você me deseje. Quero ter prazer — ela murmurou.

De repente, o marido se contorceu embaixo dela e pronto. Largou-se na cama com a respiração forte, de quem acabava de gozar e estava satisfeito. Madeleine ainda tentou se mexer com sensualidade para continuar, mas o pênis do marido já estava totalmente relaxado.

Ela não teve opção a não ser levantar e colocar um roupão para ir até o banheiro e tomar um banho. Frustrada. Isso era uma transa? Tinha vontade de perguntar às mulheres de Bill o que ele fazia com elas que o tornava tão gostoso, já que com ela nunca passava de uma sensação de dever cumprido. Gozou dentro dela e acabou. Já ela preferia passar horas sentindo a língua de Adonis. Mas Bill era seu marido. Vestiu um top e um short e encontrou Helen na varanda.

— Cadê o Jack? — Madeleine perguntou.

— Disse que ia andar um pouco e talvez comprar alguma coisa na delicatessen aqui perto.

— Aqui essas lojas de alimentação têm outro nome. Como é mesmo? O Adonis disse... — lembrou-se do som da voz dele.

— Adonis, Adonis, você só pensa nesse cara agora! Quem se importa com o nome que se dá por aqui para essas lojas? Nós, turistas, principalmente europeus e americanos, é que sustentamos esse comércio. E se o dinheiro é nosso, querida, nós chamamos como quisermos — Helen falou, prepotente.

— Esse papo capitalista já é passado, Helen. As coisas mudaram.

— Para você que é tola. O dinheiro ainda move o mundo, meu bem. Quem tem manda — Helen foi categórica ao afirmar.

— Helen, às vezes acho que você nem sabe o que diz.

— Eu sei, sim.

— Ok, ok! Helen, você não acha que o Jack está triste? — Maddy tentou entrar no assunto.

— Não. Ele está tão parado como sempre foi — a morena foi até a cozinha pegar água.

— Eu estou dizendo que ele... ah... — Maddy cansou de fazer Helen dar atenção ao marido — Só quero dizer que ele está diferente.

— Quem está bem estranha é você, Madeleine, que de repente descobriu gíria, sexo... O que houve?

— Nada — ela abaixou a cabeça, meio contrariada.

— Veja o que eu digo. Você parece culpada de alguma coisa. Bill está estranhando você também — Helen estava bem curiosa.

— Qual é o problema de tentar sentir prazer com o marido, Helen? Você nunca teve desejo pelo seu? Nunca gostou de sentir um orgasmo ao lado do homem que ama?

— Madeleine! Ouça o que você está dizendo... Eu nunca ouvi você dizer tantos impropérios... — Helen estava abismada.

— Impro... Helen, eu só estou tentando ser feliz. Quero saber o que Bill procura nas outras mulheres que não tem comigo — Madeleine gesticulou nervosamente — Eu não quero apenas ficar de pernas abertas esperando que meu marido se satisfaça dentro de mim e depois vire para o lado e durma, como acabou de acontecer. E para mim só o que resta é me sentir melada por dentro...

— Madeleine Shelton! Eu não sou obrigada a ouvir sua intimidade! — Helen estava de cabelo em pé.

— Mas eu vou falar. Você sempre tem prazer quando transa com Jack? — Maddy foi bem natural.

— Eu... Mulheres não costumam ter prazer como os homens. Existem especialistas que dizem que 75% das mulheres não têm...

— Orgasmo, Helen, orgasmo. Também já ouvi falar disso. E também que dificilmente se consegue isso na penetração. Mas Bill não tem paciência para me excitar o suficiente para que eu consiga gozar com ele...

— Chega, Madeleine! Eu não quero falar disso com você — Helen saiu da sala e foi para a varanda.

— E com quem eu vou falar? Com Bill? Jack? — Maddy continuou atrás da amiga.

— Fale com o tal Adonis. Ele parece muito interessado na sua sexualidade — Helen apimentou ao final.

— É, talvez fosse melhor. Um estranho que me dá mais atenção que meu marido. Um homem de verdade que é capaz de...

A imagem de Adonis ajoelhado em sua frente, tocando-a com um prazer indescritível, voltou.

— Capaz de quê? — a curiosidade que matou o gato se apossou de Helen, que percebeu o olhar estranho de Madeleine.

— De reconhecer a beleza de uma mulher. De se dedicar a ela incondicionalmente — Madeleine conseguiu se safar.

— Ah, então você confessa que ele está flertando com você?

— É, confesso que ele deu em cima de mim, sim. Ele é atencioso.

Muito mais do que isso, pensou.

— Afaste-se dele, Madeleine. Vamos achar outro guia — Helen aconselhou.

Madeleine entristeceu o olhar.

— Você está pensando em trair Bill, Madeleine? Você seria capaz de trair seu marido? Você! Uma lady! — Helen buscou o olhar da outra.

— Ladies também têm desejo, Helen!

— Você está enlouquecendo, Madeleine! Precisamos ir embora daqui o mais rápido possível. Assim que Jack voltar, vou arrumar as malas, e vamos esquecer a Grécia, os lugares paradisíacos. Isso tudo está virando nossas cabeças. É loucura.

Madeleine ficou chamando a amiga, que saiu para o quarto em disparada, mas Helen não escutou. Fugir não era a solução, mas, se ficasse, Maddy sabia que trairia o marido. O beijo, a intimidade, o prazer que Adonis lhe deu eram fortes demais para que ela ignorasse e fosse embora sem saber o que podia acontecer. Olhou para a parte da praia que podia ser vista da varanda. Pessoas felizes, livres, amando, vivendo. Como queria ser como eles.

Madeleine sentia que a vida que buscava era outra que não a que tinha. Ao mesmo tempo, lembrava-se de um conselho de uma amiga resignada: "Alegre-se com a vida que tem agora". Mas também recordou que essa mesma amiga deixou marido e três filhos para morar com os índios na floresta Amazônica.

— Não pense demais sobre seus sentimentos, sra. Shelton. Às vezes as coisas são mais simples do que fazemos parecer — Maia falou baixinho em seu ouvido.

Madeleine olhou para Maia. Devia estar na meia-idade. Uma mulher bonita, suave e educada. Estava sempre disposta a conversar e explicar as coisas. Era sábia.

— É difícil tomar decisões sem pensar, Maia.

— Nem sempre decidir é um problema. A não ser que se importe tanto com a opinião alheia que passe por cima de seus próprios sentimentos para ser igual a todo mundo — ela colocou um copo de café em frente a Madeleine — Quem disse que os que nos julgam estão com a razão?

— Nesse caso, estão.

— A senhora tem o conhecimento. Só falta a ação. Trair é apenas um conceito imposto por uma sociedade. Há lugares onde se valoriza o prazer mais do que a aparência — a mulher finalizou.

— Você fala como o Adonis e parece conhecê-lo bem, Maia.

— Como já disse, sra. Shelton, Adonis é nossa pedra fundamental para preservar a cultura grega, nossos costumes, nossa religião. Ele tem tanta importância para nós que é considerado quase um santo.

— Santo?! — Madeleine espantou-se.

— Sim, senhora.

— Que eu saiba, ele não tem nada de santo, Maia. Ao contrário... — Madeleine achou demais se confessar com a mulher — É um safado.

— O conceito que tem de safadeza, senhora, não é o mesmo que o nosso. Ser uma pessoa sexual não significa ser mais ou menos digno que outro que preza a castidade. O que nos faz santos ou demônios é o mal que trazemos em nossos corações.

— Mas dizem que essa sociedade secreta que Adonis lidera faz orgias e sacrifícios em honra a Dionísio — Maddy quis saber o que Maia sabia.

— É uma sociedade que busca recuperar nossas raízes. As festas celebram a existência dos deuses do Olimpo.

Madeleine ouviu aquele comentário com ceticismo, como quando pressentia pelo tom de voz de alguém que ali havia um mistério para desvendar. Maia acreditava nas coisas ditas por Adonis. Talvez soubesse muito, muito mais do que dizia.

— Você acha que alguém dessa sociedade seria tão fanático a ponto de matar para ser respeitado? — ela provocou.

— Isso apenas a senhora poderá dizer — Maia falou calma.

— Eu?!

— A senhora soluciona crimes, não é?

Maia a deixou, mas Maddy não ficou sozinha. Agora pensamentos povoavam sua mente, tanto que, se alguém chegasse bem perto, conseguiria ouvir o som de seu raciocínio. *Ser sexual? O que exatamente ela quis dizer com isso? Adonis é santo e pedra fundamental... Eu que sei. Se é apenas uma religião, por que se esconder?*

— Preciso falar com ele — Madeleine falou em voz alta.

— Com quem? — Jack entrava naquele momento.

— Ah, olá, Jack. Estou com umas dúvidas na cabeça e acho que somente Adonis tem a resposta.

— Na cabeça? Entendo... — Jack maliciou.

— Não é nada disso. Eu estive conversando com Maia, e ela me falou umas coisas... — Maddy quis se explicar.

— Pode dar a desculpa que quiser, Maddy, mas a verdade é que você precisa ver o rapaz.

— Não, eu... — ela não podia mentir para Jack.

— Madeleine! Admita, você está encantada com o jovem.

Ela olhou para Jack de cabeça baixa e, sob certo constrangimento e recato, ele conseguiu ver o brilho indisfarçável de felicidade. Ficou feliz por ela.

— Vá atrás dele, Maddy. Fale com ele. Diga o que sente — o amigo a incentivou.

— Não está certo, Jack. Eu estaria indo contra os meus princípios.

— Deixe a moral de lado, garota! Por acaso Bill se perguntou alguma vez se tinha princípios? — Jack estava injuriado.

— Ele não acha que seja errado. É uma questão de educação machista, de raízes. Ele realmente acredita que o homem pode tudo no casamento, mas a mulher, não.

— Mostre que ele está enganado. Você sente uma coisa diferente, boa, que pode pôr em prática... — Jack amuou — Ao menos você pode...

Madeleine viu o amigo entristecer outra vez. Quando ia tentar consolá-lo, Bill apareceu na sala.

— E aí, pessoal, que tal darmos um passeio na praia? Eu quase não conheço lugares bonitos na Grécia. Só vi delegacias e necrotérios.

— Parabéns, Bill. Grandes progressos — Jack olhou de soslaio para Madeleine — Pode ser tarde, mas não deixa de ser uma evolução.

A ironia de Jack passou despercebida por Bill. Ele nunca compreendia bem as piadas do outro mesmo. *Humor inglês é idiota*, costumava justificar.

— E então, Maddy? Pus até um shortinho para você me apreciar...

— Belas pernas! — ironizou Jack de novo, deixando a sala.

Madeleine o repreendeu com o olhar.

— Que bom, Bill. Será que vamos ficar juntos? — ela abraçou o marido.

— Vou sem celular, caso alguém tente me achar por aí.

Madeleine olhou para o marido com ternura. Ele não era tão ruim quando lhe dava um pouco de atenção. Beijou-o, acreditando de verdade que ainda valia a pena tentar salvar seu casamento afinal. Tinha de ficar mais tempo a sós com Bill, dizer o que gostava, o que queria, principalmente na parte sexual. Ele precisava entender. Devia saber que ela estava descobrindo uma parte de sua vida que ocultara de si mesma. Colocou outro biquíni, mas usou a mesma saída de praia. Ainda que corresse o risco de Bill sentir o cheiro de outro na roupa, queria manter o olor de Adonis em seu corpo. Isso a excitava e lhe dava coragem.

Foram de carro, pois Bill disse que poderiam voltar tarde e não queria se arriscar com o assassino solto por ali. Madeleine sabia, porém, que Bill não gostava de caminhar. Na academia posava de atleta para as gatinhas, mas, fora do ambiente de ginástica, era sedentário. Pagava qualquer preço para não ter de andar. Madeleine achava estranho que um agente da Interpol, treinado para perseguir e matar criminosos, preferisse facilidades como as escadas rolantes.

Bill explicava que se esforçava muito no trabalho e, na hora do lazer, gostava de relaxar e aproveitar. Jack dizia que William Shelton era uma fraude. Certa vez, afirmou até que talvez Bill nunca tinha corrido atrás de nenhum bandido e que sua fama de agente internacional era só propaganda enganosa. Madeleine não pensava assim. Alguém que passou tanto tempo num serviço como aquele não podia enganar dessa maneira.

Apertou mais a mão de Bill enquanto caminhavam na areia da praia. Ele olhou para ela e sorriu. Era assim que gostava da esposa: terna, com o olhar apaixonado. Nesses momentos amava Madeleine. Uma esposa carinhosa e doce era só do que precisava. Naquele instante, quem olhasse de longe tinha a certeza de que era um casal de namorados. Só que nem todos que observavam a cena estavam felizes. Apesar de deserta, olhos sinistros desdenhavam a paixão.

— Bill, posso fazer uma pergunta? — Madeleine indagou.

— Claro, querida.

— Como é com as suas amantes? O que é diferente em levar uma desconhecida para a cama e sua esposa oficial? — ela perguntou com tranquilidade.

— O quê?! — Bill olhou-a com surpresa.

— Eu queria entender o que as outras fazem que eu não faço.

— Ah, Madeleine, para com isso!

— É sério. Eu gostaria de saber para poder fazer como elas. Ser uma amante para você também, além de sua mulher.

— Nunca mais repita isso! — enquanto ele apertava a mão dela com muita força e a ouvia reclamar de dor, Bill tinha os dentes cerrados, denunciando sua raiva.

— Solta! Você está me machucando.

Só então ele se deu conta da força aplicada.

— Desculpe.

— O que foi que eu disse de errado? — Madeleine não entendeu.

— Não gosto quando você é vulgar — ele determinou.

— O que é ser vulgar para você, Bill? Falar de sexo?

— Desde quando você gosta desse assunto? Antes de vir para cá, você não gostava nem de dizer a palavra sexo — Bill foi áspero.

— Talvez seja por isso que você prefira as outras mulheres.

— Mulher minha não fala obscenidades.

— Que machismo nojento, William Shelton! — Maddy se revoltou.

— Por que você estragou tudo, Maddy? A gente estava tão bem...

— Bem? Bill, você levou dez minutos para se excitar e gozar comigo. Dormiu cinco segundos depois disso. Isso é normal? Quanto tempo você leva com as suas garotas?

Bill olhava incrédulo para o que a esposa dizia. Estava tenso, contrariado. Mas ela parecia não querer parar.

— Eu quero saber, Bill, porque quero dar para você o que você vai procurar na rua.

O tapa na cara que Bill tentava evitar veio com mais força que ele planejou, e Madeleine caiu na areia. Olhou para o marido com uma mágoa imensa.

— Seu caipira atrasado! — ela disse ao vê-lo arrependido, estendendo a mão para ajudá-la a se levantar.

— Perdão, Maddy, eu não queria…

— Acabou, William, acabou! — gritou Madeleine.

Ela se levantou sozinha e correu para a água. Precisava esfriar a cabeça. Como ele teve coragem? Como pôde agredi-la? Ódio. Era só o que conseguia sentir. Poderia matá-lo com a raiva que sentia. Como ousara tocar nela daquela forma? Não havia mais saída para seu casamento. Depois daquilo, era o fim. William Shelton não tinha o direito de levantar a mão para ela, nunca. Suportara o chauvinismo do marido até onde podia, mas aquilo era demais. Bater? Estava tudo acabado. Mas, antes que ela pudesse pensar em sair da água, Bill entrou no mar correndo.

Madeleine partiu para cima dele com fúria, ódio mortal. Arranhou-lhe o rosto e tentou afundá-lo na onda. Bill se assustou de início, mas começou a conter os movimentos violentos da mulher sem machucá-la. Madeleine pareceu ficar com mais raiva ainda por estar sendo subjugada. Rolou com Bill dentro do mar e só ficou satisfeita quando ele tentou beijá-la para acalmá-la. Então mordeu-lhe o lábio com uma fúria que até mesmo ela desconhecia. Bill ficou apavorado e sentiu muita dor. Madeleine olhou triunfal. Em vez de parar, mostrou-se ainda mais assustadora.

Arrancou-lhe o calção e jogou-o na areia. Ele tinha o olhar apalermado, como uma criança antes de apanhar de um pai severo. Pediu que Madeleine parasse com aquele desatino. Ao contrário do que ele pretendia, a mulher pareceu enlouquecer ainda mais. Passou a esfregar o peito direito em seu rosto e perguntava se era isso que as vagabundas faziam com ele. Bill estava paralisado, sem nenhuma ideia do que fazer. Madeleine deu-lhe um tapa no rosto e, arrancando e também atirando o biquíni na areia, sentou-se em cima das pernas do marido e passou a mover-se como se estivesse cavalgando-o, com agilidade e empenho.

Pouco tempo depois, sentiu Bill excitado. A água facilitou a penetração, e ela sentiu um pequeno orgasmo que a tornou ainda mais ávida de prazer. Bill assistia em choque à mulher se balançar como louca em cima dele e depois sair como se deixasse claro ter obtido o que desejava. Correu nua para a areia, vestiu o biquíni, olhou para o mar, deu uma gargalhada horripilante para William Shelton e sumiu.

Era a segunda vez. Bill juntou o pouco de honra que ainda lhe restava, olhando em volta para se certificar de que estava sozinho. A praia não era mais vigiada. Colocou o calção, andou cambaleando pela areia até chegar onde estacionara o carro. Não havia nada ali. Teria de voltar a pé.

— CAPÍTULO 14 —

Adonis estava um pouco derrotado. Entrou no templo sem contemplar com a paixão de sempre os objetos que decoravam a construção monumental. Sua mente estava em outro lugar. Desde sempre, dera prioridade a tudo o que se referia ao templo, a seus costumes. Nada era mais importante do que reacender a chama todos os dias daquilo que, para ele, era uma missão, um dever, uma meta a alcançar. Naquelas paredes, naqueles objetos, estava toda a sua existência. Nascera para refazer o que fora destruído e recriar o que fora extinto. Apenas isso deveria existir em seu horizonte, mas não. Havia algo mais, que, frustrado, não conseguia verter para seus deuses.

Aquela fenomenal visão do templo não era mais suficiente, e, mesmo em seu escritório, onde o sagrado podia ser deixado de lado, ele tinha necessidade de debater com os seres superiores. Ajoelhou-se e abriu os braços de modo a assumir sua veneração.

— Ó grande Zeus, senhor do Olimpo, que tudo pode e a todos comanda. Mostrai-me onde errei e dai-me forças para continuar minha missão em tua glória.

Suas súplicas não pareciam ser ouvidas, mas ele preferia acreditar que seu pedido seria atendido. Depois de tantos anos dedicando-se mais do que ninguém àquela tarefa, Adonis não titubeava na certeza de que seus senhores não o abandonariam. Era apenas uma fraqueza o que sentia, algo que nos homens era considerado um defeito, mas, nos deuses, somente uma característica de sua rica personalidade.

O Olimpo era inatacável, mesmo que todas as perversidades humanas sempre estivessem ali explícitas. Até mesmo a Bíblia dos católicos dizia que Deus fizera o homem à sua imagem. E não eram os deuses a mostra viva da ascendência da humanidade? Amor, ódio, cobiça, inveja, violência… As histórias sobre ciúmes e vingança.

Para Adonis não havia dúvidas de que seu destino estava traçado, e aquele era mais um teste de sua fé exigido pelos deuses. Afrodite era sua prova. Se sucumbisse, estaria claro que falhara em sua crença. Pensou que seria hora de buscar a paz. Tirou as roupas, saiu do escritório e, abrindo o acortinado que ocultava os outros salões, desceu para encontrar seus pares.

* * *

Quando chegou à casa, Madeleine estava efusiva. Aquela estranha atitude, em vez de remorso, aumentara ainda mais seu desejo. Não conseguia conter a euforia nem disfarçar o prazer que sentiu ao obrigar Bill a fazer o que não queria. Que sentimentos ambíguos eram aqueles? Como podia gostar de humilhar alguém daquela forma? De onde vinha essa nova maneira de pensar e agir? De Adonis? Da própria Grécia? Aqueles perfumes, aquela paisagem, os mistérios, não havia um lugar aonde fosse que não a fizesse dizer a si mesma já ter estado lá. Sentia-se em casa e cada vez mais luxuriosa.

Incrível como esqueceu todas as regras de comportamento. Sua mãe queria que a filha seguisse todos os conceitos de moralidade e educação de uma lady. Madeleine tinha de ser íntegra, pois era assim que todos os súditos de Sua Majestade deviam agir. Ela já havia causado grande furor entre os lordes e damas da família ao se tornar escritora.

Lembrou que, logo depois de chegarem à Grécia — quando fez um telefonema para a mãe para contar que faria a última tentativa de salvar seu casamento —, não tivera mais contato com os pais. William, ao contrário, ligara quase todos os dias para "seu velho" para falar dos acontecimentos. Os pais de Madeleine eram distantes, sem muitos afagos, assim, foi fácil se acostumar com o jeito frio com que Bill costumava tratá-la.

Mas, com toda a atenção que Adonis lhe dava, descobriu a necessidade de ter alguém a seu lado, alguém que a desejasse e não tivesse receio de demonstrar. Queria sentir um corpo quente a seu lado. Tinha de ser desejada e amada. Sempre procurou por isso. Mesmo sendo tão livre, tão segura, sexo para ela sempre fora um tabu. Por que sempre deixava o sexo de lado? E por que hoje não conseguia pensar em outra coisa? Com certeza era aquele ambiente. O mesmo que incomodava Helen lhe fazia tanto bem.

Os amigos não sentiam os olores nem enxergavam a beleza que Madeleine tinha descoberto na Grécia. Tudo era maravilhoso para ela. Tinha mais disposição, uma necessidade de conhecer, de ver, de ouvir. Qualquer coisa que era dita a respeito de um passeio ou de um local era esmiuçada por ela. Gostava de experimentar todo tipo de comida. Ontem mesmo provara um saganaki e adorara.

Estava ávida por absorver os costumes gregos, aprendendo bem rápido. Será que tudo fazia parte da admiração que tinha por Adonis? Estava muito mais confusa naquele momento do que quando saiu de Boston. Lá, tinha dúvidas de que pudesse voltar para o marido; aqui, tinha dúvida de quem era. Sentia uma alegria íntima, um fogo que não conseguia explicar para si mesma. Só sabia que precisava mudar. Por mais dolorido que pudesse ser, precisava mudar.

A porta da sala se abriu, e William Shelton entrou meio cambaleante. Desabou no sofá. Transpirava muito, tinha a roupa empoeirada, pediu um copo de água, que Maia lhe trouxe. Tanto Helen quanto Jack perceberam um clima pesado entre o casal.

Helen quis saber o que aconteceu.

— Tudo bem, Bill?

— Claro que não, Helen. O que você acha se Jack deixasse você a pé em um lugar longe e você tivesse de andar pra burro? Não esqueça que há um criminoso à solta.

— Ora, Bill, você é um agente federal. Seria bom se encontrasse o bandido, o prendesse. Depois, também foi uma ótima oportunidade para conhecer a Grécia. Não reclamou que só ficou em delegacia e necrotério? — Madeleine o achincalhou.

— Você está louca! — gritou Bill, se esforçando para levantar do sofá — Acho que vou internar você, isso sim. Bancou a doida na praia, me envergonhou e ainda tira uma da minha cara? Vai se danar!

— Quem é o maluco, eu ou quem está gritando? — Madeleine nem levantou a voz, apenas olhava entediada para Bill.

— Eu não sou maluco, não — irado, Bill pegou o braço de Madeleine e a chacoalhou, mas Jack interveio.

— Calma, calma, Bill. Não faça assim. É melhor conversar.

— Você e esse seu jeito educado de resolver as coisas, Jack, já me encheu, tá?! — Bill conseguiu se levantar.

— Vai virar a briga para cima de mim agora? — Jack não gostou.

— Essa puta me deixou jogado lá na praia nu! Andei até de jumento para voltar para casa.

— Madeleine, por que você fez isso? Pobre Bill! — Helen teve pena.

— Helen, não se meta! — Jack a impediu.

— Mas, Jack, eu só queria...

— Nós não temos nada com isso. Venha! — ele pegou Helen pelo braço para sair da sala.

— Não precisa sair, Jack — depois de falar com o casal, Madeleine se virou para Bill — Eu não sei por que fiz isso. Senti vontade. Decidi fazer o que tenho vontade e vou fazer. Já falei que vou esquecer meu dever e pensar no meu prazer.

— Com o guia grego... — Helen falou de supetão.

— Helen, fique quieta, por favor — Jack insistiu.

— Você quer se vingar de mim, Madeleine? — Bill ficou irado.

— Eu, me vingar, William, por quê?

— Só pode ser. Só para me fazer ciúme.

— Que saco! Não tem nada a ver. Você me deu um tapa no rosto! — gritou Madeleine, colocando para fora sua mágoa — Um tapa!

— Você me deixou nu dentro d'água. Por que fez aquilo, por quê?!

— Sei lá. Já disse, tive vontade. Achei engraçado deixá-lo nu e sem condução, ok? Foi brincadeira...

Helen ouviu horrorizada. Não estava nem um pouco acostumada com a nova forma de agir da amiga, que antes tinha como um exemplo de dignidade e correção.

— Sua vaca! — Bill a ofendeu.

— Bill, veja bem o que diz. Eu não sou mais idiota. Vim aqui para reatar um casamento falido porque você e a Helen me convenceram. Mas hoje foi a gota d'água. Usei todas as minhas fichas com você.

— Eu não a reconheço mais, Madeleine — o homem sentou-se no sofá, exaurido.

— Nós erramos, Bill. Não temos que reatar. Temos de tentar ser felizes, mas cada um do seu lado — Madeleine ponderou.

— Não. Não — ele negou.

— Vamos aceitar, a gente não tem mais nada pra recuperar — Madeleine reafirmou.

— Sempre existe uma chance, Madeleine, não diga isso — Helen interferiu sem aguentar mais ficar calada.

— Helen... — Jack a advertiu.

— Deixa ela falar, Jack. "Ouve" a nossa amiga, Maddy! — Bill gesticulou para que Helen continuasse.

— Bill... — Madeleine cansou. Não valia a pena repetir.

— Eu já sei. Vamos para um hotel sozinhos. Tenho certeza de que tudo vai voltar a ser o que era — Bill nem sabia o que falava.

— Boston, Atenas, Tóquio, não vai adiantar, Bill. Continuamos sendo você e eu. Não vai voltar a ser o que era. Nunca mais.

— Por favor, querida. Eu amo você. Chega de brigas e disputas.

William abraçou Madeleine com ternura e beijou seu rosto. Nessas horas achava um pouco do homem por quem havia se apaixonado. Mas eram momentos tão raros que ela não discernia entre saudade do passado ou amor. William pegou a mão dela e a levou para o quarto. Helen olhou para os dois aliviada. Sabia que Bill ia recuperar a esposa. Ainda não seria daquela vez.

— Eu odeio quando ela cede dessa forma. Uma mulher tão inteligente, tão decidida... — Jack se chateou.

— Ela ama o marido — Helen afirmou.

— Ama o quê? Quem pode dizer hoje em dia que ama alguém?

— Há casais que preservam um sentimento maior, Jack.

— Fingem, Helen, como nós — Jack se mexeu nervosamente.

— Eu não finjo nada.
— Ah, não?! Então você acha que está bom assim?
— Eu não tenho do que reclamar.
— Então é porque você tem um amante, meu bem. Eu não toco você há quase cinco anos, e você não reclama.
— Eu respeito a sua abstinência sexual, Jack — Helen olhou para o chão — Depois, você sabe que eu não gosto de falar nesse assunto.
— Não gosta ou não se importa? Afinal, você também não quer transar comigo, não é?
— Não fale assim, Jacob! Não sou moderninha como a Madeleine.

Jack olhou para Helen. Se a mulher soubesse o que ele estava sentindo... Se ao menos imaginasse, teria um chilique. Eles não eram felizes, mas ela insistia em fazer de conta que sim. Ter dinheiro para comprar suas vontades e fazer parecer aos demais que eram felizes lhe bastava. E ela sabia fingir com perfeição, pois nem sua melhor amiga sabia da verdadeira relação dos dois.

Como conseguia viver naquela mentira por tantos anos? Para ele, no entanto, bastou baixar a guarda um instante e cair na tentação. Stoo e Jery provaram que ele não estava seguro, que não era forte o bastante. *Abstinência sexual... isso sim é uma imensa mentira*, pensou.

— O importante é que Bill e Maddy estão juntos — Helen se satisfez.
— Eu não entendo por que você torce tanto para William ficar casado com Madeleine.
— Porque gosto dos dois. São nossos amigos.

Por uma fração de segundo, Jack notou um olhar estranho de Helen. Tentou entender, mas ela não lhe deu mais oportunidade.

— CAPÍTULO 15 —

Entrar naquela rua antes foi mais fácil. Da vez anterior tudo estava deserto, agora havia policiais por toda parte. Talvez porque fosse mais cedo. Teve de fazer a volta e tentar deixar o carro em outro lugar. Dirigiu até mais perto do porto. Lotado de turistas. Aonde iria agora? Dar uma volta mais, ou duas, ou três. Andou um bocado, até estacionar num local mais deserto. Era longe do porto e da Acrópole. Queria evitar os turistas, mas não sabia onde estava nem se conseguiria voltar para seu endereço de hospedagem. Precisava ficar fora da visão de todos. Devia aguardar que a rua esvaziasse. Que loucura marcar o encontro ainda de dia! Podia ter sido mais previdente.

Esse último sabia do perigo e tinha ficado alerta, dando mais trabalho na hora de finalizar o serviço. As pessoas com medo ficavam mais espertas. Apesar de ninguém imaginar sua identidade, ainda assim era um risco. Um policial de uniforme passou pelo carro. Viu-o primeiro pelo retrovisor, depois deu uma olhada lateral e sorriu para o guarda. Ele não desconfiou de nada, isso queria dizer que não levantava suspeitas. Esperou o guarda se afastar.

Desceu do carro e olhou para a rua, uma ladeira íngreme que chegava ao fim como um cotovelo, descendo ainda mais, formando um paredão. Achou que ali, se tivesse mais tempo, teria chance de se livrar do pacote. Como a rua não tinha tanto comércio, eram mais trabalhadores que se movimentavam por lá, pensou em agir, mas, como o sol ainda estava firme, resolveu não se arriscar.

Esperou, esperou por muito tempo, até que a noite caiu. Sua cabeça tocou o volante algumas vezes, cambaleando pelo sono. Muitos minutos depois, viu o agito se acalmar e a rua esvaziar. Olhou para um lado, para o outro. Desceu do automóvel exercitando as pernas, paradas por longo tempo. Sua paciência fora recompensada.

Abriu o porta-malas, verificando se ninguém observava sua movimentação, conferiu as algemas e mexeu nas pernas. Quando virou um pouco o tronco, notou que uma poça havia manchado a parte direita do bagageiro. A demora fora responsável por aquilo. Já tinha rodado quase uma hora e aguardado mais uma... Se ao menos o recepcionista não tivesse feito perguntas, teria tido tempo de terminar tudo e sair sem que notassem.

Não fora bem planejado. Não tinha sido tão perfeito quanto os demais. Olhou para cima, para baixo e não viu perigo. Num esforço concentrado, levantou o pacote pesado, retirou-o do maleiro com uma incrível destreza e deitou a sétima vítima na calçada. Entrou rapidamente no carro, deu a partida e olhou pelo retrovisor. Quando já fazia a curva difícil do final da rua, olhou pela janela do lado do passageiro. Havia dois rapazes próximos do corpo. Acelerou o quanto pôde para que a placa do carro não fosse anotada.

— CAPÍTULO 16 —

Bill despertou sorrindo. Fitou por um instante o corpo da mulher a seu lado e suspirou. Há muito tempo não era tão bom. Madeleine estava se esforçando para lhe dar mais prazer.

— Meu amor, você está muito gostosa — ele comentou, amoroso.
— É? — Madeleine ainda estava sonada.
— Eu adorei. Atlética.
— Obrigada — Maddy se mexeu e se sentou, encostando o corpo na cabeceira da cama.
— Você também gostou?
— Mais ou menos — ela respondeu com sinceridade.
Bill olhou espantado, levantando o corpo.
— Como é? — ele não entendeu.
— Ora, Bill. Foi bom. Eu quase gozei.
— Você está com gracinha de novo, Maddy?! — Bill ficou ofendido.
— Não. Estou falando a verdade. Desta vez foi quase.
— Madeleine!
— O que foi, William? — ela se irritou, levantando da cama.
— Você está a fim de me humilhar, dizendo que não dei conta?
— Ah, Bill, não... eu estou dizendo que estamos melhorando. Agora você demorou mais nas preliminares, e eu quase cheguei lá. Está ficando bom.
— Madeleine, por que você precisa falar essas coisas?
— Porque expressar o que sentimos faz com que o outro nos compreenda — ela gostava daquela premissa.
— Quer dizer que você quer mais? Quer voltar para a cama? — ele se sentia desafiado.
— Precisa ser na cama? — ela sorriu e deu uma piscadela.
Bolero de Ravel.

Quando Bill virou para procurar o celular, Madeleine já tinha saído do quarto. Helen levou um susto ao ver, da sala, a amiga displicentemente desfilando nua do quarto para o banheiro. Olhou para Jack, que riu da cara da mulher e também de felicidade por Maddy estar agindo com mais personalidade. Ele gostava da nova Madeleine. William saiu do quarto de short, apressado. Bateu na porta do banheiro e chamou a esposa. Nada de resposta. Bateu de novo, mais afoito. Helen e Jack foram saber o que se passava.

— Pô, cara, mais um morto! Estava demorando. Madeleine! Sai daí, caralho! Preciso ir para Atenas! — ele esmurrou a porta.

Ainda demorou até que ela saísse, mas Helen ficou lívida ao ver que estava vestida com um roupão.

— Puta merda, Madeleine! Tenho um compromisso!

— E eu com isso? — ela deu passos bem vagarosos.

— Podia ser mais rápida. Preciso tomar banho e ir para Atenas. Mataram mais um. Dessa vez, "tem" testemunhas.

Quase empurrada pelo marido, Maddy foi para a sala. Olhou para o casal, que observava a situação curioso.

— Será que finalmente vão capturar o tarado? — indagou Helen.

— Ou tarada? — ironizou Madeleine.

— Por que você acha que é uma mulher?

— Por que não? — Madeleine achava que era possível.

— Bill disse...

— Bill tem sua opinião, Helly, eu tenho a minha.

— Mas por que você acha isso? — Helen quis saber o porquê.

— Intuição... Os deuses me disseram.

Madeleine caminhou até a varanda. O roupão branco de algodão era tão fino que chegava à transparência, e a abertura na frente deixava ver que ela não estava usando calcinha. Jack não deixou por menos.

— Adorei seu novo visual — disse, rindo.

— Gostou? — ela levantou as duas pontas da barra do roupão, deixando os pelos à mostra — Última moda em Paris.

Jack deu uma gargalhada. Helen soltou um grito, escondendo o rosto. Como se não tivesse feito nada de mais, Maddy saiu para a varanda.

Respirou o ar puro e rodopiou na ponta dos pés para ventilar e esfriar o corpo. Nesse ínterim, Bill voltou para a sala com seu terno preto. Helen estava brava com a exibição de Madeleine. Afinal, seu marido podia admirá-la também. E ele de fato ficou na porta da varanda observando a alegria da moça.

— Bill, será que dá para você conter sua esposa um pouco?
— O que foi? — Bill nem viu nada — Amor, estou de saída.
Ela não deu muita importância, mas Jack o cutucou.
— E então, Bill, mais um presunto?
— É! Conseguiram uma testemunha. Disseram que de longe parecia uma mulher. Já viu, né? É mesmo um traveco.
— Como tem certeza de que é homem, Bill? — Madeleine perguntou.
— Ora, Maddy! Que mulher carregaria um homem de mais de 80 quilos de um lugar para o outro?
— Uma halterofilista — ela respondeu de pronto.
Bill olhou inconformado.
— Nem a pau! É macho, mulher. Ergueu o sujeito para jogar dentro do jardim do templo.
— Ah, você sabia disso — Madeleine foi cínica.
— Claro!
— Adonis disse que a polícia não chegou a nenhuma conclusão.
— E você acha que as autoridades iam ficar dando explicações para o seu pescadorzinho? — De repente, Bill viu a mulher rodopiar pela sala como se não desse ouvidos ao que ele dizia. Reparou na abertura da roupa — Madeleine, o que você está fazendo pelada por aí?
— Estou com calor — ela estava bem calma.
— E por isso vai ficar nua?! — Bill arregalou os olhos.
— Bill, vê se me esquece! Se eu fosse você, pensaria bem nessa história de homem e mulher. Só porque corta o pênis e levanta peso não quer dizer que seja um homossexual.
— De novo, Madeleine?
— O quê? — ela não entendeu.
— Eu não disse para parar de se meter?

— Bom, só estou dando a minha opinião.

— Eu dispenso. Não se meta! Outra coisa, fique longe desse tal grego. Ele é suspeito. Pode querer pegar você.

— Pela lógica, meu bem, eu não sou um homem americano branco de 40 anos. Por que ele iria me matar?

Bill estava claramente enfurecido.

— Você se julga muito esperta, não é?

— Quero só dar um alerta. Os deuses me disseram...

— Ih, ficou paranoica como seu amigo?! Os deuses, hum! — Helen desdenhou.

— É, Helen Wippon, os deuses me disseram em sonho que o assassino não é um homem — Madeleine afirmou.

— Se pensa que vou livrar seu garotão grego, está muito enganada, Madeleine Shelton — Bill a ameaçou.

— Pelo menos ele me ouve.

— E o que mais ele faz? — Bill ficou curioso.

— Melhor não perguntar, William — Jack atentou, ao ver que uma nova briga se formava, já que Madeleine estava pronta para responder.

— Vai, vai logo para a delegacia, Bill. As pessoas estão esperando — Madeleine fez Bill se mexer.

Ele ainda olhou para a esposa, mas Maddy voltava a rodopiar sem lhe dar atenção.

— Cuidado comigo, sra. Shelton! — disse, batendo a porta.

— Devo tomar cuidado com você por quê? — gritou ela, enquanto o marido arrancava com o carro. Dentro da casa, Jack e Helen também tinham se desentendido. Madeleine sentou-se no sofá de pernas estendidas e olhou para os dois, decepcionada.

— Até quando você vai ficar se exibindo para o meu marido, Madeleine? Já não basta o grego? — Helen estava aflita.

— Como é que é, Helen? — Madeleine olhou sem dar importância.

— Ponha uma roupa e faça de conta que você é decente.

— Helen, pare de ofender Madeleine — avisou Jack.

— Se fosse eu, andando despida por aí, me mostrando para o Bill, você aprovaria? — Helen provocou Maddy.

— Sei lá, se você quisesse... — Madeleine riu, imaginando a cena.

— Vocês dois estão malucos?! Que é isso? Por acaso aqui é o templo da indecência?! — Helen estava cada vez mais irada.

— Eu não estou me mostrando para o Jack, Helen. Estou com calor, não quero vestir roupa agora e ficar transpirando até a hora de sair.

— Madeleine, meu marido está vendo tudo — Helen expôs de vez.

— Ora, Helen. Eu não vejo a Maddy com os olhos de homem interessado. Sou quase um irmão mais velho ou um pai.

— Já ouviu falar em incesto, sr. Wippon? — Helen falou, impaciente.

— Você é que está com a mente suja. Eu não tenho a mínima intenção... não que eu não a ache linda, Maddy, mas não poderia me interessar por ela porque eu... — Jack passou a murmurar.

— Eu o quê, Jack? — Helen sentiu algo estranho no jeito do marido.

— Maddy e eu somos amigos há anos — Jack desviou.

— Amigos traem, sabia? E você sendo homem pode perfeitamente ver Madeleine como mulher. E acabou de dizer que ela é bonita — Helen tentava fazer Jack falar.

Madeleine viu que ele estava contrariado.

— Meu negócio é outro — Jack falou sem pensar.

— Qual é o seu negócio, Jack? — indagou Madeleine, interessada no assunto.

— Meu negócio... é... é... você. Isso. Eu tenho relações comerciais com você, lembra? Sou seu agente — ele viu uma brecha na conversa. — Aproveitando o ensejo, liguei hoje de manhã para a editora, eles queriam saber que dia voltamos para marcar a entrevista com a BBC, lembra? Já está acertado, só falta marcar a data.

— Ah, Jack, não marque entrevistas, não sei quando vou voltar — Madeleine nem se lembrava de seu livro de sucesso.

— Não sabe? Como assim, Maddy? Nossas férias acabam daqui a oito dias — Helen estava espantada.

— Acho que vou ficar mais um tempo, sabe, Helen? Eu tirei essas férias para resolver meu dilema com William, o que parece que não vai acabar nunca — ela levantou do sofá, tomando o cuidado de cobrir o corpo — Mas não descansei como queria, e o crime do Tarado de Atenas não está solucionado. Prometi a Adonis que ia ajudar...

— Eu não acredito! — Helen se levantou, contrariada — Você vai mesmo ter um caso com esse homem?

— Quem falou em caso, Helen? — Jack tentou deter Helen outra vez.

— Cala a boca, Jacob! Madeleine, acorde! Isto aqui é uma fantasia. Esse homem envolveu você, que pensa que está apaixonada. Esqueça! Bill é seu marido, a quem você deve respeito e fidelidade. Sabe o significado dessa palavra? — Helen andou pela sala.

— Sei, sei muito bem. Por mais de dez anos eu fui essa esposa fiel, dedicada, amorosa e respeitosa. Mais do que ninguém, Helen, eu sei o que é esperar e perdoar. Mas o que ganhei com isso? Será que alguma vez William Shelton pensou em me respeitar quando estava trepando com uma de suas mulheres? — ela viu Helen se enojar com a palavra "trepar", mas continuou — Será que ele, enquanto comia alguém, lembrou da fidelidade que me prometeu no altar? Desculpe, querida, mesmo que não houvesse Adonis, ainda assim eu ficaria tentada a mandar o excelentíssimo sr. Shelton para a puta que o pariu! — Madeleine quis descarregar tudo de uma vez — Melhor ainda que exista um homem que me quer. Infelizmente, sra. Wippon, eu ainda não transei com o Adonis, mas o faria com muito prazer se ele me pedisse outra vez.

— Ele já pediu?! — Helen quis saber se a outra estava tendo um caso.

— Ora, vá pro inferno!

Mais do que irritada, Madeleine estava irada, com os sentimentos à flor da pele. Primeiro, pela própria situação com Bill. Ela continuava cumprindo suas obrigações, e ele reclamando de sua autonomia, de sua capacidade. Por acaso tinha culpa se discordava do marido? Se conseguia pensar em outras possibilidades que não as limitadas que ele tinha?

Segundo, porque seu corpo pedia algo mais do que lhe era oferecido. Só pensava em Adonis e nas coisas que desejava quando estava ao lado dele. Não adiantou transar com Bill nem tomar uma ducha. A vontade permanecia. Ela precisava de mais. Ela queria mais.

Dali a pouco, percebeu Maia se aproximando com um papel na mão. Olhou para a mulher e a viu colocar o bilhete em suas mãos.

— Não desista de seu intento — a grega falou baixinho, afastando-se logo para que ninguém percebesse o que tinha feito. Rapidamente, a escritora abriu o papelote.

Perdoa-me. Se é a distância que queres, deixar-te-ei em paz, sem mais nenhuma provação desagradável. Mas, como ainda me resta uma esperança, peço-te que me procure quando estiveres preparada. É o desejo que me guia, é a minha paixão.

Então Adonis havia deixado um bilhete mesmo com a descompostura que ela lhe passara? Realmente era um homem insistente ou sabia muito bem que Madeleine estava a ponto de se dar para ele de corpo e alma, principalmente de corpo. Mas, outra vez, sua parte escritora falou mais alto, e ela não conseguiu evitar as próprias ideias. Qual a relação entre Maia e Adonis? A mulher já havia falado sobre ele antes, sobre o templo, e parecia bem interessada na solução do crime. Que ligação ele tinha com a grega para delegar-lhe o papel de mensageira?

Tudo era muito intrigante e impelia Madeleine a desvendar aquele mistério. Precisava encontrar Adonis, mesmo correndo o risco de sentir vergonha por ter cedido à última abordagem do jovem ou cair de novo em tentação. Eram tantos conflitos em sua mente... Como se houvesse dois mundos: o real e o imoral. Como podia querer ser uma esposa dedicada e ao mesmo tempo ansiar por sexo daquela maneira? Talvez Helen estivesse certa, talvez estivesse enlouquecendo.

* * *

O calor da sala enlouquecia William. O verão trazia centenas, se não milhões, de turistas para as ilhas. Não era muito fácil encontrar um lugar sossegado para analisar o testemunho de dois gregos que viram uma mulher saindo do local onde tinham encontrado outro corpo. Bill estava ao telefone, enquanto segurava o testemunho de um dos rapazes na mão.

— Sabe, Johnson, talvez o cara seja algum bicha muçulmano que quer acabar com todos os americanos por causa da guerra — ele riu ao ouvir o amigo do outro lado — Claro que existe muçulmano veado, Johnson. Só dá gay neste mundo hoje em dia, não importa a religião. Vai ver que algum soldado comeu ele, e aí o sujeito veio pra cá de férias para se vingar dos turistas? Ué, terrorista também tira férias, cara!

Um investigador que estava perto e ouvia a conversa balançou a cabeça em reprovação. Escutava todas as piadinhas do agente federal e pensava como alguém ainda podia ter uma mentalidade retrógrada como aquela. Audrey Sunders também acompanhava o agente Shelton em seu desempenho. Mesmo fazendo algumas ressalvas àquele comportamento, não ousava criticar o amante. Sabia que a permanência de Bill ao seu lado dependia de seu silêncio e sua abnegação. Já bastava a mulher, que trazia tanta preocupação para ele.

O agente Gary Johnson era um velho parceiro de Bill. Sempre fazia ponte entre ele e a agência para a coleta de dados e informações seguras. Era um excelente apoio para campo. Audrey também o conhecia da época em que o pai era agente da Interpol. Lá se iam quase dez anos. A garota não se lembrava de uma época sequer em que o trabalho do pai não interferisse. Crescera no ambiente da organização e vivera para aquilo. Assim como seu agente predileto.

— Audrey, parece que o traveco era ruivo. As testemunhas afirmaram. Vou mandar alguns policiais para a zona da cidade procurar esse puto.

— Claro, Bill, vou pedir ao delegado que mande alguém — Audrey fez menção de sair da sala.

— Alguém, não, garota, vários. Quero que achem esse cretino o mais rápido possível.

— Mas não temos dados para um retrato falado — ela o alertou.

— Porra! É só procurar uma bichona ruiva.

* * *

Jack não sabia exatamente aonde ir. Estava cansado de ouvir Helen criticá-lo e culpá-lo por deixar Madeleine sair sozinha para se encontrar com Adonis. Resolveu andar e não pensar no lugar, apenas na tranquilidade. Caminhava fazia uns vinte minutos quando ouviu uma buzina conhecida e rezou para não ser quem imaginava. Foi inevitável. De repente, à sua frente, um bugue amarelo deu uma freada brusca e levantou poeira, deixando os olhos de Jack turvos. Ao baixar toda aquela nuvem de pó, Jery e Stoo surgiram sorridentes diante dele.

— E aí, Grande Jack! A gente deu uma passada no seu bangalô, e sua mulher disse que você estava dando uma volta — Jery falou.

— É, estou espairecendo um pouco... — Jack abaixou a cabeça.

— Faz bem, Jack! Que tal se a gente causasse por aí? Pula dentro! — Stoo falou em gíria completa.

— Não, eu... Não quero atrapalhar vocês.

— Não nada, cara! Vamos lá, rapaz! — Jery reafirmou o convite.

— Olha, meninos, é melhor não.

— Que é que houve, Jack? Está com vergonha da gente? Ninguém aqui vai fazer nada com você... — Jery, ao volante, mediu o homem da cabeça aos pés — ...a menos que você queira.

Ele e Stoo riram.

Jack sabia que, se fosse com os rapazes, acabaria querendo e fazendo o que não devia. A caverna em Keri estava bem viva em sua memória. Fora uma sensação boa e, por cinco segundos, ele se esqueceu de quem era. Mas como ia olhar no espelho, conviver com a esposa, respeitar-se como homem? Ficou pensativo, enquanto os meninos faziam um coro achincalhando: "Vamos lá, Jack! Vamos lá, Jack!". Jack riu, adorando aquela algazarra. Repetindo o coro, entrou na parte de trás do bugue.

O caminho inteiro foi divertido. Jack também agia como um adolescente. Até chegarem à pousada em Argassi, povoado perto da capital da ilha, onde os meninos se hospedavam, a conversa foi alegre. Jack falava de seus contatos com o mundo artístico, e os garotos vibraram ao saber que ele conhecia Ozzy Osbourne, Paul McCartney e tantos outros artistas. "É meu mundo", disse Jack apenas. Para ele era natural, pois até a família real havia frequentado a casa de seus pais em Hampshire.

O problema de Jack começou, de fato, quando chegou à pensão. Ele tinha de encarar a verdade. Enquanto evitava o convívio com aquelas pessoas, estava bem. Conter seus instintos em Londres, onde todos eram discretos, era fácil. Tinha criado uma imagem e se controlava. Foram anos e anos se segurando, seguindo a religião judaica. Seu pai, seus irmãos, tios e afins eram tradicionais. Tudo conforme o Talmud. Jack não podia pensar em se mostrar para a família. Seria escorraçado, odiado e, o pior, deserdado. Ele sabia que, mesmo sem ser ambicioso como Helen, não conseguia viver sem dinheiro.

Seria uma desgraça que Jacob Wippon Davidson — sobrenome adaptado do original Davidowicz, quando o pai de Jack fugiu da Alemanha para a Inglaterra na época da Segunda Guerra Mundial — não poderia suportar. Os Davidson seguiam as tradições judaicas, embora para ele fosse um sacrifício. Mais tarde, porém, ao sair da casa dos pais, Jack assumiu o nome inglês materno para se tornar outra pessoa: cristão, anglicano e de nobreza familiar. A mãe se dizia "parenta" distante da Casa Real.

Na ilha, todos os lugares eram incríveis. Alguns, mais vazios, como Kampi, outros, como Argassi, cheios de música, turistas histéricos em busca de passeios. Ao entrar na pousada, Jack tremia, arrependido de ter vindo. Sentia que devia voltar para a esposa. Ela o ajudaria a reencontrar seu equilíbrio mental. Só o que conseguiu foi sentar numa cadeira na varanda da casa e esperar os meninos trazerem uma bebida. Ouzo. Jack tentou encontrar coragem, bebeu duas, três, até quatro doses. Estava amortecido. Stoo lhe disse para se deitar no quarto deles e se recuperar. Foi então que percebeu que não tinha mais retorno.

* * *

Mas Madeleine não pretendia voltar. Caminhava segura, pois tinha certeza de que estava ali para solucionar um mistério. Queria ajudar um jovem em apuros, e seu único objetivo era resolver o crime do Tarado de Atenas. Enganar-se ainda era sua melhor opção. A falta que sentia do grego, as palavras no bilhete, o corpo quente ao menor pensamento sobre o homem, nada disso era sua razão para estar ali. Ela tinha vindo para saber qual era a ligação entre Maia e Adonis, entre o templo e o crime. Queria apenas obter mais informações para acrescentar às suas anotações. *Meu Deus! De novo ele não está vestindo nada debaixo daquela toga?!* Foi a primeira coisa que lhe veio à cabeça quando Adonis a recebeu na sala que ela já conhecia.

— Afrodite, temi não te ver outra vez!

— Eu... eu gostaria de fazer algumas perguntas...

A mão dele em seu ombro, indicando a poltrona em que se sentar, a inibiu mais ainda.

— Claro. No que eu puder ajudar.

Olhou para o homem que se sentou à sua frente. Lindo, divino. O mais perfeito dos amantes, lembrou-se, com um arrepio, da história do ninfo na mitologia. Por que aquelas tentações surgiam em sua mente? Era uma ninfomaníaca? Não comia, não dormia sem pensar em sexo, sem sonhar com corpos suados, nus, mantendo relações à sua frente ou mesmo atuando com ela numa cena pornográfica, digna dos folhetins eróticos que chegou a ler mais jovem. "Ele pôs a mão em sua vagina e fez seus pelos pubianos se eriçarem..."

Eram horríveis, sem enredo, criados apenas com o objetivo de excitar; editados em formato pequeno, de peso leve, provavelmente feitos para caber em uma mão, deixando a outra livre para siriricas e punhetas à vontade. De repente, ela se deu conta de que até em sua conversa interior o vocabulário se tornara mais chulo. Sinceramente, estava com medo de si mesma. Ela não reconhecia aquela Madeleine, com ideias voluptuosas e indecentes. Não era ela. Nem poderia ser. Era uma escritora de histórias policiais, e essa era a razão de estar ali.

— Você tem um caso com Maia?

— Perdoe-me, Afrodite, o que disse?!

— Eu perguntei... Qual é o seu relacionamento com Maia? O que você é dela? Adonis, você pediu que ela me entregasse o bilhete.

— Ciúme é um dos sentimentos mais primários de uma deusa como tu, ó Senhora dos Prazeres!

— Não, não é ciúme. Achei estranho. Ela também está muito interessada na solução do crime de Atenas. Qual é a de vocês?

— Entendo. Maia é somente uma amiga que se condói comigo pelas suspeitas descabidas da polícia.

— Amiga...

— Saiba, Afrodite, que és para mim o mais valioso tesouro. Não há nada nem ninguém acima de ti. Estou de joelhos a teus pés, pronto para que faças de mim o que quiseres.

Ele estava mesmo ajoelhado ao seu lado, e a mão dele segurava as dela. Maddy evitou olhá-lo nos olhos. A energia era tão forte que se sentia cegar. Levantou-se, empurrando Adonis.

— Por que você quer esconder os nomes desses seus amigos? O que há de tão secreto nessa seita que você não pode contar nem para se salvar? — Madeleine tentou buscar foco na conversa.

— Minha crença, meu destino. Os deuses assim me ordenaram.

— Adonis, você pode acreditar nos deuses sem ser preso por isso.

— Ainda não compreendes meu mundo, Afrodite.

Ele aproximou-se dela e segurou uma mecha de cabelo entre os dedos, colocou-a perto do rosto e aspirou o perfume. Então tocou o pescoço de Madeleine suavemente. Ela estremeceu, e ele murmurou em seu ouvido:

— Mas creio que estás cada vez mais próxima de adentrá-lo com toda a tua alma. E eu te esperarei.

Foi impossível conter o beijo apaixonado, e Madeleine sentiu mais uma vez a força invadir seu corpo. Abraçou Adonis com desejo, e ele envolveu seu corpo com os braços, como se o cobrisse inteiro. Apertou-lhe as nádegas, deixando seus corpos colados, sem espaço para o ar. Ela sentiu um volume pressionando seu ventre. Teve curiosidade de olhar para baixo e se surpreendeu com o tamanho do pênis duro que vergava, levantando a túnica dele.

Fitou Adonis outra vez, que sorriu com um olhar febril. Havia um desejo naqueles olhos que ela nunca tinha encontrado em nenhum outro. Beijou-o. Sua língua ávida buscava a dele com movimentos circulares, alcançando o nariz, o queixo... Ele parecia querer arrancar-lhe a roupa em um só movimento, mas Madeleine teve um segundo de lucidez e conteve braços e pernas que arrefeciam para o chão.

— Por favor, não! — pediu ela, quase implorando.

— Afrodite, precisas mais do que eu. Estás punindo a ti também — Adonis caiu ofegante, com os braços largados e, no rosto, uma expressão extenuada.

— Não posso, Adonis. Eu quero, mas tenho obrigações morais. Não me odeie por isso, meu menino.

Ela passou as mãos em seus cabelos, e Adonis a segurou, beijando a palma de sua mão.

Livrou-se como pôde da carícia. Ajeitou a saia e a blusa cinza-claras do conjunto de malha fria que vestia e pegou a bolsa para sair o mais rápido possível da sala. Adonis, ainda ajoelhado, agarrou-se fortemente a ela, "colocando a mão em sua vagina, fazendo seus pelos pubianos se eriçarem". Madeleine mordeu o próprio dedo tentando adiar seu desejo de se jogar ao chão e amar aquele homem com fúria. Afastou-se e conseguiu chegar à porta, mas ainda ouviu Adonis dizer:

— Não podes fugir para sempre do inevitável!

＊＊

Aonde poderia ir? Onde podia se esconder? O carro percorria a estradinha como se o motorista estivesse bêbado. Sabia até para onde ir, mas não sabia se teria forças para chegar lá. Era muito difícil segurar o volante, que, como se criasse vida, queria fazer o retorno para o templo. Não corria. Nem poderia. O automóvel alugado era velho e não tinha potência, enquanto a estradinha não era nem de longe uma das rodovias americanas em que costumava trafegar. Mas o desespero a obrigava a seguir, sem parar.

Conseguir chegar ao porto de Zakynthos foi um sacrifício. Pensou até em trocar de carro com Bill, pois o que a Interpol dera ao marido era muito melhor. *Bill... Como será que ele vai reagir? Nunca imaginei que um dia diria que o traí. Sou um monstro.* Madeleine encarnava todos os pecados da humanidade.

Estava para cometer o pecado mortal. Adúltera. Como podia ser assim? Onde estava a educação moral que recebera da família inglesa?

Tinha certeza de que, da próxima vez, não resistiria. Nem queria. Sua mente já aceitava o sexo com Adonis. Ela o desejava, precisava dele, seu corpo pedia, tinha necessidade de estar com ele. Mesmo que fosse apenas uma vez. Uma loucura. Um momento só de prazer.

Madeleine deixou o carro no porto e tomou o barco para Atenas. Saberia na delegacia onde estava Bill. Precisava falar com ele. Fosse onde fosse, até no inferno. Aliás, ela já se sentia nele.

A viagem demorou mais do que desejava. O catamarã, apesar de mais rápido que o ferryboat, não era suficiente para ela. Mas, com o tempo, a ansiedade de Madeleine foi se acalmando. Ela recomeçava a pensar no crime do Tarado de Atenas. Mulher ruiva, forte... Qual seria a razão psicológica para matar americanos daquela forma tão hedionda?

* * *

Jack tomou um banho e se enrolou na toalha deixada pelos meninos. Estava muito envergonhado com tudo. Tinha bebido demais e sofria as consequências. Vergonha! Lembrava-se de ter vomitado, e muito, sujando a roupa e até o sapato. Em vez de criticá-lo, Stoo e Jery brincaram com a situação, sempre ajudando o amigo. *Que papelão, que vexame!*, arrependia-se. Não era dele fazer uma coisa daquelas. Mas estava nervoso, preocupado, era natural que perdesse o controle. Só não precisava ser assim.

— Melhorou, amigo? — indagou um sorridente Stoo.

— Exceto pela vergonha... — Jack abaixou a cabeça.

— Para com isso, Jack. Eu tomei tanto porre na vida também. Você causou, cara. Você estremeceu as colunas. Maravilha! — o jovem riu.

— Não precisa me consolar, Stoo. Sei que pisei feio na bola. A dona da pousada não reclamou? — Jack estava inconsolável.

— Quando eu disse que você era agente do Mick Jagger, ela ficou feliz em ajudar a gente.

— Jagger?! Eu não sou agente dele! — Jack se espantou.

— Mas ela não precisa saber disso — respondeu gargalhando.

Jack também riu, balançando a barriga que se dobrava por cima da toalha amarrada na parte de baixo. Era um corpo flácido, branquelo. Viu que Stoo olhava para ele com interesse. Disfarçou. Era impossível que um rapaz bonito como aquele pudesse sentir algum tipo de atração por ele. Seria por caridade que o estava encarando? Stewart se aproximou e, segurando seu queixo, beijou-o docemente no rosto.

— Você ainda não sacou, Jack, mas é um cara muito interessante. Eu e o Jery curtimos você desde o início.

— Está havendo algum engano, Stewart, eu não...

— Está mentindo para você mesmo, cara!

— Não sei se aguentaria uma barra dessa no final da vida. Passei 50 anos da minha existência como hétero. Acha que é fácil admitir que sou gay?

Pela primeira vez Jack falava aquilo em voz alta.

— Não precisa admitir nada, Jack — o rapaz pegou o homem pela mão, tirou-lhe a toalha e o levou até a cama. Jack ainda quis recuar, mas Stoo o acariciou com a naturalidade de quem tinha experiência. O velho se deitou ao lado do garoto e começou a seguir seus instintos. Daí a pouco, a porta se abriu, e Jery olhou sorridente para os dois.

— Oba! Festa! — o garoto correu e pulou na cama dos dois, fazendo algazarra.

— CAPÍTULO 17 —

Depois das Olimpíadas, em 2004, Atenas agora tinha um bom sistema de transporte, com metrô por quase toda a cidade. Foi fácil chegar ao hotel em que o parceiro de Bill, o agente Sunders, estava hospedado. Madeleine tentou lembrar o primeiro nome do agente, mas não conseguiu. Na recepção, pediu ao gerente para procurar o número do quarto do sr. Sunders. Ele olhou na lista no computador sem sucesso. Verificou detalhadamente nome por nome.

— Não há nenhum sr. Sunders neste hotel, senhora. A única pessoa registrada com esse sobrenome é uma mulher: srta. Audrey Sunders.

— Tem certeza, senhor? — Madeleine duvidou.

— Absoluta — afirmou o funcionário, categórico.

— Então meu marido fez alguma confusão. Obrigada.

Antes de sair do hall do hotel, porém, como se tivesse tido um estalo, Madeleine parou e voltou ao balcão.

— Por favor, senhor. Qual é o número do quarto dessa moça?

— Quarto 813, senhora — respondeu o polido gerente.

— Obrigada.

Ainda pensativa, ela quis desistir de ver o marido. Mas aquele engano não parecia tão absurdo. Bill dizia que havia outro agente com ele no caso, mas nunca falou se era ele ou ela. Madeleine parou em frente à porta 813, deu duas batidas curtas. O suficiente para que alguém mexesse na maçaneta por dentro. Ela olhou por alguns segundos para aquela garota ruiva que apareceu com meio corpo pela porta, colocando o cabelo atrás da orelha.

— Pois não?

— Olá, desculpe, eu não sei se houve um engano... Meu nome é Madeleine Shelton e...

— Eu a conheço de nome, sra. Shelton. É a escritora, não é? — falou a moça, altiva.

— Sou... Desculpe, mas meu marido é policial, e ele me disse que seu parceiro, Sunders, estava hospedado neste hotel... Perdoe se estou enganada, mas você é a parceira dele?

— Claro, Madeleine. Sou a parceira de Bill. Audrey Sunders.

De certa forma, Madeleine não estava surpresa com o fato de o parceiro de Bill ser uma mulher e de ele ter omitido isso.

— Desculpe, Bill não disse que você era uma mulher... Bom, na verdade eu também não perguntei. Pensamento machista, não é? Agente da Polícia Internacional também pode ser mulher.

— Entendo perfeitamente seu estranhamento. Ainda hoje é difícil imaginar uma mulher com capacidade para atuar em campo.

— É verdade. Você sabe onde posso achar Bill? — Maddy indagou ingenuamente.

— Aqui mesmo.

A moça abriu totalmente a porta do quarto, e Madeleine pôde ver William Shelton, deitado na cama de casal que havia perto da janela. Nu, espalhado como um paxá. Olhou com atenção para a cena, depois fitou os olhos de Audrey, irônicos e maquiavélicos, esperando sua reação. Era a primeira vez que Madeleine se via frente a frente com uma amante do marido. A jovem amante a desafiava, corajosa, muito segura de sua posição. O homem estava com ela. O sorriso sarcástico denunciava sua intenção.

— Entendo... — murmurou Madeleine, sem baixar os olhos — Obrigada, Audrey — ela virou-se para ir embora.

— Quer que o acorde? — Audrey se espantou com a frieza da outra.

— Não. Eu sei que Bill detesta ser acordado nessas horas.

Ela continuou caminhando no corredor em direção ao elevador.

— Não vai deixar recado? — Audrey riu outra vez.

— Obrigada, querida. Não há nada a dizer.

O ar superior de Madeleine deixou Audrey desarmada. Ela esperava uma atitude de cólera da esposa, alguma agressão ou até mesmo gritos. Então podia mostrar a Bill quanto o amava, dizendo isso para todos escutarem. Mas não houve reação. Assim que o elevador chegou,

Madeleine desapareceu. Audrey, apesar de frustrada, tinha uma certeza. *Agora ela o deixa.* Olhou o sono plácido de William, alheio ao fato que mudaria sua vida de uma vez por todas.

* * *

Mudança? Nenhuma. Entediada e sem ter com quem conversar, Helen resolveu ligar para casa e saber dos filhos. Depois de quinze dias fora, ela sentia saudade das crianças. Ainda bem que a casa tinha telefone, assim não ligava do celular com uma tarifa absurda. Aprendeu com Jack que, mesmo na fartura, não se devia desperdiçar.

Willow atendeu com a voz de menina, e a mãe perguntou do irmão. Ouviu pelo menos dez minutos de narrativa sobre o fim de semana, as brigas com o pequeno Daniel e as notas na escola. A filha era muito inteligente e esperta. Descobria as coisas perdidas na casa e tinha um raciocínio rápido. Tinha puxado ao pai. Já Daniel lembrava Jack em tudo. Sempre sorridente, mas quieto e desatento.

Depois de desligar o telefone, olhou no relógio. *Onde está Jack?*, pensou ela, estranhando a demora do passeio. Deixá-la sozinha naquele lugar. E se algum terrorista invadisse a casa e a fizesse refém? Ela tinha visto na TV sobre os ataques diários que aconteciam no Iraque, no Afeganistão, homens-bomba, mísseis etc. Ela mesma presenciara o Onze de Setembro. *Que mundo! Que mundo!*, lamentava. Jack não dava bola para seu medo. Dizia que ele não ficaria com mania de perseguição. Para Helen, Jack era um tolo por ser tão complacente. Onde estava seu orgulho? Por que era tão pacífico?

* * *

Conversavam fazia quase uma hora. Foram as três horas mais incríveis que Jack Wippon já vivera. Ainda não tinha tido tempo de sentir remorso. Os rapazes brincavam muito. Era maravilhoso sentir-se respeitado. Tantos anos se escondendo, se tolhendo...

— Cara, mas você não tinha vontade antes? Não dava tesão? — indagou Stoo, bebendo uma dose de ouzo.

— Sempre há formas de conter o desejo sexual, Stoo. Os padres católicos não fazem isso? — Jack exemplificou.

— Eu não acredito, não. Já ouvi cada história de padre e freira! — Stoo respondeu.

— É. Eu sei lá. Consegui me controlar. Até chegar a Atenas, até conhecer vocês... — Jack sorriu por poder conversar sobre isso com alguém.

— Nunca tentou um michê? — indagou Stoo.

— Não, rapaz. Estou dizendo a vocês: eu nunca transei com um homem antes. Venho de uma família tradicional, moralista. Se meus pais estivessem vivos, eu não sei o que fariam comigo.

— Porra, Jack! Você já é cinquentão. Mesmo que seus pais levantassem da tumba, não tem de obedecer a ninguém. Você é dono da sua vida. Ou não? — Stoo tornava tudo simples.

— Sou, Stoo. Quer dizer... Tenho um nome a zelar, mas...

— No meio artístico tem muito bi, gay, não é? — Jery era mais centrado.

— Acho que, hoje em dia, todo meio tem — respondeu o homem maduro.

— É, sim, Jery. Andróginos, cara! Todos seremos pansexuais na Terra e com certeza vamos ser os primeiros a povoar Marte — Stoo desandou a conversa.

Jack ficou ouvindo e rindo das palhaçadas juvenis dos meninos. Tinha vontade de ficar ali para sempre, esquecendo que havia pessoas esperando por ele. Lembrou-se de Helen. Ele tinha dito que daria um pequeno passeio e desaparecera por mais de quatro horas. Madeleine também tinha saído, portanto a mulher estava só. Sabia que escutaria e muito quando retornasse. E se ele não voltasse?

— CAPÍTULO 18 —

Madeleine descobriu encantada que não se importava se Bill não voltasse mais para ela. Sentia-se até mais leve, livre, feliz. Sim, tinha tirado um peso das costas. Terminou, pelo menos em sua mente, a luta de anos que travava consigo mesma. Sentia-se culpada por não amar Bill o suficiente, não desejar sexo tanto quanto o marido, não querer filhos como ele. Quanto sofrimento! Agora, sentia-se livre para fazer o que quisesse com quem bem entendesse. Sim, Bill a tivera a seu lado correta, íntegra, infeliz, consumida pela própria culpa e ignorância. Ela tinha ouvido de alguém que o casamento era uma instituição que devia ser mantida a qualquer custo. Família era quem a amasse sem cobranças, sem exigências. Filhos... Lembrou-se das três coisinhas peludas, lindas, esperando por ela.

Esta era sua família: Sean, o buldogue, Carlos, o chihuaua, e Guy, o yorkshire. Seus três bebês que lhe faziam companhia. Fiéis, amáveis, obedientes e brincalhões. Amava-os como se fossem filhos. Para ela não havia diferença. Pegou o celular e ligou para o canil em Boston. A tratadora disse que os três estavam bem, mas sentiam sua falta. Guy, o mais sensível, comia e bebia, mas ficava deitado a maior parte do tempo.

Madeleine também queria muito estar com eles. Aquele momento decisivo em sua vida exigia um amigo. Seus amigos peludos pareciam entendê-la melhor do que ninguém. Estava prestes a tomar uma decisão importante e queria aprovação, mesmo que fosse um abanar de rabo.

Ao chegar ao porto, viu no quadro de horários dos barcos que teria de esperar meia hora se quisesse ir de catamarã e quinze minutos se pegasse o ferry, mas demoraria a voltar para Zakynthos. Estava com pressa, só que os hidroaviões já tinham fila de espera. Queria encontrar uma pessoa o mais rápido possível, precisava vê-lo com urgência.

— Pegasus me emprestou suas asas para levá-la, Afrodite.

O susto fora bem menor do que a felicidade de encontrar Adonis. Era exatamente quem procurava. E os deuses tinham atendido seu chamado.

Nem em mil anos sonhou que um homem como ele fosse desejá-la. Depois de se recuperar da surpresa, voltou à sua curiosidade.

— Como me achou aqui?

— Os deuses me disseram onde estavas.

— Deuses... Você imaginou que eu viria atrás de Bill para contar sobre a gente, não é?

— Talvez. Mas Eros me sussurrou teu destino, e eu segui teus passos na rota dos ventos — poetizou Adonis.

— Adoro o jeito como você fala.

Seu corpo transparecia todo o desejo pelo homem, no olhar provocante e no umedecer dos lábios.

— Vamos? — ele indicou a direção com o braço.

— Aonde?! — Madeleine espantou-se.

— Santorini, quero mostrar-te o pôr do sol do Olimpo.

— Como é?

— Venha, Matadora de Homens, para que Nyx seja testemunha de nosso reencontro!

Madeleine deixou levar-se pela mão de Adonis. Ela estranhou por ele chamá-la de Matadora de Homens. Será que achava que ela era a assassina? Os dois andaram um bocado até chegar a um hidroavião. Ela perguntou de quem era, e Adonis respondeu que pertencia a um amigo. Ele sabia voar. Eram inacreditáveis as habilidades de Adonis. Tinha disposição para tudo e sabia tudo. Não tardaram a levantar voo e planar como se dominassem os céus. Um tempo depois da decolagem, Madeleine quis entender o verdadeiro significado das palavras que ele dissera no porto.

— Adonis, que conversa foi aquela lá embaixo?

— Qual, minha deusa?

— Você me chamou de "matadora de homens", dizendo que Nyx ia ver nosso reencontro. Que reencontro? Você acha que matei alguém? Que sou o Tarado de Atenas por acaso? — ela estava preocupada.

— Claro que não, minha deusa. Como sabes, a Noite, Nyx, virá logo depois de Hélio. O ocaso nada mais é do que a troca de vigia dos deuses.

O deus do Sol recolhe sua bola incandescente, e, na escuridão, é Nyx quem vela por Geia, a Terra.

— Disso eu sei. Mas que reencontro é esse?

— A reunião de Afrodite e Adonis. O Olimpo aguarda por isso, minha senhora. Quanto a ti, Afrodite, também és conhecida como Matadora de Homens. Pois nos torna todos seus escravos — A voz dele era mágica para Madeleine.

— Eu não sou Afrodite, meu garoto — Madeleine viu o sorriso complacente de Adonis antes de tocar a coxa direita dele e deslizar as unhas pelo músculo contraído — Puxa, se o outro músculo for metade desse... — riu com a indecência que acabava de dizer.

— Podes senti-lo — o grego pegou a mão dela e a colocou sobre seu pênis em ereção. Madeleine beijou-o no rosto, ele soltou as mãos do manche do hidro e com um só braço a trouxe para seu colo, apesar de o espaço ser minúsculo e de ela bater o joelho no painel. Sentada sobre aquelas pernas tentadoras, Madeleine sentiu o volume ainda maior do que da última vez. Virando o rosto dela para trás, Adonis tocou a língua no contorno de seus lábios e fez Madeleine estremecer. Então ela percebeu que o avião voava sem ninguém guiar.

— Nós vamos cair — ela murmurou.

Adonis riu.

— Os deuses não permitirão, Afrodite.

— Sei. Você é um sem-vergonha e põe a culpa toda nos deuses — Madeleine riu, abraçando-o mais forte.

— Tenho a permissão dos poderosos, Senhora das Belas Formas.

Rindo, ela jogou o corpo mais para trás e lhe mordeu o lóbulo da orelha. Adonis começou a apertar-lhe o bico dos seios por dentro da blusa, arrepiando-a inteira. Estava quase certa de que a primeira vez dos dois seria ali mesmo, no ar. Estava ansiosa, principalmente por não se sentir culpada.

De repente, uma voz soou no rádio. Madeleine não entendeu nenhuma palavra e, claro, para ela "falava grego". Adonis tirou Madeleine suavemente de seu colo e explicou que era do posto de controle. Mesmo contrariada por mais uma vez ter de adiar seu tesão, ela sabia que a segurança vinha antes do prazer. Recolocou o cinto de segurança e esperou a conversa do piloto com a torre. Percebeu que Adonis ria de alguma coisa que diziam e ficou curiosa e ansiosa com o fato de não compreender a conversa.

— Pediram identificação — Adonis explicou.

— Só isso?

— O proprietário do hidroavião perguntou sobre as condições da aeronave — Adonis percebeu a avidez de Madeleine.

— Diga a ele que por pouco não tivemos de furar a lataria — ela maliciou.

Madeleine se surpreendia com as próprias palavras. Não sabia de onde vinha tanta ideia desaforada e percebia que Adonis se divertia com a pessoa que se abria diante dele. Talvez, por estar tão segura do que queria, Maddy não se preocupasse muito com o que dizia. Era isso mesmo. E por que não?

Sua mãe costumava dizer que mulheres independentes atraíam apenas homens que desejavam sexo. Sim, mas era disso que Madeleine precisava. Sexo. Errado? Por quê? Se o marido não a realizou nessa parte, encontrou quem o faria. E, se não fosse Adonis, seria outro. Mas aquele corpo, aquele rosto e pênis desperdiçados? Ela olhou fissurada para o meio das pernas dele... Não. Primeiro seria com Adonis, sem dúvida.

Ele baixou o avião com destreza. A praia estava movimentada, e as casas construídas entre as falésias enormes da ilha, que se apresentava à frente deles, pareciam construções de brinquedo, branquinhas de teto azul. Aos poucos o hidro contornou a reentrância da baía até chegar ao atracadouro. Adonis disse que precisava prender as amarras do avião. Enquanto ele descia pela direita, a porta do lado de Madeleine se abriu e um jovem claro, alto, de cabelos castanhos e olhos verdes ofereceu a mão para ajudá-la a desembarcar.

— Deixe-me ajudar, Afrodite.

Entre estender a mão e descer do aeroplano, Madeleine observou palmo a palmo aquele homem charmoso que a conduzia. Era diferente de Adonis, apesar de bonitão também, mais velho, mais baixo e com um olhar mais safado do que luxurioso. Era direto, sem rodeios. Madeleine fitou-o por alguns instantes até que Adonis surgiu, e então o encanto do outro desapareceu. Pôde fazer uma comparação rápida e notou que Adonis era maior... em tudo...

— Afrodite, este é Príapo, proprietário do hidroavião — Adonis apresentou-o.

— Oi, Príapo. Obrigada por ceder seu avião.

O nome era libidinoso.

— A seu serviço, minha senhora. Posso levá-la aonde quiser — o homem fez uma reverência.

— Bom, Adonis está no comando, mas não vou esquecer a oferta... — *Cala boca, Madeleine! O que você está fazendo?! Flertando com um na frente do outro?!*, pensou ela, com culpa por seus pensamentos cada vez mais voluptuosos.

Adonis não pareceu ofendido. Entregou a chave do avião ao dono, dizendo alguma coisa em grego que fez Príapo rir, pegou a mão de Madeleine e a levou para outro lado da praia. Ela abraçou o jovem, e seguiram juntos olhando para o mar. O sol já estava bem baixo, e daquela baía podia-se ver o céu vermelho, como se pegasse fogo, compactuando com o calor tremendo que parecia cozer a pele pelos poros.

— Nyx trará o frescor com a Brisa embalando nossos corpos. Venha! — Adonis falou docemente.

Sentaram-se na areia, e ele tirou a sandália de Madeleine, fazendo uma massagem em seus dedos. Olharam para o mar. Uma visão deslumbrante, mesmo com o grande número de pessoas em volta.

— O mais belo ocaso das ilhas. A praia de Oia é um deslumbre — Adonis levantou os braços, cortando o ar.

Ao longe, a bola de fogo derretia dentro do mar. Madeleine sabia que Hélio buscava o outro lado de Geia para proteger, enquanto Nyx se aproximava, trazendo Selene, a Lua, para observar os mortais. Lembrava-se bem dos livros sobre mitologia grega que devorava quando adolescente e também da repreensão dos pais quando a jovem Madeleine certo dia perguntou se fora mesmo Zeus quem criou o mundo. "Lendas, histórias para o povo", responderam. Podia ser só invenção. Mas era lindo.

Passaram um longo período admirando a paisagem. Era impressionante. Mais, os beijos de Adonis eram cada vez mais apaixonantes. Dali a pouco, quando a Lua surgiu como uma pérola gigante de dentro do mar, algumas pessoas soltaram suspiros de fascinação, outras aplaudiram como se fosse um espetáculo de arte. Madeleine assistiu enlevada. Estava em transe. Ela e Adonis se beijaram languidamente, então ele perguntou se ela tinha fome.

— Comer, depois disso? — ela apontou para o mar.

— Para preservar o espírito, tens de prover o corpo.

Os dois conseguiram sentar-se numa mesinha de um dos bares na orla da praia. Um frapê com souvláki foi o pedido que Adonis fez para os dois. Madeleine adorou. Não tinha notado, mas estava morta de fome. Ficaram ali conversando, olhando os outros casais, se conhecendo. Havia tantas coisas que Madeleine queria saber sobre aquele homem tão formal e, ao mesmo tempo, tão íntimo. Ouvia a voz, tocava as mãos nele, não cansava de fitar seus olhos. Não havia tempo, espaço. Ela estava tranquila, serena, sem atormentações.

A escritora só estranhou que Adonis tivesse se levantado da mesa e saído sem pagar. Quando passou pela porta, um homem o cumprimentou e agradeceu a presença. Ela imaginou que fosse o dono do bar.

— Você traz todas as suas conquistas aqui? Tem crédito no bar? — Madeleine brincou, temendo a resposta positiva.

— Não tenho créditos nem faço conquistas — Adonis respondeu.

— Você não pagou a conta, querido! — ela foi direta.

— Os deuses pagarão.

— Adonis! — ela colocou a mão na cintura, indignada.

— Vinde! A festa apenas começou — ele riu e puxou-a pela mão.

Caminharam até a falésia e escalaram as pedras. Eles alcançaram a varanda de uma casa. Adonis abriu o portão pequeno e disse para Madeleine entrar. Ela quis abrir a porta da casa que dava para uma saleta, mas ele a segurou.

— Não. Fiquemos aqui. É mais agradável — ele a abraçou.

— De quem é essa casa? — Madeleine continuava curiosa.

Ele não respondeu. Pela mão, levou-a para perto do muro também baixo que fazia a divisa da casa com o penhasco.

— Isso é tão lindo! — Madeleine admirou.

Adonis sentou-se no meio da varanda, no chão. Madeleine o viu cruzar as pernas e fechar os olhos como se fizesse ioga. Ficou curiosa e se aproximou. Ele continuou concentrado, sem abrir os olhos. Ela apertou o ombro direito dele, depois passou os dedos nas costas, nada, nenhum movimento. Desconcertada, Madeleine apenas se sentou ao lado dele, esperando. De repente, com um braço, ele a colocou à sua frente, posicionando-a entre suas pernas.

— O que você está fazendo? — ela se assustou.

— Rezando — respondeu sem abrir os olhos.

— Rezando?!

Silêncio outra vez. Madeleine não sabia se estava sendo ignorada ou enganada. Não conhecia nada da crença de Adonis. Se os muçulmanos podiam virar para Meca, por que Adonis não podia rezar na hora de transar? *Mas que estranho!* Ela conteve seu desejo. Esperou, mas sua vontade era agarrá-lo e acabar com sua aflição. Ela queria aquele homem.

Então, sem que tivesse tempo de reagir, Adonis tirou a camisa, abraçou-a pela cintura, colocando-a bem perto de si. Recostou-a em seu tórax macio e roçou a barba de leve na nuca de Madeleine. Foi como se acionasse um aparelho de mil volts. Ela se colou inteira ao corpo dele, puxando-lhe o cabelo para que aqueles pelos espessos percorressem sua face, seu ombro. Ele a virou de novo, enlaçando-a com as pernas. As dela também envolveram o corpo dele. Frente a frente, o beijo foi alucinante.

Ainda houve cinco segundos em que o pensamento de Madeleine pairou pelo receio de ser vista por alguém, mas se esqueceu disso assim que ele tocou seu clitóris por dentro da calcinha. Ajudou-o a tirar suas roupas rapidamente. Ele se deitou, e ela ficou ao lado. Muito ágil, Adonis tirou a calça branca de algodão. Madeleine não acreditou ao ver o pênis que saltou daquela calça, vergando hirto. Não conteve o gesto de segurá-lo entre as mãos.

— Gostarias de chupá-lo, Afrodite? — Adonis perguntou, solícito.

— Eu... eu nunca fiz isso. Eu...

O desejo foi maior que a timidez. Meio desajeitada, Madeleine pôs a boca no membro grande e grosso e arriscou uma lambida, depois quis avançar. Desceu com a língua até a base, então o encaixou na boca. Sugou, achando aquela novidade excitante. Adonis afagava-lhe os cabelos e, sentado, percorria o corpo dela suavemente com as mãos. Os seios que eram apertados pelos dedos dele davam a ela a ideia da sensação que sua boca causava ao amante. Adonis puxou-a para cima. Ávida de prazer, Maddy ajoelhou-se para ser penetrada, mas Adonis a fez deitar-se por cima dele, de pernas estendidas.

— Não tenhas pressa, deusa. Nyx só despertou — ele a acalmou.

Adonis rolou por cima de Madeleine, passou os dedos entre os cabelos dela, depois tocou seu rosto. Olhou-a por alguns instantes, sorriu. Ela não estava acostumada com toda aquela carícia e se retraiu. Adonis começou a beijá-la no pescoço, nos ombros, nos seios, e deixou que a língua fizesse vários círculos em torno dos mamilos, um de cada vez. Era quase uma massagem. Continuou a beijar e acariciar partes do corpo que Madeleine nem sabia que vibravam. Quando a boca dele tocou sua vagina, ela sentiu um orgasmo. Adonis levantou-lhe as pernas, colocando-as sobre seus ombros, permitindo que o sexo dela ficasse ao alcance de sua língua. Madeleine teve cócegas, calafrios, riu. Ela perdia a respiração, tamanho o prazer.

Ele a deitou de novo no chão, olhando enternecido. Ela também sentia a cumplicidade. Beijaram-se. Madeleine pegou o pênis dele. O calor e a rigidez a atraíam. Antes nem olhava para o do marido, agora não se cansava de bulir o do amante, que a encorajava. As carícias eram intermináveis. Então, sentindo que ela estava inteiramente excitada, Adonis pegou um preservativo em um dos bolsos da calça. Só então Madeleine se deu conta de que não havia conversado com ele sobre isso. Mas o grego intuía seus pensamentos. Pediu para que ela ficasse de quatro. Madeleine ficou desconfiada, mas cedeu.

— Você vai colocar tudo isso em mim? — ela olhou e riu, afoita.

— Aos poucos. Sem pressa — ele a cobriu com o corpo.

Ele ainda a masturbou por certo tempo com o dedo e, quando houve o contato mais íntimo, a penetrou por trás. Madeleine apertou uma mão na outra, sentindo cada parte do pênis que a invadia. As estocadas eram fortes e ritmadas. Seus gemidos logo passaram de murmúrios para gritinhos suspirados. Depois de um tempo, Madeleine sentiu-se elevar do chão.

O solo era macio, como espuma, e nos instantes em que entreabria os olhos ela via outra paisagem, como uma visão. Era um campo verde a perder de vista, o sol brilhava como se fosse dia. Encontravam-se numa espécie de nuvem. Pensou que fosse mais uma ilusão. Estava leve, o corpo totalmente ativo e, no entanto, era como se estivesse em transe, sentindo os toques, os beijos. Em vez de cansada, pedia mais e mais, estava molhada de suor, mas não queria parar. Adonis a virou sem sair de dentro dela.

O sexo durou bastante, e ele continuou incansável. Quando Madeleine já se esgotava, pronta para pedir arrego, viu Adonis gemer, se contorcer e sorrir no mesmo instante em que ela gozava mais uma vez. Ele tirou a camisinha com todo o cuidado. Sentou encostado na parede e chamou-a para perto.

— Cansada? — perguntou, sorrindo.

— Morta, mas feliz — Madeleine jogou-se em seus braços.

Olhou para o céu. Voltava a anoitecer. Tudo normal. As estrelas eram totalmente diferentes daquelas que costumava ver em Boston. A Lua já estava bem perto do meio do céu, o que significava que era tarde. Adonis a abraçou e passou a explicar os nomes de cada astro e suas lendas. Contou que, antigamente, o homem olhava mais para as estrelas e sabia como cada uma influenciava sua vida. Ele falava, e ela o admirava. Adonis não dormiu depois do sexo e tinha toda a atenção voltada para ela. Inacreditável de tão perfeito. Apertou-se mais contra o peito dele, para que o momento não terminasse.

Ao contrário, Adonis começou a acariciá-la de novo. Amaram-se mais uma vez, e Madeleine não sabia que tinha fôlego para tanto. Em vez de sossegar, Adonis perguntou se ela queria comer alguma coisa.

Sim, Madeleine estava faminta. Logo o grego entrou na casa e voltou com uma bandeja com suco de uva e pita à vontade. Madeleine comeu freneticamente, depois ficou curiosa.

— Adonis, quem deixou essa comida aqui?
— Os...
— Os deuses, eu já sei. Nem sei por que pergunto — ela o interrompeu, apenas completando a frase.

Adonis riu e se alimentou. Assim que encostou a bandeja, ele abraçou Madeleine e novamente a excitou. Uma atração incrível que não permitia que a mulher pensasse em cansaço. O balé sexual só terminou no lusco-fusco da madrugada, quando desmaiaram exaustos.

* * *

De manhã, a carruagem de fogo de Hélio encontrou os amantes deitados nus num canto da varanda. Madeleine começou a insurgir do sono pesado como quem não distingue o sonho da realidade. Estava zonza. Abriu os olhos com dificuldade e piscou várias vezes para focar o rosto de Adonis. Indolente, aconchegou-se a ele e só então percebeu sua nudez. Ela levantou-se, assustada.

— Não deveis te retirar dos braços de Morfeu tão rápido. Ele é um deus perigoso. Quando foges sorrateira, pode confundir tuas ideias e desalinhar teu caminho — disse Adonis de olhos fechados.

— Adonis, por favor, nós passamos a noite aqui fora, onde todo mundo podia nos ver. Fizemos tudo aqui...

— Foi do teu agrado, minha senhora? Ou não te satisfizeste e desejas tentar mais uma vez? — ele indagou, se preparando para outra prova.

— Você só pode estar brincando! Eu nem consigo mexer minhas pernas direito — Madeleine se levantou para pegar as roupas, e seu corpo rangeu, as pernas fraquejaram.

— Perdoa-me se te feri — Adonis se levantou e ofereceu apoio a ela.

— Não. É falta de prática mesmo. Jamais passei uma noite inteira assim. Acho que nunca fiquei mais de meia hora com alguém. Antes de você, achava o sexo chato.

— Mas, se esta foi a tua primeira, não será a última vez. Quero submeter-me a teus caprichos sempre, e só descansarei após ver-te inteiramente satisfeita — ele ajoelhou-se em adoração.

— Você não é de verdade, é? Tenho a impressão de que vou acordar daqui a pouco e descobrir que tudo não passou de um sonho. Como aquele que tive ontem enquanto fazíamos amor.

Madeleine ainda não conseguia acreditar.

— Conta-me tua visão, bela deusa — Adonis vestiu a calça de algodão branco, e Madeleine percebeu que ele não usava cueca.

Ela descreveu o sonho em detalhes.

— Era Zeus, com certeza, nos dando sua bênção.

— Você acha que o todo-poderoso do Olimpo ia perder o tempo dele com pobres mortais como nós? — ela indagou, ainda incrédula.

— Tu és Afrodite, não uma mortal qualquer.

— Ai, menino, me engana que eu gosto! — ela beijou-o com paixão.

— Para onde desejas ir, minha mestra?

— Para casa. Zakynthos. Meus amigos devem estar doidos. Passei a noite fora sem avisar — ela respondeu, com receio de voltar.

— Assim será. Venha!

— Não é melhor a gente arrumar a bagunça?

Quando Madeleine olhou a varanda, não havia nenhuma coisa fora do lugar. Tudo tinha sumido: a bandeja, as camisinhas, tudo limpo, como se nada tivesse acontecido.

Esses deuses são mesmo incríveis, ela não se conformou.

Logo chegaram ao atracadouro. Príapo os esperava. Madeleine pôde dar mais uma olhada no amigo de Adonis. Ele havia preparado o hidro, e Adonis não demorou a partir.

Feliz. Esse era o resumo completo do sentimento da escritora. O jovem grego a transformou. Fez com que as travas sexuais de Madeleine fossem arrancadas, e ela agora vibrava com todas as emoções. As coisas, os lugares, as pessoas eram todos mais belos do que antes. Sentia vontade de gritar, de dançar. Mostrar para todos que podia ser feliz. Livre, como se tivesse asas nos pés. Foi nessa empolgação que pegou o carro no porto e, deixando Adonis em Keri com longos e quase intermináveis beijos, seguiu para Kampi. Com a decisão de enfrentar William Shelton.

No templo, os problemas continuavam.

— CAPÍTULO 19 —

Em Kampi, ninguém pregou olhos. Aflitos, sem saber onde mais procurar, todos demonstravam cansaço. Bill já tinha rodado toda a ilha e agora se arrumava para avisar a polícia. Sua mulher tinha desaparecido fazia quase 16 horas. Ninguém tinha ideia do que lhe acontecera. Helen ficou boquiaberta ao ver Madeleine entrar, viva, sem nenhum ferimento e um sorriso nos lábios.

— Madeleine?!

— Oi, Helen, bom dia! Olá, Maia. Jack.

— Maddy, onde você estava? Estamos loucos atrás de você — Helen perguntou, indignada.

— Vocês têm de ir a Santorini. É maravilhosa — Maddy respondeu.

— O que você foi fazer em Santorini? — o marido perguntou da porta do quarto.

— Ora, William, você está em casa! — mais do que irônica, a escritora nem deu bola para a cara feia do marido. Caminhou pela sala em direção à varanda.

— Madeleine, quero saber onde você passou a noite e com quem — Bill agarrou o braço da mulher com raiva.

— Não te interessa — ela desvencilhou-se.

— Eu sou seu marido — o homem agarrou-a pelos ombros.

— Bill, eu conheci a agente Sunders.

— Você dormiu com aquele grego sujo?

— Você ouviu o que eu disse? E-u c-o-n-h-e-c-i Audrey Sunders. Fui até o hotel em que você disse que "ele" estava hospedado e vi você deitado nu na cama "dela" — Madeleine reforçou a diferença de sexo — A garota não escondeu nada. Aliás, fez questão de que eu visse tudo.

Bill ainda ficou olhando para Madeleine sem saber se confirmava o caso ou continuava ofendido. A esposa jamais tinha conseguido pegá-lo com a boca na botija. Ele era sempre cuidadoso: pagava motel à vista, não tinha conta em florista nem comprava presentes caros. Agora isso. Audrey não disse que a mulher os tinha flagrado. *Vagabundinha*, pensou ele, vendo que a moça tinha mesmo a intenção de destruir seu casamento.

— Ela não significa nada pra mim, Maddy — ele se defendeu.

— Ah, Bill, coitada da moça! Ela pareceu tão apaixonada... — ela foi irônica mais uma vez.

— Estou falando sério. Eu sou seu marido. Eu amo você.

— Não seja hipócrita, William. Ninguém que ama a esposa a trairia com a amante numa viagem de reconciliação. Nem Helen perdoaria você. E ela é sua maior fã. Se bem que a número 1 deve ser a sua menina.

— Ela não é minha menina. Aconteceu. Eu a conheci aqui na ilha por causa do crime — Bill tentou mentir.

— Bill, você disse que a conheceu em Boston... Mas não importa mais — Madeleine deu de ombros.

— Por quê? Porque agora você tem um caso com o moleque grego. Apolo veio para salvar você? — o homem tentou inverter a história.

— É Adonis. E ele me salvou, sim, se quer saber. Se não fosse por ele, eu ainda estaria recebendo chifre calada. Pelo menos ele me dá prazer — Maddy disparou.

— Você está dizendo que trepou com ele? — Bill se horrorizou.

— Trepei, sim. A noite toda. E quer saber? Nunca foi tão bom.

Bill levantou a mão, e Madeleine avançou.

— Vai me bater?! Encoste um dedo em mim, e toda a organização vai saber que o grande investigador William Shelton espanca a esposa. Acabo com a sua carreira, seu verme!

A mão dele foi descendo devagar, sem acreditar no que se passava. Quem era aquela mulher? Não era a sua dócil Madeleine. Não era a esposa delicada, discreta, dedicada. Quem era aquela que o ameaçava? Onde estava sua lady inglesa?

— O que aconteceu com você, Madeleine? — ele estava assustado.

— Eu cansei, Bill. Quero ser feliz. Quero descobrir quem sou e o que é melhor pra mim. E de uma coisa eu tenho absoluta certeza: não é você — olhou para o homem derrotado, sentado no braço da poltrona.

— Eu não entendo. Você é minha mulher.

— Talvez eu nunca tenha sido de verdade — Madeleine concluiu.

— Esse não é o primeiro. Você já me traiu com outros, não é? Puta!

— William, Madeleine, por favor, sejam razoáveis — Helen pediu.

— Cala boca, Helen! — três vozes gritaram ao mesmo tempo, e Helen se retraiu, espantada.

— Bill, nós já nos agredimos verbal e fisicamente. Por que nos magoar ainda mais? Você sabe que eu nunca o traí antes. Está com raiva. Tente ser feliz com a garota. Se não for ela, que seja outra. Mas com a gente acabou. Fim. Pode ficar com a moça em Atenas. Dedique o seu tempo a desvendar o crime — Madeleine foi sincera.

— Mas ela não é nada — viu que a mulher lhe deu as costas, como se não escutasse — É a segunda vez que você me manda embora, Maddy...

— Desta vez, não tem flor nem Helen que me façam mudar de ideia.

Jack, Helen e a própria Madeleine sentiram pena dele. Bill caminhou para o quarto sem saber muito o que fazer. Não parecia ter noção do que realmente acontecia. Ele não conseguia assimilar a separação. Madeleine não entendia. Só sabia que estava decidida.

— Como era essa garota, Maddy? — indagou Helen, curiosa.

— Uma moça de pouco mais de 18 anos, Helen. Ruiva, bonita. O tipo do Bill: jovem e gostosa.

— Ele me falou dela em Boston — Jack comentou.

— Jack, como você consegue ser meu amigo e não me contar sobre as traições de Bill? — Madeleine estava perplexa.

— Eu não queria ver você triste — Jack se mostrou envergonhado.

— Você acha que eu era alegre?!

— Não. Mas não queria ser o dedo-duro. Depois, Helly acha sempre que é só mais uma — o amigo tentou se explicar.

— E não é? — Helen se intrometeu — Depois de três meses ele enjoa, Madeleine. No fundo, no fundo, Bill ama você.

— Tão no fundo que ninguém, nem ele, enxerga mais. Estou sendo realista, gente. Chega! — Madeleine foi coerente.

— Mas e essa mulher, o que ela é, o que faz? — Helen queria saber.

— Helen, você acha que Madeleine tem cabeça para isso? Quem ela é não interessa.

— Mas, Jack, faz toda a diferença. Se Bill não a ama de verdade, pode voltar para Maddy — Helen persistiu.

— Eu não quero Bill de volta, Helen. Será que ainda não deu para entender? Tenho outros planos para minha vida. Não quero mais continuar casada com Bill — Maddy foi categórica.

Nesse exato instante, Bill saiu do quarto com a mala na mão. Olhou para Madeleine. Sentia-se humilhado. Era ele quem devia estar rechaçando a mulher infiel, não parecer um cachorro expulso da casa com o rabo entre as pernas. Isso não estava certo. Resolveu se impor. Abriu a porta e olhou para Madeleine com superioridade. Tinha brios.

— Eu não odeio você, Bill. Ainda podemos ser bons amigos — Madeleine o fitou mais uma vez.

— Não sou amigo de mulher! Escute bem uma coisa, Madeleine. Você vai voltar para mim. Você ainda vai vir de joelhos implorando o meu amor, então vou exigir tudo a que um marido tem direito. Você vai ver — William queria seu lugar de volta de qualquer jeito.

— Não seja tolo, Bill, você sabe que eu estou... — a porta bateu antes de Madeleine terminar a frase — ... certa.

— Maddy, ele vai embora mesmo! — Helen correu atrás de Bill, mas ele já tinha deixado apenas poeira no ar. Quando voltou, tinha uma lágrima no rosto e o olhar desolado. Jack balançou a cabeça e preferiu consolar Madeleine.

— Eu estou certa, não estou, Jack? — Madeleine pediu aprovação.

— Claro, querida! Eu sempre disse que esse cara não servia para você. É um ignorante, sem caráter — Jack o rotulou.

— É um bom homem. Só não tem a classe de que vocês dois se orgulham tanto — Helen ainda tentou defender Bill.

— Nós, Helen?! Somos nós que fazemos questão de pertencer à casta dos York? Quem vive dizendo que não suporta a mediocridade e a pobreza? Quem aqui se julga a rainha da Inglaterra? — Jack se enfureceu — Eu e Maddy? Não. Sempre agimos naturalmente com relação à nossa posição social. Você faz questão de jogar na cara dos outros que é superior.

— Sei, sei. E todas as brincadeiras que você faz com ele. Só falta chamá-lo de idiota. Pensa que não magoa? Ele fica ofendido, Jack, mas é tão bom que não revida — Helen acreditava mesmo nisso.

— Porque não sabe responder. É um ignorante.

— Jack, Helen, por favor, não briguem por nossa causa. Quero encerrar esse assunto — Madeleine conteve o amigo.

— Você criou essa celeuma. Agora quer evadir sem trauma? — Helen caprichou no vocabulário.

— Helen Wippon, basta dessa sua arrogância cultural! Fale direito — Jack queria avançar na mulher.

— Gente, calma! Eu só vim pegar umas roupas. Por favor, chega de brigas — Madeleine não queria outro casamento desfeito.

Ela pegou uma muda de roupa no quarto e foi para o banheiro. Tirou a roupa toda e sentou no vaso sanitário. Ao fazer xixi, sentiu vontade de gritar. Sua vagina ardia em brasa. *Uma noite inteira... Não é à toa. Até me acostumar, acho que vai doer e muito.* Ela riu, lembrando-se das estripulias com Adonis. Tomou um banho.

Ao sair arrumada, viu que o clima entre o casal continuava tenso. Calado, Jack estava sentado no sofá com o olhar fixo no chão, e Helen olhava para a varanda, irritada. Madeleine não desejava aquilo. Estava tão feliz. Descobriu que a vida podia ser algo mais emocionante, podia ser diferente de tudo o que já havia feito. Queria partilhar essa nova fase com os amigos, mas nenhum deles estava disposto a conversar. As caras fechadas impediam qualquer diálogo. Não insistiu. Estava louca de vontade de voltar para Adonis e curtir seu momento mágico mais uma vez.

— Eu estou indo, pessoal — ela disse jovialmente.

— Aonde você vai, Madeleine? — Jack perguntou sorrindo.

— Para Keri. Prometi a Adonis que voltava logo.

— Você vai continuar com essa pouca-vergonha, Madeleine?

Helen ficou sem resposta. Madeleine deixou a casa e logo entrou no carro. Jack foi atrás. Precisava lhe contar algo tenebroso. Apoiou os braços na janela do carro e falou em tom mais sigiloso:

— Maddy, preciso dizer uma coisa.

— Jack, se você vai dizer que eu não devo ver Adonis... — ela não queria ouvir isso.

— Não, não. É outro assunto. Claro que você deve ir atrás dele. Dou todo o meu apoio — Jack gesticulou positivamente.

— Obrigada. O que é?

— É sobre Stoo e Jery — Jack passou a mão no friso do carro.

— O quê?

— Eu descobri que eles são gays.

— Eu já sabia — Madeleine respondeu.

— É mesmo?!

— Jack, você às vezes é meio desligado, não?

— Não sou um detetive como você, Maddy.

— Eu sei, desculpe. Você fica incomodado com o fato de eles serem homossexuais?

— Claro que não — ele conteve o entusiasmo — Mas é que eu achei uma coisa na bagagem deles.

— Na bagagem? Drogas?! — Lá vinha o espírito de investigadora.

— Uma peruca.

— Peruca?! Jack, por favor, eu não vejo nenhum problema de...

— Espera, Maddy — o homem interrompeu-a — É uma peruca ruiva.

Ela olhou séria para ele, e seu instinto se alvoroçou.

— Conte isso direito.

— Bom, eu estava cansado das reclamações da Helen e resolvi sair com os garotos. Daí, bebemos pra cacete — Madeleine estranhou a gíria do amigo, mas não fez comentário, pois estava mais interessada no desenrolar da história — Eu tive de dormir um pouco depois de passar mal, então, quando fui pegar uma toalha, mexi nas coisas deles. Vi aquela peruca e perguntei para que era.

— E o que responderam? — Madeleine continuou curiosa.

— Jery disse que Stoo tem fetiche de ser Rita Hayworth e às vezes se traveste como a atriz.

Todos os alarmes de Madeleine se ativaram.

— Maddy, e se Bill estiver certo e o assassino for mesmo homossexual? Os meninos... — Jack falou, preocupado.

— Calma, Jack. Tudo isso são provas circunstanciais. Precisamos ver se há ligação entre eles e o caso. Acalme-se, ninguém vai prender seus amigos. Mas, se puder, fique de olho neles. Tome cuidado!

Madeleine saiu devagar com o carro. Pensou no que disse para Jack e no perigo que ele corria com aquela nova pista. Se o serial killer era mesmo um homossexual, então Stoo e Jery eram bem suspeitos. Estando próximo deles, Jack podia ser a próxima vítima. *Mas ele ficou na pousada, e nada de ruim aconteceu*, Madeleine raciocinou. Talvez não fosse nada. Outro mistério a resolver.

* * *

A incógnita chegava a coçar a fronte de Wiliam Shelton. *Será que Madeleine está tendo mesmo um caso com o grego ou só está dizendo isso para me sacanear porque eu trouxe Audrey?*, pensou. Só podia ser essa a razão. Nenhum Apolo de vinte e poucos anos ia ser melhor que ele. Na cama Bill era imbatível. Ela estava mentindo. Quem ela pensava que era para fazê-lo de corno agora? Nunca. Madeleine era apaixonada por ele, sempre foi. Fazia dez anos que estavam casados, e ela jamais o pegou. Tão inteligente e capaz... Se não descobria as amantes, era porque não queria deixá-lo. Só que, agora que sabia de Audrey, tinha de bancar a durona e fazer o que todo mundo esperava dela: se separar.

Assim, Bill se controlou mais. Tinha entendido o jogo da mulher. Em sua cabeça estava tudo explicado. Se Audrey ao menos tivesse negado o caso... mas ela se aproveitou. O objetivo de todas, e ela não era diferente, era ser a sra. Shelton. *Que petulância! Quem aquela putinha pensa que é? Não passa de uma galinhazinha nova*, ele amargou a raiva. Abriu a porta do quarto com a certeza de que devia tirar satisfações. De hoje não passava.

— Audrey, querida, onde você está?

— Tomando banho, amor.

— Amor, é? — murmurou — Saia logo, quero falar com você.

— CAPÍTULO 20 —

— Mas porventura pergunto eu sobre os teus romances fora do templo? E, ademais, este caso é diferente — Adonis falou duro.

— No que é diferente? — Calíope indagou, empedernida.

— Tenho a missão de trazer Afrodite para nosso convívio — ele disse.

— Se é só uma missão, por que encontrá-la fora?

— Porque...

— Diga! — Calíope insistiu, impaciente.

— Se colocá-la simplesmente aqui, haverá represálias por parte dos conselheiros — Adonis parecia cada vez mais sem respostas.

— Besteira!

— Ela deve aceitar aos poucos. Temos de ir devagar ou poremos em xeque toda a nossa existência — ele quis concluir.

— Bobagem. Está apaixonado por ela.

— Estás tendo uma crise de ciúme?! — Adonis a pressionou

— Por acaso você já teve algo com algum de nós fora daqui? — Calíope foi firme na pergunta.

— Não. Nunca.

— Por que para se tornar membro da sociedade você precisa convencê-la de um jeito diferente?

— Ai, ai, Hera! Salva-me deste inferno sem fim! — Adonis lembrou-se de que a mãe dos deuses era a mais ciumenta do Olimpo.

— Não implore aos deuses, mas à tua consciência.

— Calíope, eu...

A mulher saiu furiosa do escritório sem que Adonis se desvencilhasse da cortina a tempo de impedi-la de descer a escadaria para as termas. Ao voltar para o hall, encontrou Madeleine, que tinha um olhar mágico para os fatos. Antes perturbado, o semblante de Adonis voltou à alegria. Novamente sorria sem preocupações. Afrodite cumpriu a promessa. Estava de volta e, desta vez, para ficar.

— O que aconteceu? Você parecia apreensivo — Madeleine intuiu.

— Nada que a tua presença não desvaneça — Adonis se abraçou a Madeleine como se quisesse espantar os maus pensamentos. Ela fechou os olhos e deixou o segundo passar. Logo encompridou a visão para o que havia atrás da cortina, mas Adonis, notando seu interesse, mudou-a de ângulo.

— Venha, Afrodite, antes que os deuses nos surpreendam!

Sentiu-se carregada pelo braço e impelida a seguir o homem, que demonstrava pressa e fuga. Madeleine não ofereceu resistência, na verdade, queria mesmo ficar a sós com Adonis. Contar os últimos acontecimentos. Não havia dito, na noite anterior, que tinha se separado do marido nem que o havia pego com a amante no quarto de hotel. Mas Adonis também não fez perguntas, como se já soubesse de tudo. Entraram no escritório, e pela primeira vez ela o viu trancando a porta. Verificou as outras entradas e, então, falou em tom de urgência:

— Temos de agir o mais rápido possível.

— Agir, claro! — Madeleine se enlaçou com o jovem, como sempre muito excitada.

— Não, não, Madeleine! Hoje há algo que temos de decidir. Melhor dizendo, que você deve decidir.

Madeleine?, ela estranhou. Ele nunca a chamou pelo nome, nem de "você". O tratamento de deusa acabou? Sim, ele sabia que ela já estava conquistada. Era dele na hora que quisesse. Bastava olhar para ela.

— O que houve, Adonis? — Maddy tentou entender.

— Preciso que tome uma atitude mais drástica, minha senhora.

— Se não for nada absurdo…

— E se muita mudança exigir de tua pessoa? — Adonis confessou.

— Mudança?! Adonis, minha vida mudou muito desde que vim para cá. Penso diferente, ajo de forma bem diferente. Estou gostando de fazer sexo, me separei definitivamente de meu marido. O que falta? — Madeleine abriu a guarda.

— O mais difícil de tudo, minha deusa: entrar para a Sociedade do Templo de Dionísio.

Madeleine fixou o olhar em Adonis. Ela ouvira, naqueles dias, várias histórias sobre aquela sociedade. Alguns a chamavam de prostíbulo, coisa do diabo, hospício. Havia até quem acreditasse que, nas altas horas da noite, embriagados, drogados e fora de si, os "sócios" sacrificavam pessoas escolhidas em altares repletos de oferendas de comida e animais. Outros ainda afirmavam que virgens eram estupradas para "louvar" Dionísio. *Deve ser meio difícil encontrar tanta virgem assim para sacrificar*, pensou Madeleine, mas logo se lembrou da jovem na recepção. Um frio correu-lhe a espinha.

— Algum problema, Afrodite?

— Adonis, ouvi falar tanto dessa tal sociedade... Não sei se quero fazer parte dessa coisa...

— Não terás de aceitar e participar de todos os nossos rituais, nem exercer uma função de responsabilidade. Mas deves aproximar-te dos membros do grupo, senão jamais desvendarás o crime, e a fúria dos deuses cairá sobre nós. Rogo para que nos salve, ó Devoradora de Homens! — Adonis ajoelhou-se, estendeu o tronco no chão com os braços estendidos para a frente, como se se entregasse a Madeleine.

Ela olhou para o corpo estirado. Os músculos torneados, a túnica deixando cobertas somente algumas partes do corpo e realçando outras formavam uma cena tão sensual, tão excitante que não se conteve. Subiu em suas costas, mordeu-lhe a nuca com desejo célere. Sentiu um perfume de jasmim que a enlouqueceu ainda mais. Beijou-lhe as costas com lascividade e o fez sucumbir diante de um beijo de língua quase sufocante.

— Eu quero te possuir, meu jasmim! — ela murmurou-lhe ao ouvido.

Viu seus olhos se perderem nos dela ao virar-se, mas também encontrou dúvidas.

— O que aconteceu, Adonis? — Madeleine parou.

Adonis se levantou com um sorriso enigmático. Ela não sabia se ele a desejava ou a repelia.

— Preciso que penses seriamente em tua entrada na Sociedade do Templo para que não exista mais nada que nos separe.

— Você acha que o criminoso está aqui? — Madeleine viu a angústia do amante.

— A certeza não é mais minha companhia. A pressão sobre mim é grande. Interesses, minha senhora! É só no que pensam os mortais — ele ainda se mantinha curvado — A matéria, o lucro. Eu sou um servo dos deuses, mas dependo dos favores dos homens...

— Você está sendo pressionado por quê? Por quem?

— Os sócios acham que eu apenas desejo me aproveitar de ti, que estás comigo apenas por diversão. Não creem que vás ajudar a manter o templo ileso. Eles não têm a fé que tenho — ele aquiesceu ao destino — Ninguém é obrigado a ter a mesma convicção que eu.

— É meio difícil acreditar nessa história de deuses do Olimpo como senhores da Terra, Adonis. E, depois, eles não me conhecem. Como posso ajudá-lo, como você diz, se nem eu tenho certeza disso?

— Mas os deuses devem ser entendidos não como criadores, mas como protetores. Para cada milagre na Terra há um deus responsável. E tu, ó poderosa deusa, em tua bondade e teu poder, será aquela que fará com que o assassino seja revelado — Adonis contou seu segredo — Eu tive a visão disso porque fui abençoado pelos deuses, e eles me fizeram enxergar.

— Meu menino... — ela beijou o rosto de Adonis — É como você disse, nem todos têm a sua fé, portanto não acreditam cegamente e querem provas concretas. O ser humano precisa ter a prova material — ela explicou, complacente.

— Por isso, rogo a ti, Afrodite: entra em nossa sociedade e prova aos incrédulos que és a resposta para nossas aflições.

— Volto a dizer que não sei se devo participar disso. E se eu não gostar? Posso sair? — Madeleine queria conhecer o grupo.

— Se quiseres sair depois do primeiro ritual, não haverá nenhuma obrigação para ti. Mas depois...

— Primeiro ritual?! Quantos são?

— Há etapas de iniciação em nossa sociedade — respondeu o grego.

— Adonis, Adonis... — Madeleine teve receio.

— Senhora! — ajoelhou-se diante dela — Se não o fizeres, terei falhado em minha missão com os deuses e por certo nunca mais poderei estar contigo. Um castigo que não suportaria.

Essa declaração de Adonis foi irresistível para Madeleine.

— Sério?! — Madeleine viu a aflição nos olhos dele — Os deuses não deixarão que você me veja outra vez?

— Os deuses... não são os deuses! É a interferência maligna dos homens. São eles os culpados — ele corrigiu a fala.

— Mas então como eles vão aceitar que eu entre, que os conheça e depois denuncie a sociedade de vocês? Porque você sabe que, se eu descobrir alguma coisa, denuncio, não sabe? — ela o olhou nos olhos.

— Eu bem o sei. Mas meu desespero se encontra no fato de que alguns conselheiros acham que uma mulher estrangeira não seja capaz de resolver este caso. Muitos já perderam a vida, e nosso segredo pode vir a público. Tudo terá sido em vão.

— Eu estou com seus amigos. Não por ser mulher nem estrangeira, mas o caso é mesmo difícil. Vou fazer o possível para descobrir, mas não sei se sou assim tão capaz — Madeleine usou de sinceridade.

Adonis beijou-a com paixão.

— Eu sei que és.

— Está bem — suspirou, sentindo-se tentada pelo desejo — O que eu tenho de fazer?

* * *

Sentia muita fraqueza e dor no corpo. O olho repuxava, mas a decisão ainda era firme. Tinha de finalizar o que começou. A piedade pelo homem causou certo remorso, mas logo passou, a necessidade era maior que o sentimento. Não havia espaço para emoções. Estava cada vez mais perigoso despachar as vítimas. Os reforços policiais nas ruas aumentaram, e quase não havia fuga. A qualquer momento podiam avistar o assassino. Portanto, tomou a decisão: mesmo que a raiva cegasse a razão, aquele seria o último.

Quando jogou o corpo na água, ouviu o barulho e voltou para o carro. Abriu a porta com agilidade, mas recebeu um foco pequeno de luz no rosto, vindo de uma lanterna, e alguém gritou algo que não entendeu. Não parou. Ao contrário, ligou o motor o mais rápido que pôde e saiu cantando pneu. Ouvia os gritos atrás de si, mas não parou antes de ter certeza de que estava a salvo. Com certeza, aquela era sua última vez. Mesmo que a vontade voltasse, não se arriscaria mais.

* * *

Correr riscos. Seria esse seu novo estilo de vida? Estaria mesmo disposta a entrar de cabeça? Prometeu a Adonis que tentaria... tentaria achar tudo normal e realizar o primeiro ritual. Olhou-se no espelho e quis dar um passo na direção da porta, mas se intimidou.

— Venha, Madeleine, ninguém vai ver-te. — Adonis prometeu que só veriam o rosto dela e ela o deles depois que aceitasse — Se não gostares, é só sair pela porta com a luz vermelha em cima.

Precisava tentar, isso era muito importante, já que, de acordo com Adonis, disso dependia o seu amor.

Madeleine Shelton estava disposta a enfrentar a todos para viver aquele romance. Era a primeira vez que traía o marido e concluiu que não tinha sido tão traumático nem digno de arrependimento. Bill bem o merecia. Foi ele quem viajou para tentar refazer seu casamento trazendo a amante quase adolescente na bagagem. Assim, decidida, ela deixou o vestiário e se encontrou com o jovem grego.

— A verdadeira deusa se apresenta — reverenciou-a.

Encantada, deixou-se ser conduzida pelas mãos dele, e sua segurança aumentou a cada passo. Terminaram de descer a escadaria de mármore e, então, no grande pavilhão, uma estátua de ouro reluziu no centro de uma espécie de altar, no qual pilastras sustentavam o teto retangular, de igual desenho da fachada do templo. Aquele devia ser o deus Dionísio, pois se encontrava em maior destaque que as demais estátuas perfiladas em volta. Madeleine percorreu o local com os olhos, era deslumbrante. Parecia estar de volta à Grécia Antiga.

— Muitos de nossos ídolos eram forjados em ouro, mas o Império

Romano levou consigo várias de nossas obras de arte. Este deus Dionísio foi um tesouro que encontramos — Adonis explicou.

De repente, enquanto Madeleine ouvia a explanação de Adonis, lembrou-se de estar nua. Não sentia vergonha de estar assim diante do jovem grego, mas pensar que alguém poderia passar e vê-la já a assustava. Adonis viu sua aflição.

— Prometo, Afrodite, que só verás os outros se assim o desejares.

— O que vai acontecer comigo? Como é esse ritual? — ela estava agoniada.

— Ninguém a machucará. Confia em mim — ele beijou-lhe a mão.

Ela acreditou. Saíram do salão principal e caminharam para outro espaço com desnível de cinco degraus largos para cima. Uma sala retangular, com as mesmas pilastras da anterior, terminava em uma câmara escura. Madeleine foi levada por Adonis até lá. O ambiente era negro, ela não enxergava absolutamente nada. Estava quente, e a última coisa que ouviu foi Adonis perguntar se ela estava pronta. Mal teve tempo de dizer "não". A mão dele, que a segurava firme, simplesmente se soltou e sumiu.

A atmosfera escura era assustadora, mas Madeleine prometera que experimentaria. Como voltar atrás? Temerosa e ansiosa, com a respiração curta, deu pequenos passos com os braços estendidos, tateando o espaço para achar algo ou se aproximar de uma parede. Transpirava, o coração batia mais forte, os pés se arrastavam pelo chão. O cheiro de mofo e o clima lúgubre davam arrepios. Seria sacrificada em nome de Dionísio? A próxima vítima?

De repente lembrou-se de seu sonho. Ela tocou em algo que, de início não conseguiu distinguir. Era quente, parecia um braço... E era. Foi puxada rapidamente e sentiu um corpo masculino roçar o seu, gritou e escapuliu, mas só por alguns segundos. Outra pessoa alcançou-a e apertou seu seio direito, o esquerdo recebeu um beijo. Ela mal podia respirar, foi apalpada, abraçada, encoxada. Parecia haver uma legião de pernas e braços abarcando seu corpo, apossando-se de seus sentidos. Gritou por Adonis, mas ninguém veio em seu socorro.

Como o sonho-pesadelo que vinha tendo fazia alguns meses, aquela sensação estranha agora era real. Estava mesmo sendo abusada. Cada toque era vivo, suado, lascivo. Em vez de um mal-estar natural para uma pessoa naquela situação, Madeleine entrou em uma espécie de transe. Sentia em sua pele todas as bolinações, cada dedo, cada mão. Era como se sempre vivenciasse aquilo. Era como se fizesse parte de seu ser. Homens, mulheres, podia perceber, com uma sensibilidade incrível, as sutis diferenças entre os corpos e os toques.

A mente vagava para um novo local, estava em outro espaço de tempo. Numa relva, em meio a muita serenidade, podia se ver entre camponeses, sendo acariciada, penteada, adorada. Passou a dançar, a cavalgar, era o centro das atenções. Todos lhe sorriam e a veneravam. Era a mais desejada...

Estava molhada e completamente zonza. Cansada, como se acabasse de praticar exercícios físicos extenuantes, tateou em volta e percebeu que estava só. As pessoas desapareceram da mesma forma que surgiram. Não havia mais ninguém. Olhou em direção a luzes em meio à escuridão. Uma era vermelha, a outra, verde. Abriu a porta e encontrou uma sala repleta de velas, que brilhavam intensamente para sua vista acostumada à escuridão. Logo foi abraçada por trás.

— Eu sabia que escolherias o melhor para nós.

Com o corpo brilhando de tanta excitação, Madeleine foi carregada até uma das paredes com afrescos de temas eróticos de tamanhos descomunais e escorada pelas pernas de Adonis. O homem forte e voraz passou a mover Madeleine para cima e para baixo, penetrando-a com firmeza e ansiedade.

Ela se agarrou à cintura dele com as pernas e aproveitou cada empuxo, cada salto, cada repouso, cada beijo. Os braços para o alto, colados aos dele, entrelaçando os dedos, ritmavam a transa. Ela mal conseguia pensar no que fazia. Ficaram naquela posição por um bom tempo, sem se cansar. Então Adonis começou a gemer baixinho em seu ouvido, e Madeleine tremeu em seu colo. Só então ele a levou para uma espécie de cama bem antiga e desabou no colchão com o peso dela por cima.

— Como sabia que eu escolheria a luz verde? — Madeleine sussurrou.
— Tu és Afrodite. É de tua natureza — ele disse sem piscar.
— Gostar de suruba faz parte da minha natureza?! — ela ironizou, caindo para o lado livre da cama — Eu era uma lady inglesa até ontem — a mão de Madeleine passou pelos cabelos negros de Adonis.
— O prazer. És a Deusa do Amor, minha senhora. Não podia ser diferente. Agora todos a conhecerão de verdade.
— Todos? Você diz que eu tenho de conhecer aquele grupo que passou a mão em mim?! — Madeleine se apavorou.
— Escolheste a luz verde, minha deusa. O próximo passo, já deves saber, é encontrar teus adoradores. E ser ainda mais idolatrada.
— Vou ter de satisfazer a todos?
— Se assim o quiseres. As outras pessoas dizem que aqui é um antro de perdição. Que estupramos virgens, sacrificamos animais, praticamos magia negra... Mas a verdade, minha deusa, é que aqui nos satisfazemos, sim, mas ninguém é obrigado a nada. Nosso dever é amar incondicionalmente ao próximo, reforçar nossa crença e viver a vida que escolhermos. Não importa quem sejas fora do templo. Serás o teu refúgio, tua morada da paz — Adonis resumiu o objetivo da sociedade.
— Bom, nem tudo é seguido, Adonis, já que você tem recebido pressão de alguns membros do grupo — Madeleine ponderou.
— A observação é tua, minha deusa. Somente tu poderás dizer quem dentre todos é o grão padre da colheita. Teu é o poder.
— Você fala de um jeito que me faz acreditar realmente que vou descobrir o criminoso.
— Descobrirás.
Adonis beijou-lhe o mamilo direito. Madeleine fechou os olhos para aproveitar aquele momento e guardá-lo na mente. Se amanhã não tivesse mais o toque daquele jovem em seu corpo, teria essa recordação.
— Tenho de conhecer seus amiguinhos, quer dizer, os sócios? — ela perguntou, mais tranquila.
— Já te sentes capaz de olhá-los nos olhos?
— Já senti outras coisas deles... Acho que os olhos vão ser moleza.

— Recosta-te, então, que providenciarei para seres recebida.

Madeleine viu Adonis se levantar da cama e pensou se não estava finalmente, como Helen afirmava, louca. As ideias que lhe passavam na mente, as coisas que acabara de fazer, que desejava fazer. Será que sempre tinha gostado daquilo, mas só agora encontrava alguém que a despertasse? O que a impelia a continuar naqueles estranhos caminhos sexuais? E aonde isso a levaria?

Resolveu se entreter enquanto esperava Adonis voltar. Começou a olhar os afrescos. Pegou uma das velas menores e passou a analisar aquelas figuras. Não pareciam feitas pela mão humana, tamanha a perfeição dos detalhes. Tampouco eram pinturas novas, o envelhecimento da tinta levou a concluir que não eram atuais. Que riqueza cultural e histórica havia naquele templo. Digno dos deuses...

— É chegada a hora, minha senhora.

— CAPÍTULO 21 —

Ali estava ela: totalmente vulnerável, tremendo, paralisada. Adonis a introduziu ao salão principal da piscina e fez uma apresentação digna de uma divindade.

— Esta é Afrodite. A mais bela e majestosa criatura em que um mortal já pousou os olhos. A Deusa do Amor, que agora admirais, decidiu oferecer aos tolos mortais a visão sublime de seu corpo. Olhai e regozijai-vos, patrícios, pois o Olimpo está hoje diante de vós.

Madeleine sentiu-se frágil, mas extremamente gloriosa. Todos os olhares eram para ela. Petrificada, observou-os. Viu vários rostos, alguns simpáticos, outros perigosos e ameaçadores. Eram corpos de diversos tamanhos, alguns, pensou, prontos para devorá-la. Bastava abaixar a vista para vê-los inchando e crescendo. O que levava Adonis a pensar que ela poderia fazer aquilo? Tinha de escapar.

— Adonis — ela o puxou para perto com uma mão desajeitada. — Vamos embora… — murmurou, tentando cobrir seu corpo com o do homem — Eu não posso. Eu não quero mais.

— Minha senhora, deixa teu povo adorar-te. Não renegues teu lugar no Olimpo. Sei que tens força para isso — ele a incentivou.

— Eu simplesmente não posso… — murmurou quase inaudível.

— Faz parte de teu destino… Nada farão que não queiras. Venha, venha e aplaca a ansiedade de teus servos, magnânima…

Cada um foi apresentado a ela, e seus cumprimentos eram gestos estranhos, como o encostar dos pulsos, um beijo na boca, ou ainda um simples vergar do tronco. Ela estava nervosa, mas foi se acalmando, pois entendeu que os sócios não fariam nada se ela não permitisse. Ao final da apresentação, Madeleine sentia-se mais segura. Menos perturbada.

— Agora estás batizada pelos membros da nossa sociedade. A partir de agora, Afrodite, Deusa do Amor, pertences à nossa casa. Que teus servos te obedeçam e te tratem como só uma deusa do Olimpo deve ser tratada. — Estalou os dedos e ordenou — Vinho! A noite nos espera.

Noite?!, pensou parte de seu cérebro ainda consciente. Entrou no templo às três da tarde, como noite?! Ainda abraçada a Adonis, comentou:

— Não é noite, amor, o sol só se põe às dez nesta época do ano.

— Quando honramos a Dionísio, o deus do vinho e da alegria, sempre é noite, minha senhora. Pois o deus deve ser louvado na escuridão, oculto da maldade de Hera. Aqui, seguros sob suas bênçãos, sempre é noite, mesmo que o dia reluza fora dos portões.

Madeleine viu os outros se afastarem e a deixarem só. Logo um garoto, que não tinha mais de 18 anos e vestia toga, serviu-lhes vinho, que Adonis bebeu como um sommelier experiente. Ela admirou a boca de lábios grossos e vermelhos próxima à sua. Como desejava aquele homem, como ainda estava excitada! Beijou Adonis, que se encostou nela por inteiro, deixando o membro excitado roçar a pele alva da vulva estrangeira e o tórax apertar os seios como se fossem fundir seus corpos. Madeleine tremeu, as contrações de seu ventre dispararam. Soltou-se. Abandonou sua fria forma de agir. Descobriu, enfim, que gostava de transar.

* * *

A última coisa em que William Shelton pensava era transar. Estava ocupado com as novas pistas no caso. Desta vez alguém fez uma descrição do rosto do assassino. Os estivadores do porto descreveram a mulher ruiva.

— É travesti, xerife. É travesti. Pense bem, hoje em dia elas têm mil formas de parecer mulher. Enganam qualquer um. Podem enganar o senhor até. Já ouvi amigos meus contarem que pegaram prostitutas na rua e, quando chegaram ao motel, viram que eram travecos. Lógico que depois bateram nas bichas e saíram fora.

— Todos? — perguntou Hermes ironicamente.

— Está querendo insinuar que meus amigos são veados, é?

— Não, agente Shelton. Os portuários, que puseram a lanterna no rosto do assassino, afirmam que era mulher. Por que não? — o xerife indagou.

— Porque... Ah, quer saber? Os reforços já chegaram, e meus homens farão a investigação. O senhor está livre para atender aos furtos leves e aos atentados ao pudor.

— Os agentes estão na busca pelo suspeito, Bill. O retrato falado foi distribuído para cada um. A imprensa quer falar com você — disse Audrey.

Ela entrou no escritório de supetão, e Hermes sentiu-se invadido. Ninguém dava importância à sua pessoa. Nada mais lhe era comunicado. Uma coisa na aparência de Audrey, porém, chamou sua atenção. Não eram as roupas diferentes das decotadas de antes, a camiseta larga preta, escrito Interpol em branco, nem o boné, nem a calça larga, ambos da cor da camiseta. Não sabia explicar o que estava diferente, mas alguma coisa no rosto dela tinha mudado. Talvez os óculos negros de lentes enormes.

— Aconteceu algo com a senhorita? — o policial grego perguntou.

— Não — Audrey arrumou os óculos no rosto com as mãos trêmulas.

— Ela está ótima, Hermes — adiantou-se Bill — É verdade, isso me fez lembrar. Tem só mais uma coisa para você fazer: quero que vá àquele maldito templo para dar um aviso ao tal Adonis. Diga que, se ele continuar folgando com a minha mulher, vai se ferrar. Tenho provas contra ele, e falta bem pouco para prender o maldito como cafetão e aliciador de menores. Vou implodir aquele lugar. Vai voar puta para todo lado.

— O senhor tem mesmo essas provas? — o xerife tremeu, ofegante.

— Xerife, não duvide de mim. Se digo que tenho, é porque tenho.

— Sim, senhor. Irei agora mesmo — Hermes tratou de sair.

* * *

Depois de tomar uns dois copos de vinho, Madeleine criou coragem para transitar pela sala. Estava um pouco encabulada, encobrindo com as mãos algumas partes do corpo; mas, corajosa, como sempre, enfrentou o inevitável. Observava todos os rostos, analisava e intuía as personalidades, mas havia uma em especial que tinha de aprofundar.

— Eu sabia que você tinha algo a ver com isso, Maia. Só não imaginava que era um membro ativo do templo — Madeleine se aproximou da mulher.

— Este é o meu lugar, senhora — falou a mulher de meia-idade.

— É que sempre pensei em você como mãe de família, uma senhora respeitável da Igreja Ortodoxa.

— Por acaso não me acha respeitável, senhora? — Maia sorriu.

— Quem sou eu para julgar alguém, Maia? Só digo que não conseguia enxergá-la num ambiente como este.

— Desde que ouvi as palavras de Adonis, encontrei meu caminho, Afrodite. Sinto-me completa e feliz. Não é para isso que estamos no mundo? Tentar ser o melhor possível para nós mesmos e para os outros?

— Sem dúvida, mas este é um local para liberar outros tipos de sentimentos — explicou-se Madeleine.

— Aqui nos reunimos para reavivar a lembrança de uma época gloriosa, na qual a Grécia era o centro das mentes geniais, e usufruíamos a companhia dos deuses — Maia falava do fundo da alma.

— Você acredita mesmo nos deuses do Olimpo como donos da Terra?

— A senhora deveria ser a primeira a acreditar.

Maia deu um sorriso enigmático para Madeleine e saiu ao ver Adonis se aproximar. Ele lhe ofereceu outro copo de vinho.

— Menino, por acaso você quer me embriagar? — ela pegou o copo.

— Claro que não, minha deusa. Mas acho que ainda estás muito tensa. Relaxe — Adonis levantou o copo dele num brinde para Madeleine, que bebeu o líquido.

— Eu queria entender isto aqui, Adonis. Como você conhece essas pessoas? Quem paga por todo esse luxo? E não me diga que são os deuses — Madeleine tinha a curiosidade como companhia.

— São homens muito ricos que sustentam nosso templo. Os deuses não interferem com a parte mundana — Adonis quis ser claro.

— Ah, certo. É uma associação? — Maddy queria desvendar tudo.

— Quase. Os conselheiros, mais poderosos, sustentam o templo.

— Em troca transam como e com quem quiserem?

— Não é bem assim. Conversamos, discutimos, louvamos.

Ele pegou a mão de Madeleine com gentileza.

— Eu só vejo sacanagem. Olha lá, aqueles dois caras e aquela mulher!

Estão se esfregando enquanto conversam.

— Estão apenas expressando suas emoções enquanto parlamentam.

— E as duas moças se masturbando ali para todo mundo ver?

— Cada um faz o que seu desejo manda.

— Você não quer ver a verdade, não é? Eles se aproveitam da sua crença para transformar isso num bordel. É a camuflagem perfeita — ela disse.

— Não me importo com os outros. Sei por que estou aqui e basta. Se eu puder convencer um ou dois, estarei feliz. Mas o meu real objetivo é Afrodite.

Um beijo terno fez Madeleine esquecer o raciocínio.

— Finalmente a deusa do Olimpo deu-se a seus humildes servos?

Madeleine e Adonis viraram na direção do som da voz de Príapo. Sorridente com uma pitada de cinismo nos olhos, ele interrompeu a intimidade dos dois sem cerimônia.

— A glória em nossos dias se inicia, amigo Príapo.

— Eu vejo. E que glória!

Pegando a mão de Madeleine, Príapo rodopiou-a, admirando seu corpo. Apesar das férias, a escritora mantinha sua rotina de abdominais e alongamentos, portanto seu corpo era sempre bem definido. Maddy ficou encantada com o elogio, mas com receio de que Adonis tivesse ciúmes. Sem contar que a atração física tanto por um quanto por outro era explícita e a proximidade, perigosa.

Tentou lutar contra a vontade de olhar para o pênis de Príapo. Mas foi impossível. Queria agir com naturalidade, mas algo em sua mente parecia impelir seu corpo para o ato. Instintivamente, Madeleine tocou de leve o sexo de Príapo, sem deixar Adonis perceber. Mas foi em vão. Adonis viu, pegou a mão de Maddy e dirigiu-a para o pênis de Príapo, demonstrando, com um sorriso, que concordava.

Madeleine não queria acreditar no que acontecia. O próprio amante a conduzia à traição. Ele a beijou com paixão enquanto Príapo acariciava seus seios, beijando seu mamilo. Então, Maddy sentiu duas mãos em sua vulva. Foi como se uma chave ligasse sua lascividade.

Começou a acariciar os dois como se fosse experiente, alisando seus membros, sugando-os, ajoelhada, posicionando-se entre eles para aproveitar o calor rijo das peles. Enquanto Príapo percorria o corpo de Madeleine com as mãos e a boca, Adonis a suspendeu no colo e a carregou para um dos bancos de mármore perto da piscina. Nesse momento, ela voltou um pouco à consciência e, ao redor, muitos os observavam.

— Adonis, me tire daqui. Tenho vergonha.

O grego pegou-a pela mão, levou-a para um cômodo, menor e separado apenas por uma cortina escura, de tecido bem grosso. Na penumbra, ela se deitou em almofadas enormes e pensou estar segura, a salvo. Achou que tinha escapado do ménage à trois. *Que loucura ia cometer! Fazer sexo com dois homens ao mesmo tempo!* Foi quando se deu conta de que não estava livre. Adonis a abraçou forte, mas ela sentiu instantaneamente o outro corpo a seu lado.

Príapo estava lá. Deitada, completamente à mercê do desejo, não havia fuga. Transar com dois homens já assustaria, mas Madeleine descobriu ser capaz de acrobacias nunca antes sonhadas. O que mais a impressionava é que era ela quem se deixava invadir, arranhando, mordendo, como um animal. Permitiu até que Adonis a possuísse por trás, sem nenhum recato. Libertava-se. Era outra pessoa, aberta a emoções fortes e bem diferentes das de uma lady. Uma insanidade que só terminou quando os três chegaram ao êxtase, se apartando em meio ao almofadado.

* * *

William não sentia prazer naquela hora. Estava atarefado demais para dar atenção aos carinhos que Audrey, discretamente, lhe fazia. As novas testemunhas do caso do Tarado de Atenas diziam que o suspeito flagrado naquela noite era uma mulher jovem com rosto deformado. Ninguém sabia informar mais nada, e o retrato falado era totalmente diferente do anterior que haviam feito. Não parecia ser alguém da região. Bill ainda estava certo de que o assassino era um travesti, mas nenhuma das provas levava a uma conclusão.

Estava cansado, frustrado e bravo pela situação em que Madeleine o tinha deixado. Traído e abandonado. Isso era o que os homens costumavam fazer com as mulheres. Envergonhava-se por ter sido passado para trás por um menino esquisito. Sim, pois, por mais que investigasse Adonis, nenhum dado foi encontrado antes dos 21 anos. Nenhum registro foi achado. Escola, trabalho, nada.

Audrey já tinha recebido dois tapas na mão por tentar afagar os cabelos de Bill. Ela insistia, pois queria ajudá-lo de alguma forma. Sentia-se responsável pela situação. Não arrependida, mas queria demonstrar para Bill que estava a seu lado. O terceiro tapa veio mais forte, e Bill soltou um palavrão, principalmente porque o celular tocou e quase caiu no chão. Audrey desistiu e ficou ali sem importunar Bill ainda mais.

— Alô? Ah, é você, Helen... O que houve, por que está chorando? — Bill pôs a mão no outro ouvido para escutar melhor — Alô, Helen! Pelo amor de Deus, fale devagar, não entendo direito o que diz com essa choradeira. O Jack o quê?! Espera — seu olhar era de espanto, mas respirou fundo e tentou acalmar a mulher — Eu já vou até aí. Quero ouvir isso direito. Calma, garota! Aguenta firme. Estou chegando. Bill já vai.

Audrey ajudou-o a vestir o paletó preto. Bill parecia transtornado. Ao perguntar o que tinha acontecido, ela ouviu uma resposta estranha.

— Todo mundo fica louco neste lugar!

* * *

Ao despertar daquela loucura, que rezou por cinco segundos para ser um sonho, antes de abrir os olhos, Madeleine buscou Adonis, mas só encontrou Príapo, jogado a seu lado. Então era verdade. Recordou-se de algumas cenas, absurdas, de que foi protagonista, e se retraiu, afastando-se de Príapo, como se tivesse cometido um crime. Precisava de um banho. Tentou fazer movimentos sem despertá-lo, mas foi em vão.

— Afrodite, você é demais!

Sentiu vergonha e, por instinto, cobriu a vagina com a mão.

— Não sei o que estou fazendo. Até quinze dias atrás, eu seria incapaz de tirar a roupa diante de uma pessoa estranha. Agora...

— É bom viver novas experiências — Príapo se levantou num pulo e foi para perto dela.

— Eu chamo isso de obscenidade — Madeleine murmurou.

— Não diga bobagem, Afrodite! Você não fez nada de mais. Ao contrário, nos fez felizes. E depois, ninguém vai saber, é proibido para todos os membros do templo falar o que se passa aqui dentro.

Ele abraçou Madeleine, mas não com o mesmo tesão de antes. Agora Príapo falava amigavelmente, o que deu à mulher um alívio.

— Há quanto tempo você pertence ao grupo?

— Dois anos, mais ou menos.

— Como conheceu Adonis?

— Um dia meu avião deu problema no porto de Atenas. Adonis apareceu, consertou a máquina. Nós nos tornamos amigos. Isso faz uns três anos — Príapo roçou o corpo no de Madeleine — E tem uma coisa engraçada: ele está sempre por perto me livrando de enrascadas. Parece saber quando cada um precisa de ajuda. Sabe, como se...

— Os deuses o avisassem — Madeleine completou de pronto.

— É isso mesmo, deusa, esse é o Adonis.

— E o resto do grupo? Conhece?

— Claro, os senadores, o juiz... Tem muita gente importante.

— Senadores, juiz?! — Madeleine olhou desconfiada.

— Alguns são remediados como eu, mas a maioria é gente muito rica.

— Sei... — o espírito de detetive voltou à cabeça de Madeleine. Podia fixar a mente com as novas informações e deixar de remoer a culpa ao pensar na dupla penetração.

— Vou indo, Afrodite. Boa sorte com as novas experiências. A gente ainda vai se ver outras vezes... — Príapo saiu do cubículo sorrindo tranquilamente.

Quando ela voltou ao salão, Adonis conversava com um homem que Madeleine não reconheceu, só reparou na barriga saliente e no pequeno pênis pendurado. O lugar estava cheio, havia novos elementos que pareciam tão interessados em Madeleine quanto ela neles. Resolveu deixar Adonis terminar a conversa, pois o que mais desejava agora era uma ducha. Caminhando e encarando alguns dos presentes disfarçadamente, reencontrou Maia e perguntou se havia algum lugar para se lavar.

Sempre solicita, a grega levou Madeleine a outra parte do salão. Ela explicou que no Salão das Águas havia uma parte destinada apenas ao banho. E qual não foi a surpresa da escritora ao ver, depois de mais um desnível de escadas, um suntuoso espaço, a céu aberto, de mármore meio azulado, dividido em boxes, de onde a água abundante vertia de torneiras de bronze esculpidas como dragões, deuses e monstros. De fora, o templo não aparentava ser tão grande. Aquilo tudo realmente parecia mágico.

Já sem muito pudor e acostumada a estar nua, Madeleine agradeceu à mulher e entrou debaixo de uma das torneiras, deixando a água, morna, escorrer da cabeça aos pés. Passava a mão pelo corpo com prazer. Relaxando ao máximo. A sensação era deliciosa.

Outra vez aquela luz estranha clareou o ambiente, e ela se sentiu elevar de novo. A água que saía da torneira se tornara um gêiser forte e fervente que brotava do chão e atingia seu corpo. Fechou os olhos e chegou ao ápice do prazer. Ainda permaneceu com olhos cerrados por um bom tempo, só para abri-los e se ver diante de Adonis.

— Minha senhora, jamais serei capaz de louvar aos deuses o suficiente pela graça alcançada. És a mais divina criatura do Universo!

— E a mais maluca também — aceitou a mão do homem para sair do box.

— É loucura retribuir o amor que nos é oferecido? — sussurrou Adonis.

— Adonis, eu perdi a noção de moral e civilidade. É errado — ela disse.

— Satisfazer o desejo não é errado — Adonis afirmou.

— Para mim é. Minha moral não admite que eu saia por aí dando para qualquer um. Eu transei com dois homens, eu... — parou de repente e se encostou à parede, desalentada — O que está acontecendo comigo? Por que estou agindo dessa forma? O que é que eu sou?

— Os deuses lhe darão a resposta certa no momento certo — Adonis lhe deu apoio com gentileza.

— Os deuses estão me enlouquecendo... Eu não devia ter entrado nessa história — balançava a cabeça, inconformada.

Enquanto voltavam do Salão das Águas, Adonis acarinhou a mão de Madeleine para acalmá-la, depois a abraçou, como se a protegesse.

— Eu preciso pensar... — daí, viu algo que mudou seu semblante de tormento para ansiedade — Quem é aquela mulher perto da escada?

Adonis olhou para a direção indicada e viu um velho magro e uma mulher ruiva.

— São Telêmaco e sua filha, Calíope.

— Ela tem um corpo forte.

— Pratica halterofilismo. Quase nos representou na Olimpíada de Atenas, mas, infelizmente, um exame antidoping tirou-a da competição.

— Halterofilismo?! — os olhos de Madeleine brilhavam. Era como se tivesse feito uma descoberta. Andou rápido para ir ao encontro da moça, mas teve a impressão de que Calíope fugiu dela. Ao chegar ao topo da escada, somente Telêmaco estava ali para cumprimentá-la.

— Então, a poderosa deusa Afrodite em pessoa? Olhe, meu benzinho, que gostosa você é — ele beliscou a nádega direita de Madeleine —, mas duvido que esse seu jeitinho delicado vá nos livrar dos infernos.

Maddy olhou com nojo para o velho pelancudo, de pênis murcho e enrugado, que com a voz rouca e fraca a tratava de maneira grosseira, pior do que o próprio Bill. O homem não tinha o inglês arrastado como os demais, mas o mau hálito era terrível.

— Este é Telêmaco, Afrodite, um membro do conselho. É um grande empresário grego e um executivo importante nos Estados Unidos.

— E isso dá direito a ele de ser mal-educado com as pessoas?

Adonis abaixou a cabeça sem resposta. Ele entendia que era importante para o templo que Madeleine fosse aceita e respeitada pelo conselho, mas o primeiro contato com um dos mestres-conselheiros não foi muito positivo.

— Não sei se entendi o seu comentário, gracinha.

— Bom, então talvez eu deva explicar, já que o senhor não acompanhou meu raciocínio. Meu nome é Madeleine Shelton, não gostosa nem gracinha. E, se lhe interessa saber, talvez tenha razão: não poderei salvar a todos dos infernos.

Ela pediu licença e se afastou, sentindo náuseas da maneira melada com que o homem a abraçou e cuspiu ao falar. Aquele corpo, apesar de magro, era áspero e opaco, o cabelo desgrenhado e falho estava duro e sujo, dando um aspecto asqueroso ao homem, sem contar a literal falta de educação demonstrada. Saiu de perto, pois seu alvo, afinal, era outro.

— Não gostei muito dela. É arrogante — disse o velho, nervoso.

— Telêmaco, um pouco mais de tolerância. Ela é estrangeira, não está familiarizada com nossas crenças e regras ainda — Adonis explicou.

O velhote se aproximou do ouvido de Adonis e murmurou, rangendo a dentadura:

— Pois faça com que aprenda, senão o conselho vai me ouvir...

Adonis reverenciou o velho e observou-o caminhando até outro grupo. Tinha urgência em falar com Madeleine. Ela precisava desfazer o mal-entendido. A opinião de Telêmaco e de cada mestre-conselheiro era de suma importância para o templo.

— Afrodite, preciso falar-te. É importante — a fala de Adonis a fez parar, mesmo que sua atenção estivesse em outro lugar — Podias ter sido mais amável com Telêmaco.

— Você está brincando, não? O velhaco me tratou como uma prostituta. Não sei o que as outras são para ele nem me interessa o que ele pensa que eu sou. Mas não vou levar desaforo pra casa. O que ele disse? — Maddy indagou.

— Que não gostou de você e talvez não a aprove no conselho.

— Também não gostei dele. Quanto ao conselho, menino, não estou à venda: se quiserem que eu ajude, vão ter que aceitar meu jeito de fazer as coisas. Agora me apresente à filha do nojento, ela, sim, me interessa.

— Bela Calíope, quero que conheças Afrodite, a deusa do Olimpo! — Adonis apresentou-as.

— Oi, Madeleine é meu codinome — sorriu com simpatia.

— Sinto-me honrada por conhecer a filha do Olimpo!

Calíope fez uma reverência pomposa, mas Madeleine reparou que ela evitou olhar em seus olhos. Isso aguçou ainda mais a curiosidade. Pressentiu mais uma vez o mistério. Ali estava uma mulher que ocultava um segredo. Aparentava ser forte. Não tinha barriga, nenhuma gordurinha localizada, só músculos cuidadosamente trabalhados. Era uma atleta e podia levantar uma grande quantidade de peso. E a agravante: era ruiva.

— Adonis disse que você é uma atleta — Maddy iniciou a conversa.

— Meus dias já foram mais prósperos — Calíope olhou para o lado.

A linguagem da mulher e a de Adonis eram iguais.

— A vida é cheia de altos e baixos. Mas nada que um novo exame não possa provar o erro do anterior... — Madeleine foi interrompida.

— Não houve erro.

Ela sentiu certo rancor na voz de Calíope.

— Acha que valeu a pena perder o futuro por um instante de glória?

— Um guerreiro só é reconhecido se seu sacrifício é completo.

— Mas... — Madeleine estava cada vez mais encafifada com Calíope.

— Minha senhora, se não for ofender-te, prefiro não versar sobre o assunto. Se me concedes a tua permissão, me retiro.

Calíope deixou Madeleine sozinha. Ela olhou para Adonis para perguntar o que a mulher ocultava, mas ele mudou de assunto, sem lhe dar chance de formular a questão.

— Telêmaco é apenas um dos mestres-conselheiros, mas também um dos mais influentes. Ele pode vetar a tua permanência em nosso templo, apenas porque não ofereceste a atenção adequada — Adonis elaborou o discurso.

— O que você quer, Adonis? Que eu dê para ele em troca do voto?

— Não, minha deusa. Jamais pediria que te corrompesse apenas para obter benesses — Adonis notou o olhar irritado de Madeleine.

— Então, se precisar falar com os conselheiros, eu enfrento a barra.

— Um novo membro não pode participar de uma votação.

— É? Vamos ver. Que tal um pouco daquele banquete? Estou com fome e cansada — bocejou, levando a mão à boca.

— Teu desejo é o meu, poderosa Afrodite.

Madeleine se serviu apenas de iogurte e salada. Já estava tarde, seu corpo pesava, seus olhos quase fechavam. Perguntou a Adonis se ele sabia que horas eram, ao que ele respondeu:

— Mais do que passada da hora de teu sono reparador. Venha que mostrarei teus aposentos.

Caminharam por um corredor que Madeleine não se lembrava de ter visto. Colunas jônicas perfilavam-se em equidade de formas e distância por uma longa extensão, e as pedras que constituíam as paredes pareciam ter sido colocadas ali uma a uma. Subiram alguns degraus, sempre num ambiente claro, iluminado pelo crepitar do fogo de tochas pensas em suportes de cobre. A escritora tentou assimilar aquilo como realidade, mas o cenário aproximava-se mais de um sonho.

O aposento de Madeleine era digno de uma deusa. Um pequeno salão com uma cama larga e um dossel de onde pendiam babados de voal branquíssimo. Madeleine arregalava os olhos para cada detalhe que via. Era outro mundo. Uma riqueza que não entendia. Quem construiu uma perfeição como aquela e como Adonis, um estudante, guia e pescador, administrava todo o luxo e todos os cuidados do local?

— Quem é você, Adonis? — Maddy indagou, preocupada.

— Alguém que está aqui para servir-te, minha senhora.

Ela continuou pasma diante de tanto espaço. Não havia muitos móveis, nem ouro, nem bibelôs como nas demais casas gregas, mas nas paredes havia pinturas de cenas eróticas, nas quais ninfas, faunos e monstros se enroscavam como se se digladiassem na busca do prazer.

— Isto aqui não é real.

— Tudo é possível quando acreditamos.

— Não consigo entender toda essa suntuosidade para um homem tão humilde como você.

— Mas nada disso é meu. Tudo pertence aos deuses.

Madeleine balançou a cabeça, impressionada.

— Boa noite, Afrodite, que os deuses velem teu sono!

— Espere aí! Vai me deixar aqui sozinha? Não vai dormir comigo? — olhou em volta receosa.

— Não estarás sozinha. Deves recuperar tuas forças. Amanhã novos acontecimentos exigirão teu espírito alerta.

— Que acontecimentos? — A curiosidade da escritora voltava.

— Boa noite, minha deusa!

Adonis beijou-a com ternura e desapareceu. Sem muita opção e esgotada por todas as emoções que o dia trouxera, ela resolveu deitar e relaxar. Os lençóis macios e ligeiramente perfumados logo a fizeram adormecer e sonhar...

* * *

Prometeu, mas não cumpriu a promessa. De novo estava diante de um corpo inerte e sem vida, só que, ao contrário das outras vezes, não transladara a vítima. Não havia necessidade. Ninguém tinha visto seu rosto, e foi muito fácil sair do hotel de quinta categoria na calada da madrugada. A culpa não era sua. Ele obrigava que agisse daquela maneira. As mortes só aconteciam porque ele insistia em não ouvir. Perdoou uma vez, pois achava que havia comprometimento, mas uma segunda? Não. Era demais. Ele, somente ele, era culpado.

— CAPÍTULO 22 —

Os longos braços de Hélio logo a alcançaram. A noite tinha sido tranquila, dormiu e sonhou como há muito não acontecia. Teve várias imagens fantásticas na mente, pessoas bonitas, paisagens deslumbrantes. Com a mão direita esfregou os olhos e tratou de abri-los. Elevou-se um pouco para olhar através da larga janela perto da cama.

— Bom dia, Deusa do Amor!

Sorriu pensando que Adonis viera despertá-la, mas encontrou um rosto estranho à sua frente e tratou de se cobrir com o lençol. Olhou para o jovem loiro de cavanhaque ralo e olhos bem verdes que trazia um sorriso alegre no rosto e uma bandeja cheia de comidas de excelente aparência.

— Olá… Quem é você?

— Eu sou Pã, Senhora de Belas Formas. Trago café e boas-vindas nesta manhã tão brilhante. Dormiu bem?

— Como nunca!

Madeleine analisou o rapaz de cima a baixo. Ele vestia uma túnica igual à de Adonis, mas seu corpo era bem magro, típico de um menino. O olhar era doce, e ela achou muito atraente sua maneira tímida de colocar a bandeja em cima da cama. Quase como uma reverência.

— Quantos anos tem, Pã?

— Dezenove.

— E trabalha aqui faz tempo?

— Sou um aprendiz, formosa deusa. Estou aqui para adquirir sapiência.

Que bonitinho!, pensou ela, enquanto pegava um brioche e passava geleia de uva. De repente, ao provar do pão, um pouco da geleia caiu em seu colo. Ela deixou o lençol que a cobria cair e com o dedo médio limpou a porção que melou seu peito. Quando olhou para o jovem, Pã tinha uma expressão de admiração. Madeleine se ajoelhou na cama e colocou a geleia entre os lábios do rapaz, depois, com suavidade, espalhou-a pelos lábios. Beijou-o na boca. Ele lambeu a ponta do dedo dela com desejo, mas ainda retraído. Madeleine tocou-lhe o rosto e, num só impulso, colocou a cabeça dele entre seus seios.

Apesar de embaraçado, Pã aos poucos se aventurou em acariciar a mulher. Parecia encantado. Seu sorriso de garoto feliz era plácido, como se fosse sua primeira vez com uma mulher. Madeleine deitou-o na cama, ajoelhou-se sobre ele e despiu a túnica parte por parte, alisando e beijando cada centímetro da pele alva e tenra do rapaz. A respiração ofegante mostrava a ansiedade lúdica que ele sentia, mas Madeleine, com o controle total da situação, logo o acalmou:

— Vamos bem devagar. Não tenha pressa.

Sua boca desceu pelo abdome, enquanto as mãos percorriam o tórax imberbe de Pã. Ela sabia exatamente o que fazer e como. Era a sedução em pessoa, levando o rapaz aonde desejava. Satisfeita, levantou-se da cama e procurou, instintivamente, algo para vestir, então, percebeu que nem sabia onde estava.

— Pensei que os deuses do Olimpo fossem lenda, mas vejo que me enganei — o jovem sorriu ainda estirado na cama.

Madeleine retribuiu o sorriso, mas tinha outra preocupação:

— Pã, tenho de achar Adonis e não faço a mínima ideia de como sair daqui nem que fim levaram minhas roupas — ela olhou pelo quarto.

— Não se atormente, Afrodite. Trarei um traje adequado para ti.

O rapazote saiu num piscar de olhos.

Quando voltou, e não demorou um instante, Pã trazia um tecido grande e branco na mão. Ofereceu a Madeleine de joelhos, e ela passou a mão em sua cabeça. Por entre os cachos do cabelo loiro e brilhante, notou duas protuberâncias perto da fronte. Lembrava a sensação do sonho com o bode. Depois, pegou o cetim frio e macio de que era feito o vestido. Enlevado pela mulher, o rapaz vestiu-a, colocando dois broches dourados, em forma de palmas, nos ombros para prender a roupa e dar o detalhe final que combinava com a sandália dourada de tiras, que subiam pela panturrilha. Maddy ainda prendeu o cabelo em coque e viu-se glamourosa no espelho num dos cantos do cômodo.

— Que tal?

— És muito bela, luminosa senhora!

Sem dizer mais nada, Madeleine levantou a cabeça e saiu para procurar Adonis. Havia muito que conversar. Assim que pôs o pé fora do quarto, não encontrou o corredor por onde tinha certeza de ter passado. Havia somente uma escada, larga e íngreme, que desceu devagar. Ao chegar ao final dos degraus, deparou com o hall de entrada do templo. Não tinha reparado naquela escada antes, e se orgulhava de ser detalhista. Começou a caminhar. De repente, ouviu vozes no escritório. Uma, baixa e tranquila, de Adonis, a outra, alterada, um som bem familiar cujo dono logo se confirmou.

— Não estou brincando, moleque. Já disse que quero minha mulher agora ou mando todo mundo para cadeia. Sequestrador!

— O que você faz aqui, William?! — Madeleine falou surpresa.

Ao olhar para trás, Bill estranhou muito Madeleine e ficou apateado. Não parecia a esposa. Adonis, porém, foi ao encontro dela e segurou-lhe a mão, beijando a ponta de seus dedos.

— Repousaste bem, Afrodite? — Adonis tinha o olhar apaixonado.

— Muito bem, obrigada.

Ao se aproximar de Bill, ela reparou no homem de terno cinza-claro perto da janela. Fixou o olhar sobre ele por um instante, então falou com o ex-marido.

— O que você quer, Bill? — Madeleine estava altiva, segura de si.

— Que roupa ridícula é essa?

Madeleine olhou para seu vestido drapeado, com ilhós dourado, que vinha de cima formatando o busto e depois circundava três vezes a cintura. Achou-o lindo, com uma leveza sem igual e muito confortável. Ao mesmo tempo que dava liberdade de movimento, também delineava sua silhueta.

— São os trajes que usamos no templo — ela respondeu com naturalidade.

— Usamos?! Madeleine, o mundo está caindo lá fora, e você aqui com esses loucos, fazendo... sei lá o quê. Não quero nem pensar. Vamos, troque logo de roupa e vamos embora desse hospício.

— Do que você está falando? Não vou sair daqui.

— Como não?! — Bill ficou perplexo — Madeleine, eu sou seu marido, você tem de vir comigo. E depois tem seus amigos também. Não sabe da Helen, coitada!

— Você é meu ex-marido — reforçou bem o "ex" — E coitada da Helen por quê? — Madeleine se preocupou.

— Jack deixou Helen, aquele merda!

— Jack e Helen se separaram? Quando?! — Madeleine se espantou.

— *Fazem* dois dias — Billl respondeu com um erro de novo.

— Bill, eu saí de lá ontem — ela estava confusa.

— Imagina, Madeleine! *Fazem* três dias que você sumiu. Se a Helen não ligasse e dissesse que você tinha sido raptada... — Bill reforçou.

— Eu não fui raptada. Faz três dias?! — olhou para Adonis, que pareceu concordar.

— Acionei o delegado Hermes porque sabia que você estava aqui — Bill apontou para o homem da janela. — Agora, pare de bobagem e venha comigo — Ele tentou segurar a mão dela, mas Madeleine se recusou a dar um passo sequer. Ninguém ia obrigá-la a fazer o que não queria.

— Você está louca! — Bill esbravejou, enquanto Adonis se aproximou para contê-lo.

— Se estou louca, é problema meu. Pegue seus homens e saia daqui! — sua voz foi um comando ecoado pelas paredes.

Apontou para a porta com superioridade. Mas Bill ficou com mais ódio ainda de Adonis e descontou.

— Escuta aqui, seu bostinha! — gritou, apontando o dedo — Eu vou voltar. E, quando voltar, vou estourar o seu puteiro. Ainda que leve toda minha vida, juro que vou acabar com a sua raça!

— Saia daqui, William Shelton! — Madeleine foi incisiva.

O homem saiu pisando firme, queria destruir meio mundo. Se pudesse, teria arrebentado o lugar naquele instante. Atrás dele, o delegado Hermes também foi deixando o escritório.

— Delegado! — Madeleine interrompeu o caminho do homem — Eu o vi com Adonis no Salão das Águas e lembro agora quem o senhor é.

Vou procurá-lo na delegacia para fazer uma investigação mais a fundo do caso do "tarado" e espero a sua total cooperação.

Hermes sentiu a espinha gelar. Abaixou a cabeça e saiu, deixando Madeleine a sós com Adonis.

— Madeleine, ninguém pode saber... — Adonis se perturbou com a atitude dela.

— Que você reúne a mais alta casta de corruptos da região? Eu já sei, Adonis. Juiz, senadores... Príapo me falou das pessoas que frequentam assiduamente o templo. Autoridades, empresários desonestos e canalhas de plantão — ela fitava o grego em represália — E todos eles protegidos sob o seu teto. Para manter o seu "negócio", você acoita criminosos. Bonito! Os deuses devem estar muito orgulhosos de você!

— Às vezes, para realizar uma missão, utilizamos as armas dos mundos inferiores — Adonis realçou sua ideologia.

— Sei, os fins justificam os meios. Sou totalmente contra esse tipo de ação. Pode ser que a honestidade não traga lucros, mas ainda é, para mim, a melhor forma de viver — Maddy estava decepcionada.

— Não me julgues pelas aparências, eu imploro, minha deusa.

Madeleine viu o olhar encabulado de Adonis, achou-o sincero, mas não quis dar o braço a torcer. Era errado aceitar favores de pessoas cujo interesse se resumia ao benefício próprio. A sociedade podia ter boas intenções, mas estava comprometida com um mundo ilícito.

— Eles não visam manter a cultura grega viva, Adonis. Homens como o tal Telêmaco só querem explorar a sua boa-fé para o prazer.

— Mas também eu estaria usando o interesse deles em proveito próprio? — Adonis quis pôr tudo às claras.

— Você mantém políticos importantes nas mãos, Adonis. Por isso nenhuma polícia invadiu o templo. O delegado é um dos sócios! — ela apontou para a porta. — Se Bill descobre isso, vai fazer gato e sapato de você. E de mim também, porque estou ajudando.

— Ninguém te ofenderá, eu prometo. Deixa que a culpa caia só sobre mim — Adonis se ajoelhou e venerou Madeleine.

Ela não conseguia resistir aos olhos vexados e arrependidos de Adonis. Sentiu vontade de abraçá-lo e beijá-lo.

— Eu não vou culpá-lo, meu menino, mas a forma é ilegal — ela pegou-o pelos cabelos e encostou a cabeça dele em seu ombro. Adonis beijou-a no pescoço, mas ela reagiu, pensando no garoto com quem o tinha traído. Tornara-se pior do que Bill — Temos muito que conversar, mas preciso falar com Helen e Jack. Só quero que você saiba uma coisa, Adonis... Agora há pouco, o rapazinho que me serviu o café...

— Pã?

— É, Pã. Bom, eu não sei como dizer. Coisas estranhas acontecem comigo, e eu não consigo evitar de pensar e agir de uma maneira leviana... Ontem, ou sei lá quantos dias faz, você deixou Príapo ficar conosco. Mas hoje, lá em cima, sozinha, eu não me contive. Endoidei ao ver o menino de barbichinha rala, parecendo um...

— Bode?

Madeleine olhou espantada.

— É. O menino-bode me serviu o café, e eu me servi... dele... — Madeleine teve vontade de rir com o trocadilho — Não sei explicar, Adonis, eu...

— Não fui traído. Sei do sentimento que nutres por mim e nunca me sentirei abjurado por ti — Adonis afirmou.

— Você sabia do garoto? Você o mandou? — Madeleine estava incrédula.

— Pã é um aprendiz, um pastor, e, se Afrodite em pessoa decidiu dar-lhe uma lição, ele foi abençoado pelos deuses.

A lógica insana de Adonis não foi muito assimilada por Madeleine. Ela ainda sentia remorso porque queria entregar todo o seu desejo a Adonis, que a despertara para a vida. De todos, havia só ele. Mas não resistira a Príapo nem ao menino-bode e não sabia quantos mais desejaria. Agia como uma doidivana. Quem era ela?

Fosse quem fosse, ainda tinha de ajudar os amigos. Receava que Helen tivesse batido em Jack de novo. Precisava esquecer os beijos de Adonis e seus apelos sedutores, seu vestido divino e sua busca pelo prazer para encontrar o casal. Jack precisava dela.

* * *

Bill, furioso, espumava de tanta raiva. Socava a parede da sala de autópsia. O médico-legista, assustado, parou a explicação técnica que dava. Todos olharam para Bill, esperando que o ataque terminasse. Só então ele notou ser o alvo das atenções e desabafou:

— Ninguém descobre quem é esse merda! Ele continua matando, matando. Onde está essa bichona assassina? Vou dizer uma coisa: para mim é esse Adonis. Tenho certeza. O cara não é fichado, mas ninguém sabe de onde ele veio. Construiu um templo a um deus e transformou em prostíbulo — olhou transtornado para o delegado — Cadê o mandado de busca e apreensão que eu pedi, Hermes? Por que é tão difícil conseguir esse papel por aqui? Quero esse maldito na cadeia. Vocês me ouviram?

— Não há prova contra ele. Nunca teve uma multa de trânsito sequer — Audrey tentava acalmar o parceiro descontrolado.

— Pouco me importa! Quero acabar com ele! Pago para quem me trouxer uma prova contra ele — o policial perdia as estribeiras.

Audrey, assim como os demais, impressionou-se com o ódio de Bill. Ele estava cego de ciúmes por causa da traição da esposa. A agente e amante se perguntava se algum dia ele desistiria da mulher...

* * *

Madeleine encontrou Maia arrumando a sala. Deu-lhe um sorriso e entrou no quarto de Helen. De olhos úmidos, a amiga fitou Maddy com ressentimento e estranheza.

— Olá, Helly! — Madeleine foi cuidadosa.

— O que você fez? Onde esteve? Está esquisita — Helen olhou-a com estranheza.

— Eu, nada — olhou-se sem ver diferença — Você vai embora, Helly?

— O que é que você acha? Todo mundo me abandonou. Estou sozinha aqui. Nem Bill ficou, você foi aos poucos, e Jack... Meu Deus, que humilhação! — com as mãos na cabeça e os olhos espremidos, Helen jogou toda a emoção nas palavras. O eterno melodrama.

— Ele a machucou, Helen? O que aconteceu? Por que humilhação? — Madeleine sentia-se fora de tudo.

— Bill não contou nada a você? — Helen se ressentiu.

— Não. Ele foi ao templo e me disse que você e Jack tinham se separado. Só isso. Helen, não dramatize e diga logo o que houve. Posso ajudar vocês a se reconciliarem? — Maddy quis fazer como Helen costumava ajudá-la com Bill.

— Reconciliar?! — Helen soltou uma gargalhada assustadora — Não, querida, Jack não voltará para mim nunca mais.

— Foi tão ruim assim?!

— Você não sabe a última do seu amiguinho, Madeleine Shelton? Ele descobriu que é gay.

— O quê?! — Madeleine levantou-se do colchão.

— Nunca notou ou sempre soube? Vocês são tão unidos, devia ao menos desconfiar — Helen era só mágoa.

— Espere, Helen. O que você está me dizendo?

— Exatamente o que você ouviu. Jack quer se divorciar de mim porque descobriu que é gay e está se regalando com os garotos suecos.

— Holandeses — Madeleine ainda teve consciência para corrigir.

— Madeleine e seus detalhes abjetos — Helen ficou furiosa.

Tonta, Maddy sentou-se na cama. O amigo de mais de trinta anos de convivência era gay? Jamais lhe passou pela cabeça que Jack pudesse ser homossexual. Certa vez ele até a pediu em casamento.

— Pobre Jack! — Madeleine imaginou a dificuldade do amigo.

— Pobre Jack?! E eu, você não pensa na minha infelicidade? — Helen se revoltou — Como vou dizer aos nossos amigos que meu marido me abandonou para bater tamanquinhos com dois mancebos noruegueses? O que vou dizer aos meus filhos? *Meus queridos, o papai de vocês vai usar cor-de-rosa* ou *podem chamar o papai de mamãe?*

— Os meninos são holandeses. E Jack não mudou de sexo, Helen, apenas fez uma opção sexual diferente. Mas você só está preocupada com o que os outros vão dizer.

— Madeleine, fui casada oito anos com um gay, uma bicha. Dividi minha cama. Tive filhos. É mortificação demais para uma mulher como eu.
— E ele, Helen? Já imaginou? Assumir isso para a sociedade, para os filhos? Ainda hoje o preconceito é muito grande — Madeleine tinha certeza de que Jack sofria mais do que a amiga preconceituosa.
— Não acredito que você o está defendendo!
— Não há o que defender — Madeleine foi incisiva — Precisamos aceitar, compreender e ajudá-lo. E, depois, ele foi honesto. Disse logo o que estava acontecendo. Não fez como Bill.
— Pelo menos Bill é homem.
— Homem, mas covarde. Jack é muito mais macho que Bill — Madeleine ficou brava com Helen.
— Não fale assim do seu marido. Ele é uma boa pessoa. Seria um pai excelente se você tivesse lhe dado um filho...
— Helly... — Maddy pensou um pouco antes de falar — Antigamente eu teria medo de perguntar, agora não me importo. Sabe, sempre achei que você e Bill tivessem algum tipo de relação. O seu olhar quando fala nele fica luminoso. Agora estou curiosa. Você e Bill já...
— Imagine! — Helen desviou o olhar da amiga.
— Vamos. Tenho certeza de que você gosta daquele idiota. Nós não vamos deixar de ser amigas por isso. Helly — Madeleine buscou o olhar da outra —, se não quiser me encarar não precisa, mas fale.
— Madeleine, eu nunca seria capaz de trair você ou o meu marido. Sou do tipo fiel. Posso ser interesseira e esnobe, mas infiel, jamais.
— Bobagem sua, meu bem. Eu, Jack e principalmente Bill, que nem remorso tem, traímos. Não precisa se martirizar. Vejo que você tem um segredo aí — apontou para o coração de Helen.
— Eu não sou vagabunda, nunca fui! — gritou Helen — Se fiz alguma coisa foi antes, foi por amor.
— Foi com Bill. Não foi? — Madeleine pressionou.
As mãos de Helen tremiam, e Madeleine percebeu que faltava pouco para ela confessar. Parecia pronta para isso. Só mais um aperto.
— Helen, todo mundo está livre. Não temos mais nada com a vida um do outro. Diga, qual é a sua ligação com Bill? Vocês são amantes, foram?

— Eu... eu não tenho de dizer nada — Helen tentou a última fuga.
— Foram, sim. Eu sempre desconfiei. Continuam juntos até hoje?
— Não! Eu juro. Faz muito tempo. Conheci Bill antes de você.
— Como é? — Madeleine ficou ainda mais surpresa.

Helen colocou a mão na testa, reconhecendo que fizera uma bobagem que não tinha retorno.

— É, é isso mesmo. Bill e eu nos conhecemos em Oxford há dez anos, quando ele foi resolver aquele crime que você também investigava.

— Dez anos? E por que você deixou que nos casássemos?

— Eu não passava de vendedora de uma lojinha perto do Castelo de Windsor. Você tinha a nobreza, e ele queria ser alguém importante. Depois, nós, as outras, sempre fomos uma aventura. Ele me disse isso quando fui procurá-lo em Boston. Ele me garantiu estar bem casado e que não deixaria nunca sua esposa real.

Madeleine sentiu uma pontada no orgulho, mas decidiu que queria ir até o fim. Havia mais o que tirar de Helen.

— Foi só isso? Não tiveram nem um encontro?

— Ele sumiu, e eu me desesperei. Precisava dele. Então, ele teve uma ideia brilhante. Apresentou-me Jack, foi quando eu a conheci e entendi por que Bill não a deixaria nunca. Aceitei meu destino.

— Casar com Jack foi uma forma de ficar perto de nós? — Maddy começou a entender.

— Foi. Eu podia vê-lo, entende, Maddy? Eu amava Bill.

— Ainda ama.

— É...

— Por isso torcia para que eu não me separasse dele? Para poder vê-lo sempre que pudesse.

— Sei que agi errado, mas tenha certeza, Madeleine, depois disso ele nunca mais ficou comigo. Foi como se colocássemos uma barreira entre nós. Por causa disso, achei melhor não contar para ele que...

— Que o quê? Vamos, Helen, o pior já passou. O que você ainda esconde de nós?

— Não posso. Não tenho coragem — ela quis fugir e Madeleine segurou-lhe o braço.

— Ora, Helen, você teve coragem de enganar Jack por dez anos. Casou para ter um trouxa que a sustentasse.

— Mas ele se vingou de mim.

— Jack não fez de propósito. Ele não sabia de nada e não seria mesquinho assim. Diga logo o resto e termine com isso — Madeleine se alterou.

— Eu nunca disse ao Bill que ele é o pai de Willow. Satisfeita?

Madeleine ficou aterrorizada, isso sim. O pior não tinha passado. Helen havia enganado a todos eles. Jack, ela e até o próprio Bill.

— Você não falou para o Bill que ele era pai? Mesmo sabendo que era a coisa que ele mais queria na vida?! — Maddy estava chocada.

— Ele não me queria.

— Helen, você perdeu a chance da sua vida! Se tivesse contado ao Bill, ele me deixaria na mesma hora. Não há nada que ele queira mais na vida do que um filho.

— Ele nunca vai abandoná-la — Helen tinha certeza.

— Claro que vai. Não percebe? Bill tem a família como a coisa mais importante da vida, por isso ele se agarra a mim, porque acha que é obrigação ficar casado e manter o lar.

— Mas você é importante para a carreira dele.

— Bill é um idiota capitalista e acha que sucesso e dinheiro são só o que importa. Eu estava esperando o dia em que ele chegaria pra mim e diria: "Meu bem, desculpe, encontrei uma garota que quer ser mãe dos meus filhos". Você é tudo de que ele precisa, Helen Wippon.

— Tentei tanto ser igual a você, fazer parte do seu mundo de etiquetas, mesuras... Fui aprender boas maneiras, expressão corporal, oratória, mas, mesmo assim, jamais consegui ser uma dama inglesa como você é — Helen sentiu-se perdida.

— Se tivesse sido você mesma, Helly, talvez fosse mais feliz.

Madeleine abraçou Helen. Por mais barbaridades que a outra tivesse feito, ainda gostava da amiga. Não podia negar que, mesmo amando Bill, ela ouvira e consolara Madeleine. Muitas vezes lhe fizera companhia. Largava o que estivesse fazendo para ajudá-la. Apesar de tudo, era realmente sua amiga. Por isso enxugava os olhos de Helen com carinho.

— O que você pretende fazer agora, Helly?
— Vou voltar para Boston, contar para as crianças sobre o pai.
— Fique até o final do contrato da casa.
— Maddy, o que vou fazer aqui sozinha? Prefiro voltar para a América, onde as coisas são mais civilizadas...
— Chega! Não fale assim. Já sei: vá para um hotel em Atenas e aproveite esses cinco dias que restam para conhecer melhor a capital grega. Lá o transporte é mais fácil, e você pode ficar perto de Bill.
— Para quê? Ele tem a menina e o caso do "tarado".
— Crie coragem e conte a ele. Nenhuma menina vai ficar no seu caminho — Madeleine a incentivou.
— Você acha?
— Os deuses me disseram.
Helen olhou desconfiada para a certeza de Madeleine, e então as duas caíram na risada.
— Sabe, Maddy, estou chegando à conclusão de que você nasceu mesmo neste lugar.
— Eu também, Helly, eu também!
Depois de ajudar Helen a fazer as malas, Madeleine acertou tudo com Maia. O dinheiro do aluguel ficaria com ela, mas os hóspedes, todos, iriam embora. As duas amigas seguiram para Atenas.
Maddy deixou Helen hospedada num hotel perto do de Bill, dizendo que assim seria mais fácil encontrá-lo. Sentia-se realmente separada de Bill. Deu muita força para que a amiga contasse toda a verdade e tratou de ir à delegacia para encontrar alguns arquivos de serial killers em Atenas e várias outras dúvidas que sua mente formulava.
Entrou na delegacia. Foi direto para o escritório de Hermes, sem que nenhum dos vinte policiais que abobadamente admiravam seu andar a impedisse de passar. Bateu no vidro para anunciar sua chegada, e o homem correu a abrir a porta.
— Sra. Shelton, aguardava sua chegada.
— Obrigada, delegado — observou o assistente sair da sala e se sentou na cadeira — Quero dizer, antes de tudo, que não gosto nada disso. Não sou mulher de segredos nem conchavos.

Hermes sentou-se lentamente na cadeira velha atrás da escrivaninha de madeira lascada.

— Nós não partilhamos nossas ações fora do templo, senhora, para não denunciar nossa sociedade — ele disse, receoso.

— Eu não me importo. Já disse a Adonis que acho errado e vou denunciar quem quer que seja e investigar todos os membros do Templo de Dionísio. Para isso, é claro, preciso da sua cooperação.

— Tudo o que desejares, minha senhora.

— Primeiro, quero o arquivo de todos os crimes de *serial killers* que aconteceram na Grécia nos últimos vinte anos. Quem quer que seja não pode ser muito velho para carregar pessoas no ombro. Os arquivos de Príapo, Telêmaco, Calíope, Maia e o seu histórico também. Ah, claro, e do juiz e dos senadores. Os demais não conheço ainda, mas eu chego lá — ela estava no comando.

— Não acontecem muitos desses crimes em nossas ilhas, senhora. Raramente em algum verão, quando a criminalidade triplica por causa do turismo. Somos um povo pacato.

— Mesmo assim, quero todos. Preciso de um telefone só pra mim para fazer ligações e... o mais importante: Bill não deve saber que estou entrando diretamente na investigação. Certo?

— Assim o farei, minha deusa — ele denunciou a admiração.

***

Logo tudo o que foi pedido por Madeleine lhe foi dado. Ela ligou para o agente Johnson em Boston e solicitou a ficha de algumas pessoas suspeitas. Achou ainda mais estranho o comentário do federal.

— Fiquei triste que você e Bill tenham se separado, mas não tinha jeito, né? O cara é compulsivo quando se trata de mulher. Imagine, andar agora com a filha de um chegado que trabalhou com a gente!

— Como é, Johnson?

— É, ela mudou o sobrenome quando entrou pra Interpol, mas eu reconheci a foto. O nome dela é Audrey Masterson. O pai era agente da Interpol, mas parece que morreu numa emboscada.

— Jo, pesquise e mande o arquivo dessa garota para mim, ok? — Madeleine precisava de todos os dados.

— Tudo bem.

Depois de duas horas lendo e relendo as anotações, Madeleine sentiu saudades de Adonis. Era como se ele a chamasse. Visualizou seu sorriso por entre a barba cerrada, o cabelo armado, o peito trabalhado com os pelos fartos que desenhavam uma passagem até o alvo de seu desejo. Ouviu a voz dele e viu, apesar de uma luz forte que quase a cegou, o aceno dos braços musculosos. Ele precisava dela.

Precisava voltar a Zakynthos, Adonis precisava dela. Pegou seus papéis, passou correndo pela porta da delegacia, sem perceber os homens tropeçando enquanto a seguiam com os olhos. Pegou um hidro. Nem sabia como teve tanta sorte. Àquela hora, os milhares de turistas estavam na rua lotando todos os meios de transporte, mas, afinal, os deuses estavam do seu lado.

∗ ∗ ∗

Jack olhava a fogueira acesa e ria quando um dos meninos pulava o fogo, se espatifando do outro lado. A festa começou bem animada, e ele estava no clima. Queria muita algazarra, muito riso, não queria mais ser triste, não queria mais chorar, só gargalhadas dali em diante. Foi dessa maneira que recebeu Madeleine com um abraço apertado.

— Olá, meu amigo!

— Maddy, que bom que veio. Está tão linda, diferente, mais esplendorosa. Vai participar da festa?

— Infelizmente não, Jack. Vou voltar para Keri, Adonis me espera. Mas queria saber como você está. Helen contou o que aconteceu.

— E qual a sua sentença? — Jack se empinou.

— Eu amo você, Jack — ela lhe deu um beijo estalado na bochecha — Torço por você. Espero que seja muito feliz, mas, se não for, vou estar por perto.

— Eu também amo você, meu anjo. Mas duvido que aquele deus grego delicioso deixe sobrar um pouco de Madeleine para mim.

— Ah, meu amigo, que falta eu sinto das nossas conversas no golf club quando éramos adolescentes...

— Você era adolescente, querida, eu já era bem maduro.

— Acho que você só amadureceu agora, Jack, quando criou coragem para quebrar as regras.

— Não sei ainda se terei brio para suportar as pressões. Helen, por exemplo, me disse tanta coisa.

— Ouvi as barbaridades, mas, no fundo, ela não o odeia, Jack. Ficou com raiva por ter sido trocada por dois jovens, mas não o quer mal.

— Ela contou sobre ela e Bill?

— E a paternidade de Willow? — Madeleine respondeu à própria pergunta.

— Meu Deus! É demais. Maddy, como pode existir gente assim, capaz de tudo para sustentar uma mentira?

— Medo, falta de amor-próprio. Jack, nunca notei a distância entre vocês. Abraçavam-se em público, davam alguns beijos.

— Não passava disso, Maddy. Nós não éramos amantes. No início, ela era uma ótima companhia. Queria aprender, estudar, conhecer. Engravidou de Willow rápido, pelo menos eu achava, e, após o nascimento de Daniel, eu parei de procurá-la. Comecei a ter ideias estranhas sobre sexo e parei. Cinco anos sem contato. Ela não reclamou, acho que deu graças a Deus por não ter de transar comigo.

— Ela disse que não traiu você — Madeleine defendeu Helen.

— Eu acredito. Ela pode ser interesseira, mas é muito careta. Não é como nós... — ele riu, beijando o pescoço de Madeleine.

— Nós também nunca fomos como hoje. Às vezes me assusto com o que sou capaz de fazer — Madeleine pensou nas próprias ações.

— O grego é muito fogoso? — Jack brincou.

— Você não sabe da missa a metade, Jack. Entrei na sociedade secreta do Templo de Dionísio.

— Uau! E aí? — ele se animou.

— O que eu posso dizer... Loucura!

— Conte!

Stoo e Jery se aproximaram para convidar Madeleine para a festa. Alguns músicos gregos chegaram para tocar depois de trabalhar num casamento. A escritora, porém, estava mais interessada em voltar para Adonis. Alguma coisa a puxava para ele. Prometeu a Jack que se veriam outra vez e, assim que pudesse, lhe contaria "o que fosse possível". Antes, porém, fez uma recomendação aos rapazes:

— Cuidem bem dele, senão vão se haver comigo!

* * *

Madeleine retornou a Keri no momento certo. Na entrada, uma linda jovem de olhos claros a recebeu, devolveu-lhe o vestido que a escritora tinha usado antes, lavou e secou-lhe os pés. Olhava para Madeleine com adoração explícita enquanto enxugava seus dedos com a toalha.

— Como é seu nome, querida?

— Helena.

— De Troia?

— Quem me dera, senhora. Sou apenas Helena, para servi-la — ela fez uma reverência para Madeleine.

A mulher sentiu o toque macio das mãos da moça em seus dedos. Era muito agradável.

— Sabe se Adonis está?

— O mestre está em uma reunião importante, me pediu para dizer que os conselheiros estão decidindo seu destino entre nós.

— Linda Helena, pode me indicar onde o conselho se reúne? — ela olhou com firmeza para a menina.

— Ninguém em julgo deve conhecer o local da função — a moça respondeu.

— Meu bem, só quero falar com Adonis — Madeleine tocou de leve o rosto de Helena, que se entregou ao afago — Você não negaria um favor a Afrodite, não é? Garanto que seu préstimo será recompensado.

A menina estremeceu.

— Acompanhe-me, senhora.

Um novo corredor foi apresentado a Madeleine. *Esse templo não tem fim?*, ela se perguntava, seguindo a moça. Novas salas, tochas, paredes sólidas que aparentavam séculos de existência. Diante de uma grossa porta rústica de carvalho quase sem iluminação, Helena parou e apontou para a Sala dos Conselheiros. Madeleine agradeceu com um beijo no rosto e deslizou sua mão pelo braço de Helena, que sorriu e se afastou, deixando um desejo diferente no ar. Maddy sentia-se tão poderosa que não se arrependeu no momento que adentrou, sem bater, a sala do conselho.

Vários homens de túnica e mantos brancos se levantaram de colchonetes no chão; alguns cobriram o rosto. Sem receio, ela avançou para o centro de um círculo colorido que havia no meio do salão e olhou para Adonis, tão perplexo como os demais.

— Não se escondam por minha causa, senhores. Estou aqui a vosso pedido — Madeleine falou alto e claro.

— Ninguém pode invadir a Sala dos Conselheiros! — gritou uma voz rouca do outro lado.

— Eu me dirijo ao conselho para que a voz da razão seja ouvida.

— E quem lhe deu esse direito? — exasperou-se Telêmaco, irritado com o manto que pendia sobre seu braço direito.

— Não foram vocês que rogaram por um milagre? Como ousam decidir se devo entrar ou não no Templo de Dionísio? — Madeleine admirou a própria coragem.

— Somos os conselheiros e decidimos quem pode ficar em nossas dependências — soou outra voz forte das sombras.

— Eu lamento, mas neste caso vocês não vão votar.

Adonis olhava aflito. Madeleine colocava seus esforços à prova. Sem a aprovação do Conselho, ela teria de deixar o templo e não desvendaria o crime. A missão maior dele estaria destruída.

— Quem lhe deu este poder, mulher? — indagou outro velhote.

— Os deuses. Pois se enviaram um imortal para salvar os mortais, é porque o Olimpo ainda lhes reserva um pouco de sua magnânima misericórdia. Duvidam os senhores que sou eu Afrodite, a Deusa do

Amor? Pois então não acreditam também em Adonis, que previu que a deusa viria em seu socorro — ela olhou em volta.

Todos aqueles homens, ocultos na penumbra da sala, olhavam para Madeleine. Confusos e ao mesmo tempo encantados com a presença daquela mulher, ficaram ressabiados com a prepotência e a autoridade com que ela falava. Juntaram-se num canto distante para deliberar, enquanto Adonis correu para perto dela.

— O que fez, Afrodite?! Está pondo em risco todos os nossos planos.

— Você não disse que eu era a deusa que desvendaria os crimes e salvaria o templo? Acredite, meu menino!

Na verdade, Madeleine não estava tão convencida assim de que convenceria os conselheiros. Ela pretendia intimidá-los para ser aceita entre eles. Tinha vários palpites e queria provar suas suposições. Era enfrentá-los ou deixar o caso.

— Temos pontos a questionar — disse Telêmaco ao retornar a seu lugar, assim como todos os outros.

— Estou pronta para responder às suas dúvidas, mas desde já aviso que não me vejo obrigada a fazê-lo. Estou aqui para descobrir o criminoso que atrapalha a nossa sociedade. Para isso, tenho de conhecer a todos e denunciar o assassino se aqui estiver. Ademais, juízes e senadores não vão chantagear para obter favores.

— O que faz conosco não é uma chantagem? — veio uma nova voz.

— Eu sou uma deusa, meu é o poder!

As palavras de Madeleine saíram tão naturalmente que ela mesma se sentiu mais confiante para realizar seu intento.

— Eu, Aristeu de Mikonos, declaro aberta a votação de acedência ou rejeição de Afrodite.

— Mas, senador, não estamos prontos... — reclamou Telêmaco, causando certo furor.

— Ora, velho, não percebeu que estamos sem opção? — vociferou o senador — Adonis, dê início à votação.

— Eu, Adonis Kerigma, declaro total aceitação de Afrodite ao Templo de Dionísio.

Madeleine não acreditou no que se seguiu. Um a um, aqueles homens concordaram com a proposição de permanência da deusa Afrodite. A cada sim, Adonis se entusiasmava e sorria para a amada corajosa. Ao final, dos doze conselheiros, onze aceitaram. Telêmaco foi o único a rejeitá-la. Antes de sair, porém, o juiz Aristeu piscou para a escritora e disse que seu voto não tinha mudado desde o início.

Quando os velhos e poderosos deixaram a sala, Adonis, que estava esfuziante, abraçou Madeleine, orgulhoso.

— Jamais duvidarei de ti de novo, minha senhora.

— Por que se submete a essa gente, Adonis? O que você deve a eles? — Madeleine o afastou com o braço.

— Dependo deles para manter o templo, Afrodite — ele reafirmou.

— Está bem. Mas já viu que não estou disposta a ceder. Aviso que, mesmo que seja você o criminoso, eu vou até o fim disso. Você pediu, o Olimpo o abençoou.

— Sim, minha deusa. Posso dizer que estás ainda mais bela hoje?

— Eu gostei do visual. Sabe de uma coisa? — colocou o braço em volta do corpo de Adonis e apertou-lhe a cintura — Senti sua falta.

Estranhamente, Adonis só a beijou e a envolveu nos braços quando deixaram a Sala dos Conselheiros. Pelo jeito, havia regras sobre quando e onde transar naquele lugar. Nem tudo era permitido. Ela precisava aprender as regras. Sentia-se bem segura de sua permanência no templo. Aliás, sentia-se fulgente.

* * *

Helen estava péssima. Fora ao hotel para conversar com Bill, mas o encontrou no restaurante com sua nova garota. Audrey era bem jovem e bonita, não havia como negar, e parecia saber da tentativa de Helen de ficar a sós com ele, tanto que não arredou pé nem quando Bill disse que queria falar sozinho com Helen.

— Ora, meu bem, logo não haverá mais segredos entre nós. Eu e Helen nos tornaremos boas amigas também. Afinal, seremos uma família. Não era assim com Madeleine?

— Madeleine e eu somos amigas há anos. Não conheço você, garotinha — Helen foi forte.

— Ah, que coisa terrível, Helen. Quero ser sua amiga. Já que eu e Bill estamos juntos, nossa convivência será inevitável.

— Bill, você não vai fazer nada?! — Helen olhou-o, indignada.

— O quê, Helen? — Bill parecia disperso.

— Essa mulherzinha está nos impedindo de conversar. Tenho um assunto importante a tratar com você, e ela está atrapalhando de propósito. Fica me analisando por trás desses óculos escuros ridículos, principalmente se usados dentro de um lugar fechado, e não nos dá privacidade.

— Que estresse, Helen querida! — Audrey desdenhou.

— Não me chame de querida!

Bill tentou conter a raiva de Helen.

— Helly! As pessoas estão olhando. Eu sei que você não gosta de barraco. Segura a onda.

— É, relaxa a prexeca!

O rosto de Helen se transformou. Estava horrorizada com o palavrão dito com tanta naturalidade por Audrey. Inconcebível aquela atitude hostil e definitivamente provocadora. Audrey se achava dona de Bill. Estava certa de que seria a próxima sra. Shelton.

— Bill, você perdeu todo senso de ridículo.

Ele ainda correu atrás dela, e Helen bateu o pé.

— Desculpe, querida. Ela é só uma criança.

— Bill, nunca pensei que você chegasse a isso. Essa garota, mulher ou coisa parecida é muito baixa. Você está decaindo, meu bem, e muito.

— Não força, Helen. Eu não vou casar com ela.

— Faço votos.

Helen preferiu sair sem dizer o que pretendia. Foi um verdadeiro horror a forma como tinha sido tratada. E pensar que se dispusera a contar a Bill sobre Willow e sobre seu amor por ele. Aquela menina provou que a distância entre ela e Bill era cada vez maior.

— Irritada sua amiguinha, não? — Audrey tinha um sorriso vitorioso quando Bill voltou para a mesa.

— Helen não gosta de ouvir palavras sujas.

— Se ela ficasse mais um pouco, ia ouvir poucas e boas. Sua mulher sabia que ela é a fim de você? — Audrey foi além.

— Como é que é?

— Nunca vi ninguém me olhar com tanto ciúme. Mas ela que fique esperando eu deixar você.

— Helen?! Não. Somos bons amigos. Há anos somos os quatro companheiros. Eu, Maddy, Jack e ela.

— Comigo essa amizade não será tão íntima. Se Madeleine fechava os olhos, eu não vou nem piscar.

— Audrey, estou de saco cheio! Cala a boca, senão vai sobrar.

— Desculpe, amor, mas eu não gosto de nenhum jaburu por perto.

— Amiga, Helen é só amiga...

Bill ficou pensando no que Audrey tinha dito. Ele e Helen tinham tido, sim, um caso, mas fazia muito tempo, uma época para lá de distante. Achou bom quando Helen se acertou com Jack, pois queria que ela fosse feliz. Não com ele. Ninguém, além de Madeleine, ficaria a seu lado. Audrey era gostosinha e ainda poderia causar ciúme na esposa se os visse juntos. A garota não era mulher para casar com ele. Se Maddy achasse que ele tinha intenções sérias com Audrey, voltaria desesperada para seus braços.

— CAPÍTULO 23 —

Madeleine nunca experimentou tanta tranquilidade. As pessoas no templo a respeitavam por sua atitude diante dos mestres-conselheiros e estavam ainda mais encantadas. Desta vez ela não teve nenhum tipo de inibição quando entrou no Salão das Águas inteiramente nua. Olhou para os presentes e reconheceu alguns dos que estiveram ali em seu primeiro dia. Cumprimentou-os e chegou a beber vinho com Príapo e outros rapazes, que demonstraram interesse por ela.

Adonis a deixou totalmente livre, mas, em compensação, Madeleine observava de longe a afetação e o cuidado com que Calíope tratava seu garoto. Podia estar mais aberta para novos tipos de relacionamento, mas os olhares de cobiça da mulher-músculo não a agradavam. Defender território não era crime, por isso Madeleine resolveu mostrar que estava atenta.

— Como está, Calíope, ó musa do Olimpo?

— Minha senhora!

Como sempre o olhar desviado atiçou ainda mais o instinto da escritora em Madeleine. Viu-se impelida a provocar a adversária. Sabia que, se a perturbasse um pouco, logo receberia respostas.

— Tenho pensado muito na sua história, sabia? — disse Maddy gentilmente.

— Na minha história?!

— Sim. Não entendo o que leva uma jovem atleta a burlar a lei para obter resultados. Sempre imaginei que essas pessoas tivessem gana de luta e superação. A dor e a quebra do limite costumam ser seus objetivos. No entanto, você pôs tudo a perder, sem ressentimento.

Adonis ficou apenas observando. Não era hora de falar. Qualquer intromissão sua poderia colocá-lo contra uma das duas mulheres. O que não era de seu interesse.

— Tua preocupação comigo, Deusa do Amor, é infundada. Engana-te ao crer que não senti remorso. Sofri. E ainda sofro por meu ato, mas nada mais posso fazer a não ser aceitar minha punição. Fiz e admito.

— Você tem um corpo bem definido, não é masculinizado como as de atletas de halterofilismo. Qual foi o anabolizante que tomou?

Calíope ficou incomodada. Mirou Madeleine da cabeça aos pés com indignação. *Bingo!*, pensou a escritora, certa de ter mexido com os brios da outra.

— Não foi anabolizante. Mas por que tua curiosidade, bela Afrodite?

— Porque fico imaginando o que levaria uma mulher a deformar o corpo e pôr a saúde em perigo somente para obter uma medalha — ela foi direto no coração.

— Uma medalha é um prêmio pela luta, e meu corpo, como bem o dissestes, é firme, mas não disforme — Calíope era boa de respostas.

— Mesmo porque, quando se pretende conquistar um homem, não há nada melhor do que um corpo atraente e feminino — Madeleine se debruçou em Adonis e desceu suavemente sua mão pelo tórax dele. Arrepiado e excitado, ele apertou Madeleine contra si. Calíope demonstrou seu desejo passando o polegar entre os lábios.

Para provocá-la ainda mais, Maddy sorriu libidinosamente para o grego e deu-lhe um beijo escandaloso. Estava certa de que esmagava o ego de Calíope com um pouco de maldade, já que às vezes uma prova de supremacia se fazia necessária. Para surpresa, principalmente da inglesa, a mulher não se fez de rogada e, agarrando-se a Adonis, beijou-o com ainda mais indecência. Madeleine virou Adonis para si, impedindo Calíope de se aproximar.

Quando se pensou vitoriosa, Madeleine perdeu o fôlego ao sentir Calíope acariciando-a na parte mais íntima de seu corpo. Reagiu. Adonis olhou complacente para Calíope e afagou sua nuca, como se a encorajasse a continuar. A língua da grega alcançou o peito de Madeleine e, desta vez, não lhe deu chance de escape. Era forte, deixando a escritora sem ação. Madeleine mal podia respirar, numa mistura de susto e arrepio. Assim foram os três, se embolando, entre beijos triplos e mãos caçadoras. Adonis as levou até um dos almofadados reservados. Esse, porém, era bem claro, permitindo que os detalhes fossem vistos. Duas fêmeas e um macho.

Não havia quem dissesse qual era o mais voraz ou carnívoro, e em algum momento Madeleine se pegou bem excitada com os toques sensuais de Calíope em seu corpo. Prazer, sem discriminação, sem limites, sem barreiras. Seria possível? A moralista inglesa, de renome, agora se guiava pelos instintos primitivos da humanidade, quando homens agiam como bestas-feras, sem regras nem leis. Atuava como uma libertina das peças do Marquês de Sade. Essa não era ela... ou nunca fora outra?

Depois do momento de insanidade temporária, Madeleine conseguiu respirar com calma e pensar. Adonis lhe satisfazia muito, era inegável, mas, por alguma razão, ele a levava a fazer e sentir aquelas coisas. Todos os tabus sociais que Madeleine tinha caíam um a um. Ele a fazia desejar o que nunca pôde imaginar antes em suas fantasias mais obscuras.

Transar com Adonis na frente de pessoas estranhas era uma coisa, ter dois homens numa cama, um fetiche, mas Calíope?! Por que ela o seguia cegamente, experimentando todos os tipos de prazer e luxúria? Aquele ato não tinha exacerbado sua compreensão? Como podia se levantar daquela cama e fingir que tudo era natural? Que se deixava possuir outra vez por mais de uma pessoa, sendo uma delas uma mulher?! Que caminho fazia? O que mais teria coragem de fazer?

Adonis a envolveu com as pernas e deitou a cabeça em seu peito. Madeleine ficou calada, pois não sabia o que dizer. Ele a provocou com um beijo no seio esquerdo, e ela se virou para o outro lado. Deu de cara com Calíope, e o sentimento de culpa veio instantaneamente. Sentou-se no almofadado. Queria sair dali o mais rápido possível. Mas o jovem grego abraçou seu ventre e se jogou em suas pernas, acariciando-a com um beijo.

— Não. Já chega!
— Está brava, bela senhora? — estranhou a outra mulher.
— Só quero ir embora.

Adonis olhou-a como se não entendesse o que se passava.

— Tu te sentes mal, Afrodite?

— Eu não sei o que você pensa, Adonis, mas não costumo transar com uma mulher todos os dias.

— Não há pecado no desejo, minha deusa.

— Pare com isso! Eu preciso pensar no que está acontecendo. Não desejei nada — no mesmo instante se questionou internamente se não tinha desejado mesmo — Qual é a intenção disso?

— Intenção?! Como assim? — Calíope observou Madeleine sair do acolchoado e se refazer, arrumando os cabelos diante de um espelho largo que ia do meio da parede até o chão.

— Vou ser sincera, Calíope. Desconfio de todos aqui dentro. Qualquer um pode ser o criminoso. Mas você é muito mais suspeita, e acho que sabe disso muito bem.

— Suspeita de quê?! — assustou-se a mulher.

— Dos crimes do Tarado de Atenas.

— Eu?!

— Por que o espanto? Você é ruiva, forte...

— Afrodite, nossa musa Calíope não poderia ser...

— Adonis, eu sei muito bem do seu interesse pela "sua" musa. Pude avaliar isso bem de perto hoje. E não se esqueça de que você também é suspeito.

— Entrou em nosso convívio para nos acusar? – Calíope se espantou.

— Exatamente. Todos estão em observação. Adonis, você, seu pai, o juiz, os senadores...

— Trouxe a mulher para nos espionar, Adonis?! — Calíope vociferou.

— Os deuses a mandaram. E tenho certeza de que ela descobrirá o culpado. Mesmo que seja eu.

— Não se importa de ser investigado dentro de seu próprio templo? Maculando nossa sociedade secreta? — O ódio da mulher crescia.

— Afrodite é minha mestra. Foi um presente dos deuses para nós. É nisso que acredito. É a ela que obedeço — Adonis se levantou, foi para perto de Madeleine, reverenciou-a e saiu do reservado.

— Bom, é isso. Agora você já sabe por que estou aqui. Vou desvendar o caso, custe o que custar.

— Apenas para isso? E o prazer, não conta? — Calíope se aproximou de Madeleine rebolando de modo provocante. Aproximou-se, tocou o lado esquerdo do rosto de Maddy com as costas da mão direita e sorriu com sensualidade.

Madeleine segurou a mão da mulher, abaixou-a, fazendo Calíope tocar a si mesma e, quando a jovem grega pensou que receberia um beijo, Madeleine sorriu zombeteira.

— E não adianta me bajular. Fiz apenas um favor ao trepar com você.

A saída estratégica da escritora deixou Calíope enfurecida. Aquela mulher estava mesmo disposta a investigar. *E se ela descobrir?*, pensou. Adonis tinha colocado uma víbora enrolada ao pescoço de todos os membros do templo. Precisavam se livrar dela. Além disso, se Madeleine fosse descartada, Adonis podia ser só seu outra vez. Estava na hora de falar com Telêmaco.

* * *

Madeleine estava decidida a descobrir tudo, o mais rápido possível. Naquela noite, porém, para descontrair, Adonis a convidou para a um casamento em Folegandros, na região das Ilhas Cíclades, perto de Santorini. A cidadezinha era bem menor que as já visitadas por ela. As casas eram construídas em grande parte perto do litoral, e havia duas ou três construções no alto de um morro verdejante, onde também ficava a igreja, tão pequenina que mais parecia uma capela.

O caminho até o topo era feito por uma estradinha perfilada por um muro de pedras caiadas como as das casas locais. As roupas usadas pelos convidados eram bem típicas: mulheres de saias soltas rodadas e vestidos floridos, algumas com lenço, outras com flores na cabeça, sempre muito coradas e sorrindo, e os homens, todos de bigode, acompanhavam suas mulheres felizes de braços dados.

A cidade parecia estar em peso ali, mas bastou Adonis chegar para as atenções se voltarem para ele e Madeleine, é claro. Sabiam que ela tinha vindo para resolver o caso de Atenas. Quase ninguém falava inglês, mas faziam questão de apertar-lhe a mão e às vezes beijá-la no rosto. Afinal, ela era esplendorosa, e nenhum deles deixou de olhá-la e fazer um comentário sobre sua beleza para os amigos. Ela gostava daquilo...

A cerimônia de casamento, bem ao estilo ortodoxo, foi longa, e Adonis chegou a confessar a Madeleine que não entendia muito da simbologia monástica, já que seguia outra religião. Mas, como personalidade nacional, ele fora convidado pelo pai da noiva que, diga-se de passagem, também frequentava o templo.

Após o casamento, seguiu-se uma verdadeira procissão com os noivos, com direito a tochas de fogo, ladeira abaixo. Todo mundo cantava, numa alegria contagiante. Maddy encantou-se com a felicidade simples daquela gente. Logo descobriu o que era servido num evento como aquele, e quanto vinho se bebia. Para alguém acostumada a comer salada e filé de peixe grelhado quase todo dia, aquele banquete engordava só de olhar. Música, dança e risos. Madeleine dançou com vários homens, até com o noivo, e foi muito paparicada. Tirou o sapato, sentou na grama e se divertiu como nunca.

Na volta para Zakynthos, Adonis veio calado, pilotando o hidroavião de Príapo. Enquanto Madeleine cantava e ria, o jovem de vez em quando fixava o olhar nela, triste ou preocupado.

— O que houve? Não achou bom? — Madeleine chamou a atenção dele.

— Claro, Afrodite. Quando estou contigo meu mundo fica pleno.

— Então por que essa carinha de criança sem brinquedo? — ela passou a mão na boca de Adonis.

— Não é nada — Adonis disse apenas.

Madeleine não era de se conformar com fatos sem razões. Adonis estava diferente e, quando chegaram no Templo de Dionísio, inexplicavelmente, pegando um caminho diferente do anterior, outra vez, tentou deixá-la só no quarto.

— Ah, não. Por favor, eu não vou dormir sozinha, não hoje. Fique!

— Pensei que quisesses dormir só, sem aborrecimentos.

Madeleine colocou os braços em volta do pescoço de Adonis e a perna direita enrolada na esquerda dele. Beijou-o com tesão.

— Eu não diria que você é um aborrecimento, meu menino — murmurou-lhe ao ouvido.

— Prefiro deixá-la descansar — Adonis estava intratável.

— Você não quer me contar o que o está preocupando, isso sim. Está com medo — afastou-se, certa de que ele se aproximaria.

— É essa sua implicância com Calíope... — ele finalmente falou.

— Ah, a musa das Artes! Você tem uma quedinha por ela. Estou errada? — Madeleine sentiu a mordida do ciúme.

— Ela aceitou minha crença sem receio nem dúvida.

— Claro, você é bonitão, jovem, culto... Algo difícil de encontrar em qualquer lugar no mundo. Acha que foram os teus deuses que a atraíram? — ela foi dura.

— Mas ela não tem nada a ver com o crime. Eu sei.

— Há quanto tempo a conhece?

— Desde que cheguei.

— Qual é a história dessa moça?

— Calíope teve uma vida difícil. Nasceu pobre, trabalhou logo cedo com a mãe num bar de beira de praia, que atendia pescadores pobres. Aos 18 anos, a mãe adoeceu e contou antes de morrer que Calíope era filha de um empresário rico que morava nos Estados Unidos, Telêmaco — Adonis deitou-se com Madeleine na cama com dossel — Demorou três anos mais até que o pai fizesse um teste de DNA e a reconhecesse. Hoje em dia se esforça muito para trabalhar com o velho Telêmaco, que mesmo agora ameaça não dar a fortuna que cabe a ela caso não seja obedecido.

— Triste. Devo chorar agora? — Maddy ironizou.

— Não sejas insensível, minha deusa. É uma serva tua que precisa de cuidados como todos os outros.

— Diga: ela seria capaz de fazer qualquer coisa que Telêmaco pedisse?

— Sim. É uma boa filha.

— Ou uma interesseira? — Madeleine falou o que pensava.

— O que dizes, Afrodite?! — Adonis estava confuso.

— Pense comigo, Adonis. Alguém que faz tudo, exatamente tudo, o que um pai manda para não perder uma herança não seria uma pessoa que se vende por dinheiro?

Ele apenas ouviu.

— Você se venderia por dinheiro ou venderia sua família?

— Nunca.

— E o ódio que Calíope nutre por esse homem não seria forte o bastante a ponto de fazê-la assassinar homens americanos, de idades aproximadas de quando ela conheceu o pai ou descobriu que era filha de um desgraçado como esse? — Madeleine seguia um raciocínio.

Adonis continuou ouvindo.

— Ela é gostosa, eu sei. Tem um corpo lindo... — algumas cenas protagonizadas por ela e a outra vieram em sua cabeça, e Madeleine sentiu desejo, mas se forçou a deixá-lo de lado —, mas imagine-se como um filho bastardo cujo pai diz que só o aceita se for obedecido em tudo. O que um pai desses pediria a uma filha?

Silêncio.

— Não quero acusar ninguém. Mas são hipóteses que lanço ao vento para ver se encontro alguma ligação nesse caso. Para mim ela é suspeita. Ela e o pai escondem algo — Madeleine finalizou.

— Não crês, deusa, que um pouco dessa tua cisma possa ser... — Adonis falou timidamente.

— O quê?

— Ouso dizer, ciúme?

Madeleine semicerrou os olhos e partiu para cima de Adonis, beliscando-o no braço.

— Estava louco para me dizer isso, não é? — outro beliscão — Só esperando a hora de me provocar.

Adonis se contorceu entre a dor e o riso. Quis dizer que sim ou não, mas ela o jogou contra a parede e deu alguns tapas fracos em seu tríceps. Adonis riu e então segurou-a pelos braços, deixando-a, agora, refém dele. Maddy se debateu e mordeu a orelha esquerda do grego, que sentiu o golpe.

— Só para provar que não sou indefesa.

Adonis levantou-a acima da cabeça, e Madeleine engoliu em seco, contendo o susto. Quando se aproximou da cama, ele a depôs com cuidado no colchão e a beijou no rosto. Afastou-se. Madeleine pensou que ele estava indo embora, mas, antes que pudesse dizer uma só palavra, viu o homem tomar impulso e cair por cima dela com os braços estendidos.

— A mulher sempre deseja a posse, e nós, pobres mortais, escravos de sua beleza e capricho, nos oferecemos em sacrifício.

Ela recebeu um beijo tão apaixonado que demorou a abrir os olhos e se sentir um pouco mais serena.

— Eu não quero sacrifícios. Quero apenas usar o que por ora me pertence — segurou o pênis de Adonis na mão e mordeu-lhe o pescoço. Amaram-se de novo. Sentiu-se flutuar outra vez. Vinham imagens em sua mente que ela não sabia distinguir se eram reais ou ilusórias. Paisagens belíssimas e uma luz radiante. Como se enxergasse um paraíso.

Adormeceram, abraçados e felizes. Mas, durante a noite, Maddy teve a impressão de ouvir sons de gritos e uivos e rugidos. Como se fantasmas tivessem se libertado de seu claustro e circulassem pelos corredores livremente. Corredores que se multiplicavam conforme a necessidade. O templo parecia se expandir para todos os lados. Como se tivesse vida própria.

* * *

Jack sentia-se muito vivo. Acordou bem cedo e percebeu que os rapazes já haviam saído para a praia. Tratou de se arrumar o mais rápido que pôde para aproveitar tudo. A manhã, quente, ainda não havia trazido o sol ardente que brilhava o dia inteiro. Era uma boa hora para passear. A dona da pousada perguntou a Jack, à mesa do café, se ele traria o sr. Jagger para se hospedar lá. Sentiu-se culpado e pensou em confessar que era brincadeira dos meninos, mas depois achou que não faria mal dar esperança para a boa senhora grega.

— Mick vai gostar muito daqui. Claro que falarei com ele.

Deixou a mulher satisfeita e não se sentiu mal. Talvez nunca mais voltasse ali, mas, se voltasse, poderia dizer que não era mais agente do rolling stone. Saiu pela varanda e encontrou Stoo e Jery discutindo. Stewart estava machucado e segurava a peruca ruiva na mão. Quando o viram, a discussão acabou, e os dois tentaram disfarçar. Stoo passou por Jack, mas não disse nada. Então Jery se aproximou, meio acabrunhado.

— O que houve? — Jack se preocupou.

— Stewart andou fazendo graça para uns pescadores ontem à noite e levou uns tabefes. Fico puto quando ele bebe e mostra para todo mundo o show drag queen de Rita Hayworth.

Parecia que o passeio matinal com os amigos tinha sido cancelado. Jack foi caminhar sozinho pela praia. Queria adquirir hábitos saudáveis. Seu pensamento, porém, voltava sempre para a estranha conversa dos garotos. A certeza veio ao retornar. A proprietária da hospedaria comentou que mais um crime tinha acontecido naquela noite. Era a décima vítima. Madeleine precisava saber disso.

***

Ao despertar, Maddy aspirou o perfume de jasmim do peito de Adonis. Como era delicioso acordar naqueles braços rijos, sentindo o pelo macio daquele homem roçando sua pele. Ele abriu os olhos sonolentos e sorriu com seu ar de garoto safado.

— *Kalimera*!
— *Kalimera*!
— Dormiste bem, Afrodite?
— Não muito bem. Ouvi sons a noite toda.
— São os efeitos sonoros dos corredores do templo.
— Aliás, este templo tem corredores mágicos que aparecem e desaparecem. Já cheguei a este quarto por dois caminhos diferentes e saí por uma escada que inexplicavelmente deu no hall de entrada. Como pode isso? — sua verve investigativa falava outra vez.
— Tu és a deusa e o teu desejo te transporta.
— Como assim? — Madeleine riu com a história de deusa.

— Quando saíste do quarto pensavas em quê?
— Queria encontrar você — ela beijou Adonis.
— Eu ali estava.
— Você está querendo me dizer que é magia? Que basta querer ir a algum lugar aqui dentro que eu simplesmente vou?
— Tua é a mente, teus são os poderes.
— Perdoe os céticos, meu senhor, mas não consigo alcançar o que você enxerga.
— Ainda não é tua hora. Mas aguarda que logo chegará.
— Outra coisa, Adonis, eu remoí a ideia a noite toda — Madeleine tinha um ar pensativo — Por que você afirma tanto a inocência de Calíope?
— *Sig-nomi, paracalò!*
Madeleine viu Adonis olhar para o teto e murmurar algo como se rezasse.
— O que foi? — ela olhou para o mesmo lugar.
— Precisas saber por que inocento Calíope, deusa?
— Claro! — Madeleine abraçou Adonis com o corpo.
— Ela estava comigo quando acharam o corpo no templo.
Bill estava errado, Adonis tinha um álibi. O problema é que o álibi era "ela".
— Ela estava com você, e vocês estavam...
— Sim, nos compartilhávamos.
— Comparti... sabe, estou começando a odiar essa mulherzinha — Madeleine bufou.
— Não. Não jogues teu ódio ao vento, minha senhora. Teu poder pode levar Calíope ao Hades sem retorno.
— Se eu tivesse mesmo poderes, meu querido, faria Calíope engordar e perder todos aqueles músculos bonitinhos — ela caiu por cima de Adonis, rindo.
— Afrodite, quanto tempo esperei pela tua vinda! Mas agora sei que todos os sacrifícios valeram.
Madeleine parou de beijar o corpo de Adonis.

— Como assim? Que sacrifícios? — ela não entendia.

— A solidão, a busca incessante.

— Adonis, você me vê mesmo como a Deusa do Amor, não é?

O jovem colocou Madeleine gentilmente deitada no colchão, beijou-a e se levantou ao perceber alguém no quarto.

— *Sig-nomi*, mestre, mas há um homem chamado Jack no portão de entrada querendo falar com Afrodite — era Pã, o menino-bode.

— Leve-o para meu escritório. Já vamos.

Madeleine saboreou Pã com os olhos, enquanto ele se curvava em reverência ao deixar o quarto. Ela pensou em como seria bom estar com Adonis e Pã ao mesmo tempo. O forte e o frágil. Talvez acabassem acontecendo coisas que ela ainda não estivesse preparada para ver. A fama dos gregos na Antiguidade era suspeita. Pensou se Adonis também tinha experiência com o mesmo sexo. Se a resposta fosse sim, ele podia se incluir no tipo travesti, com uma peruca ruiva…

* * *

— Jack, mas Stoo esteve em Atenas ontem à noite? — Madeleine perguntou depois do relato de Jack.

— Não sei. Ele sumiu lá pelas seis da tarde. Jery ficou bravo. Talvez porque soubesse que Stoo ia se dar mal. Mas e a peruca? Eles disseram que era uma brincadeira entre eles, de repente o cara sai e volta só no dia seguinte, cheio de porrada.

Madeleine riu.

— Que foi? — Jack não entendeu o riso.

— Jack, você falando igual aos meninos é engraçado. Helen morreria de desgosto se estivesse aqui.

— E ela, como está? — Jack quis saber.

— A última vez que a vi foi no dia em que a deixei num hotel em Atenas. Tenho passado a maior parte do tempo aqui, Jack, no antro de perdição… Meu amigo, têm acontecido umas coisas muito esquisitas. Eu não sou eu mesma…

— Como assim?

Madeleine achou melhor não assustar Jack.

— Deixa pra lá. Bom, pedi a um colega do Bill na Interpol para me mandar os dados de todos os suspeitos, e isso inclui seus amigos. Vamos tirar a prova. Estou indo para lá agora, quer vir com a gente?

— CAPÍTULO 24 —

Jack não quis ir a Atenas por receio de encontrar Helen e, depois de todas as ofensas, seria bom tirar umas boas férias da ex. Maddy e Adonis se despediram dele e partiram para Atenas. O fato de ter ocorrido o décimo assassinato já estava chocando o mundo. Todos os americanos com mais de 40 anos estavam deixando a Grécia. Um caos para o turismo e para a economia, que já ia de mal a pior. Alguns diziam que eram os terroristas, pois três das vítimas tinham relação com organismos governamentais norte-americanos.

Alguém precisava deter esse assassino de qualquer maneira. Mas as pistas eram tão ínfimas que os policiais estavam perdidos. Foi assim que, precisando de todos os que pudessem cooperar, o delegado Hermes tinha em mãos uma liberação da Interpol para que Madeleine pudesse trabalhar livremente com as informações da polícia. E foi quando retirava do computador as informações enviadas por Johnson que William Shelton a viu. A princípio ficou feliz, mas logo endureceu ao ver Adonis junto.

— O que você faz aqui com esse criminoso? — ele chegou pronto para sacar a arma do coldre.

— Não há nenhum criminoso aqui, William. Estou buscando informações para colaborar com o caso — Madeleine falou com calma.

— E desde quando eu dei permissão para você ajudar? — ele se impôs.

— Você?!

— Eu estou no comando aqui.

— Verdade? Bom, querido, alguém se esqueceu de avisá-lo que tenho autorização para acessar as informações do caso.

Mostrou a autorização, que Bill lhe arrancou das mãos e leu irritadíssimo. Tinham lhe passado a perna de novo. Não confiavam nele. Queriam a mulher. O sangue lhe subiu à cabeça.

— Dá esses documentos, Madeleine — ele estendeu o braço.

— O quê?! — ela deu um passo atrás.

— Quero esses papéis que você pegou na impressora.

— Ainda não vi o que tem aqui.

— São informações para a polícia, não é?

— Não. Eu fiz uma pesquisa por minha conta e vou combinar dados para ter uma ideia dos fatos.

— Está investigando a corja do seu amante, né? Só você sabe quem são, já que está trepando com todo mundo naquele puteiro.

Adonis ameaçou partir para cima de Bill, mas Hermes, que estava por perto, o conteve. Madeleine deixou uma margem de segurança entre ela e o ex-marido. Juntou gente para ver o que acontecia.

— William, eu sei que você está nervoso, com raiva, tudo bem. Entendo. Mas o que está em jogo aqui são vidas humanas. Não é uma disputa de poder nem ciúmes.

— Eu vou... — Bill levantou a mão para bater nela, mas foi contido no mesmo instante. Ele estava ameaçando Afrodite, a Deusa do Amor, a divindade personificada, até os policiais sabiam disso. Hermes prometeu colocá-lo na cadeia se encostasse um dedo em Madeleine. Bill se desesperou. A escritora tinha prestígio, mas ele, insignificância. Respirou fundo e permitiu que a mulher ficasse no caso. Agiria de outra forma.

— Bill, precisamos atuar juntos para capturar esse psicopata — Madeleine tentou fazê-lo ver a razão.

— Você tem razão. Desculpe, você está certa. Vamos conversar em particular — os homens reclamaram — Juro que não vou tentar nada. Só quero explicar uma coisa. Posso usar sua sala, xerife?

Hermes olhou desconfiado para Bill e depois se virou para Madeleine, como se pedisse aprovação.

— Ele não vai ser besta, delegado. Tudo bem.

Apesar dos protestos de Adonis, que implorou para Maddy não ficar sozinha com o ex-marido, somente os dois entraram na sala. Bill sorriu vitorioso para o jovem e tentou fechar a persiana do escritório, mas Madeleine exigiu que ficasse aberta. Ele aceitou. Daria um jeito de conseguir o que queria. Sempre conseguia.

— Eu não acho que esse cara seja legal para você, Maddy.

— Sua opinião não me interessa — ela sentiu que ele tentava ganhar tempo.

— Sabe que ele pode ser preso a qualquer momento?

— Por quê? Você tem provas? — Madeleine o enfrentou.

— Você vai *dar elas* para mim.

— Eu?! Bill, eu já disse...

— Pode escolher: me entrega as fichas que tem nas mãos e pode ficar com o palhaço grego ou...

— Ou o quê?!

— Eu boto ele na cadeia, e você vai ter que pedir licença para fazer visita íntima para o veado.

— Chantagem, William Shelton?! O que sabe do Adonis que eu não sei? — Madeleine queria saber onde pisava.

— Tudo. Você acha que eu não investiguei o imbecil? Ele tem os dias de liberdade contados, boneca.

Madeleine olhou preocupada para Adonis. Ele percebeu.

— O que exatamente você descobriu?

— Você não vai dividir os seus achados comigo, por que eu vou falar os meus para você?

Bill está blefando?, ela duvidou.

Pelo vidro, ela olhou fixamente para o jovem grego. Adonis quis entrar na sala, mas ela recusou, balançando a cabeça.

— Você não tem certeza de que ele é inocente, tem? — ele riu ao perceber que alcançava seu intento. — Ele é misterioso, caladão...

— Tampouco tenho provas de que seja culpado. E se você tivesse certeza de que é ele, não estaria querendo minhas informações.

Ela sempre achava uma saída. Mas não dessa vez.

— Só que eu tenho mais evidências de que é ele. E estou reunindo provas... Faz tempo — Bill murmurou ao ouvido dela.

O olhar de Madeleine para Adonis foi desesperador. Não era ele. Correria o risco de entregar as provas a Bill para salvar o amante? E se fosse ele? Entregaria de mão beijada as provas que Bill talvez não tivesse antes. Seria um embuste do ex-marido? Ao mesmo tempo, se ele era o assassino, arriscaria a própria vida ficando ao lado de um matador louco?

— Eu preciso de tempo para pensar. Quero olhar os documentos.

— Está certo. Eu dou um tempinho. Até amanhã, está bem? — Bill tinha certeza de que Madeleine faria o que ele queria.

— Amanhã. Eu respondo amanhã.

— Aproveite e deixe uma anotação de um palpite seu para o criminoso. Um nominho já estaria ótimo.

Quando abriu a porta do escritório, Madeleine suava, sem ar. Sentiu a pressão do ex-marido. Não gostava de chantagem. Estava numa posição difícil. Hermes perguntou o que deveria fazer.

— Espere, Hermes. Espere — respondeu.

Madeleine recolheu seus documentos e voltou para o Templo de Dionísio. Bill observou os "pombinhos" com um sorriso sarcástico.

No templo, a conversa de Madeleine e Adonis foi curta. Ela disse que precisava avaliar o material para pelo menos tirar alguma conclusão. Ficou separando os arquivos enquanto Adonis, sentindo-se intruso, foi buscar alguma coisa para comerem. Sozinha, tantas coisas passaram na cabeça de Maddy que ela não se concentrou. Não conseguia se prender às palavras.

Forçou a mente, pegou duas fichas: Telêmaco e Calíope Kostas. Ele, empresário greco-americano, principal atividade: importador e exportador de remédios. Ela, formada em Educação Física, atleta e dona de uma rede de academias. Remédios, academias, suplementos, importação, tráfico, raciocinou ela. Verificou alguns dos nomes de clientes e veio a confirmação. Pai e filha trabalhavam juntos num tipo de tráfico de remédios. Ele trazia ao país, e ela distribuía em suas academias. Por isso foi pega no doping. Estava provando alguma droga trazida pelo pai.

— Eureca!

— Descobriu o assassino, minha deusa? — Adonis se aproximou.

— Infelizmente não. Mas descobri uma ilegalidade muito prejudicial para o seu templo.

— Ilegalidade?! — ele se assustou.

— Telêmaco e Calíope traficam medicamentos. Ele tem três processos correndo na justiça, e ela já teve suplementos ilegais encontrados à venda em suas academias, além de ter sido pega no doping.

— É verdade?! — Adonis pareceu sincero em sua surpresa.

— Eu não disse que você devia tomar cuidado com os safados que frequentam seu venerado templo? O sexo fácil atrai esse tipo de gente, meu caro. Tudo faz parte do submundo.

— Minha intenção e a de muitos aqui dentro é apenas a alegria de alcançar a satisfação plena, adorar os deuses e buscar a paz — Adonis falou com força para tentar acreditar nas palavras.

— Sua intenção e a de seus amigos? Você ou é muito ingênuo ou está metido até o pescoço em tudo isso. Comparando as demais atividades dos outros membros da sua sociedade secreta, tenho certeza de que vou encontrar negócios escusos de todos eles. Juiz, senador, médico… é uma máfia, Adonis. Não diga que desconhecia isso.

— Só aceitei a ajuda deles para realizar minha missão aqui na Terra.

— Sua missão é levar o prazer a todos os que procuram? — ela indagou.

— A alacridade de saber que existem forças divinas que os auxiliam na vida terrena. Que os deuses não esqueceram os mortais e… — Adonis abaixou a cabeça, envergonhado — Sou indigno de ti, perdão, Afrodite. Falhei na confiança que depositaste em mim — estendeu os braços para o alto — Ó Zeus, senhor de todos os poderes, carregai teu servo infiel para o Hades. Que eu nunca mais possa conviver com os seres vivos!

— Não diga uma bobagem dessas! Que Hades que nada! — Madeleine se irritou com a passividade de Adonis sem saber muito bem por quê. Talvez por ele acreditar tanto naquela história de Olimpo, ela realmente temia que alguém lá em cima ouvisse a prece.

— Essas pessoas se aproveitaram da minha crença. Calíope, a quem tanto prezava, Telêmaco, que tinha a honrosa posição de mestre-conselheiro, os outros…

— Você tem certeza de que não sabia de nada disso?

— Por todos os deuses, não.

Madeleine olhou bem nos olhos do grego. Por algum motivo acreditava nele, mas os demais o acusariam com razão. Tudo o que acontecia ali dentro era culpa dele. Impossível ser assim tão inocente. Ele não parecia mesmo deste mundo. Não tinha defesa, era misterioso, exótico, à parte da sociedade comum, tinha hábitos sexuais estranhos ou, no mínimo, diferentes. Então veio uma ideia em sua mente. Se o assassino era mesmo um travesti, poderia Adonis, com algum desvio psicológico, ser o assassino? A pergunta que antes evitara saiu sem que pudesse evitar.

— Você já teve algum relacionamento homossexual, Adonis?

— Relacionamento... não.

Sentiu-se mais tranquila.

— Mas se perguntas se já fiz sexo com outro homem... sigo os antigos costumes, minha senhora. Creio no poder dos deuses do Olimpo. Respeito nossas tradições antigas.

Sim, pode ser ele.

— Vamos entregá-los à polícia. Eu e você — Madeleine decidiu.

— Não posso expô-los. Eu prometi.

— Mas como vai ser?

— Se é assim que os deuses determinaram meu destino...

Madeleine suspirou, melancólica. Mesmo que Adonis fosse inocente, William Shelton não perderia a chance de culpá-lo.

* * *

— Como vão as investigações? — indagou Audrey, preparando um drinque para Bill.

— Madeleine estava lá, reunindo informações. Aquela desgraçada sabe o que procura. E tem prazer em me fazer de idiota. Todos me olham com piedade: "a mulher sabe mais que ele". Odeio quando ela faz isso. Mas também vou cortar as asinhas daquela puta.

— Como assim? — Audrey ficou curiosa.

— Eu disse que vou colocar aquele moleque barbudo na cadeia se ela não me fornecer as informações que obteve.

— E você tem provas contra o moço?

— Claro que não, idiota! Estamos no escuro como no início das investigações. Mas ela não sabe disso. Para que o amantezinho não seja preso, ela vai dizer tudo o que sabe, e eu vou achar o assassino.

— Mas se não há provas contra ele...

— Sou um policial, boneca. Sei muito bem como forjar essas provas. O que ela não sabe é que, mesmo que me dê o material do crime, ainda assim vou levar aquele maldito para trás das grades.

— Por quê? — a moça achou um absurdo o truque.

— Porque Madeleine é minha e vai voltar pra mim custe o que custar — Bill tinha ódio nos olhos.

— Pensei que você tivesse desistido dessa ideia, Bill. Que nós dois pudéssemos ser felizes juntos.

— Nós?! Até quando eu vou ter de falar para você, idiota? Madeleine é minha mulher. É com ela que eu vou ficar.

— Mas você nem gosta dela... — Audrey estava atônita.

— E daí? Somos casados, e casamento é para sempre.

De repente Audrey caiu em si e viu que Bill jamais seria dela. Ele nunca abandonaria a esposa, nem que tivesse de forçar Madeleine a viver ao lado dele eternamente. Seu sonho de ser a sra. Shelton ia por água abaixo. Era o fim. Terminou de preparar a bebida e brindou com Bill.

— Ao sucesso!

* * *

Os pesadelos atormentaram o sono de Madeleine. Morfeu não a deixou relaxar um só minuto. As dúvidas, o mistério não solucionado e o medo de prender Adonis martelaram sua mente a noite toda. Por mais que se esforçasse, não encontrava uma saída. Nem conseguiu verificar metade dos documentos que tinha em mãos. Talvez por temer que Adonis fosse mesmo o assassino.

Mas os deuses lhe diziam que não era ele. Por que tentava se convencer? Deixou que as emoções dominassem seus atos. Outrora não era assim. Sempre fora mais razão que tesão. No entanto, descobriu tantas falcatruas dos mestres-conselheiros e das famílias nos documentos que leu que estava certa da detenção de Adonis. Ele assumiria tudo para não denunciar seus sócios. Para ele era uma questão de honra. Não diria nada e seria preso para manter sua palavra. Protegeria os canalhas.

Acordou cedo e apenas visualizou as letras dispostas nos papéis. Lembrou que Bill pedira uma dica. Anotou no final de uma das fichas, que escolheu aleatoriamente: "O assassino sou eu." Recolocou a ficha na pasta e acordou Adonis para mais uma vez, talvez a última, chegar ao orgasmo.

De manhã, o amante ainda questionou a entrega das provas, mas Madeleine disse que também aceitava seu destino.

— CAPÍTULO 25 —

Bill acordou estranho. Não conseguia se mexer direito e estava tonto. Ao abrir os olhos, a vista era turva, e o ambiente tinha pouca luminosidade. Quis mover os braços, mas as mãos pareciam fixas no espaldar da cama. Olhou para tentar ver o que o prendia. Estava algemado. Tentou chamar Audrey, mas notou que havia um esparadrapo em sua boca. As pernas? Amarradas por cordas. Estava completamente despido e nem desconfiava por quê.

— Dormiu bem?

Viu Audrey sair do banheiro e se aproximar dele. Esperneou quanto pôde, indicando que exigia ser solto.

— Pare de se mexer, só vai se machucar. Devia ter pensado nisso antes. Dei mil chances para você entender que tinha de casar comigo.

Bill não entendia nada. Estava furioso. A cabeça doía, e o resto do corpo também. Fosse qual fosse o jogo sexual que Audrey queria fazer naquele momento, não estava interessado. *Criança chata!* Debateu-se.

— Que é que há, Bill? Não percebeu que não vou deixar você sair daí? Esperei tanto por você. Rezei para que me salvasse das garras daquele velho. Cada vez que ia lá em casa, eu tentava falar para você o que acontecia. Mas nunca me olhou como olhava para minha mãe. Eu tive paciência. Sabia que um dia você ia me notar.

Bill franziu o cenho e tentou se levantar da cama. Impossível.

— Eu disse que não vai sair. Teve sua chance. Podia ter se separado daquela outra e vivido feliz comigo. Mas não — a voz de Audrey tornara-se mais forte e grossa. — Quer continuar vivendo infeliz, com uma mulher que não ama, somente porque não consegue admitir que ela é mais inteligente, mais esperta, mais capaz. Sempre foi ela quem resolveu seus casos, não é? Queria escravizá-la, continuar mantendo a genialidade dela a seu serviço. Ah, Bill! Se Madeleine conhecesse você como eu conheço, teria desistido na primeira. Você nunca a amou. Era só inveja. Queria ter o que não podia ser. E ainda quer.

O homem amarrado percebeu que havia algo diferente nos olhos de Audrey. Um brilho que nunca tinha visto.

— Esperei. Tinha sete anos, era gorda, usava óculos, aparelho nos dentes. Quem ia me enxergar? Mas quando vi você pela primeira vez soube que era o homem da minha vida. Meu salvador. Nem as vezes que peguei você e minha mãe na cama me fizeram desistir.

Bill arregalou os olhos. Do que aquela menina estava falando? Quem era a mãe dela?

— O velho nunca desconfiou. Jamais imaginou que o parceiro dele fosse traí-lo com a própria mulher. Era um carrasco. Batia na mãe e na filha, mas o amigo, o jovem e promissor agente federal, o filho com que ele sempre sonhou? Não, nunca trairia o pai-parceiro experiente. Quando você foi transferido, ele chorou dia e noite e ficou pior do que antes. Não pense que depois que minha mãe morreu de desgosto ele melhorou, não. Não bastou eu ser a melhor agente da Interpol. Mais graduada que ele. Eu era mulher, era lixo. Tinha de apanhar. Por mais que fizesse, nunca seria perfeita para o grande agente Masterson.

Masterson, Herbert Masterson?, Bill se lembrou. Era dele que Audrey falava? Mas o sobrenome dela não era Sunders? Bill se apavorou.

— Veja, Bill. Eu emagreci, cresci, uso óculos só para ler. Não me acha bonita? — Audrey se deitou sobre o peito de Bill, mas ele fechou os olhos, sentindo asco, e tentou se soltar — Seu pateta! Por que tinha de estragar tudo? — tirou uma navalha do bolso da calça jeans que usava. — Sabe o que vou fazer? Eu não queria, mas você me obrigou... — passou a navalha de leve pelo pênis de Bill, depois deu um golpe rápido com o instrumento.

* * *

— Tem certeza, Afrodite?
— Absoluta.

— Mas darás de bandeja as informações que tiveste tanto trabalho para obter? — ele não se conformava.

— É isso ou a sua prisão. Mas fique sossegado, não achei nenhuma pista do assassino. Bill também não vai encontrar.

Os dois entraram no hotel. Madeleine estava decidida.

— Tu mesma disseste que não pôde ler tudo. Como sabes que ele não achará?

— Bill nunca teve paciência para ler relatórios, laudos médicos. Detalhes idiotas, como ele diz.

— Nossos amigos serão denunciados.

— Adonis — ela parou de repente no meio do hall do hotel —, você está escondendo alguma coisa de mim? — ele balançou a cabeça rapidamente em negação — Então deixe comigo. Quem os está dedurando sou eu, não você. Os deuses me escolheram.

Pensando dessa forma, para Adonis era um consolo o fato de os deuses guiarem Madeleine para realizar a tarefa de acusação. Mas a verdade era que ele a trouxera para o templo. Quando o elevador chegou ao andar, Madeleine bateu à porta do quarto. Demorou. Bateu forte três vezes, e então Audrey apareceu, com hematomas no rosto.

— Olá, Audrey, desculpe incomodar, mas preciso falar com Bill. Prometi a ele que traria uns documentos hoje.

— Bill... ele não está. Saiu...

Madeleine ouviu sons dentro do quarto. Será que Bill não queria atendê-la? Mas ele estava tão ansioso no dia anterior... Olhou para Audrey. Ela pareceu impaciente, parada à porta, bloqueando sua visão de dentro do quarto com o corpo. Madeleine avistou um pequeno pedaço do mancebo, perto da porta, que aparava um paletó preto. Igual ao que Bill usava.

— Engraçado, parece o paletó dele. Nunca o vi sair sem.

— É meu! Também uso esse tipo de paletó. Uniforme, sabe?

Definitivamente Audrey estava nervosa, irrequieta e queria se livrar dos visitantes.

— Está certo, obrigada.

Madeleine ouviu de novo um barulho dentro do quarto, como se batessem na parede. A porta quase bateu em seu rosto. Afastou-se fisicamente, mas sua mente ainda estava lá. Por que Bill não queria falar com ela? Era ele que tinha mais pressa em ver as anotações. *Será que não quer ou não pode falar comigo?*, ela se perguntava.

— Adonis, vamos pela escada, preciso de tempo para pensar.
— Pensar no quê? — Adonis seguiu-a, atento.
— Ela tem um olho roxo, você viu?
— É, ela estava ferida.
— Parece que apanhou. Será que foi o Bill?
— Achas?!
— Ele já me deu um tapa.
— Insolente! — Adonis ficou nervoso.
— Tem algo errado nisso tudo. Alguma coisa me diz, eu quero raciocinar...

Maddy foi descendo a escada, e Adonis a acompanhou. Ele segurava a pasta com os papéis e sentia-se melhor com o fato de não os ter entregado ao ex-marido. Teria tempo de convencer Madeleine a não fazer a denúncia até que sua missão fosse concluída.

— Dê-me a pasta, Adonis, por favor.

O grego lhe entregou a pasta e ficou curioso. O que Madeleine podia encontrar naqueles documentos, ali, no meio da escada? Maddy pegou o calhamaço de dentro e foi folheando, lendo rapidamente. Murmurava nomes e palavras incompreensíveis.

— Aqui. Eu sabia que Jonhson tinha mandado o relatório dela também. Deixe-me ver: nome, idade, mãe e pai falecidos, estudo, trabalho... blá--blá-blá... Entrou na Interpol aos 20; meu Deus, o que está errado, o quê?

A segunda página trazia um laudo da perícia: "Herbert Masterson, homem caucasiano, de 45 anos, morto com cinco machadadas, no quintal de sua casa, teve o pênis decepado". Logo abaixo, Madeleine viu sua anotação: "O assassino sou eu".

Ela deu um grito curto.

— O que foi, Afrodite?
— Vamos, venha comigo, Adonis! Corra!

Ela subiu a escada feito louca, e o grego a seguiu, sem entender o que acontecia.

* * *

— Viu o que eu disse, Bill? Não devia ter me ignorado. Não podia considerar Madeleine mais importante do que eu. Eu teria cuidado de você. Só eu seria capaz de aguentar suas traições, contanto que eu fosse a principal, a única esposa. Mas não, você nem me notou. Tive de matar para chamar sua atenção...

Bill olhava para baixo e via a raspada de pelos pubianos da parte de cima de seu pênis. Tremia dos pés à cabeça.

— Ela ainda veio aqui, para se sacrificar pelo amante. Você? Você foi incapaz de abdicar de qualquer coisa por ela ou por mim. Pode espernear, não vou perdoar você como ela fez. Disse que me amava só para continuar me comendo. Filho da puta! Não me ouviu. Meu pai também não me ouvia...

* * *

No final da escada, Madeleine ofegava, mas se esforçou para chegar logo à porta do quarto.

— Adonis, arrombe a porta!
— O quê?! — ele olhou para a madeira maciça.
— Faça o que eu estou falando. Chute logo!
— Madeleine, eu não tenho força para arrebentar uma porta dessas.
— O que aconteceu com "teus são os poderes"?

Adonis continuou atônito.

— Não estou brincando, a vida de Bill pode depender disso.

Ele começou a procurar pelas paredes algum objeto para forçar a porta. Aflita, Madeleine se deu conta de que só um milagre resolveria.

— Grego, rogue aos teus deuses! Senhores do Olimpo, enviem a força de Hércules!

Mal Madeleine acabou de pronunciar as palavras e viu Adonis levantar os braços para o alto. De repente, uma luz muito forte desceu pelo teto, inundando o corredor e iluminando o corpo dele por completo, como se o estivesse queimando. Madeleine arregalou os olhos e se encostou contra a parede. A luz foi diminuindo, retraindo-se para o alto. Adonis deu um chute lateral perto da maçaneta e a porta se abriu como se fosse papel. Mesmo assustada, a escritora entrou no quarto. Audrey veio com a navalha para cima dela, mas Adonis se pôs na frente dela e começou a lutar. Maddy correu para perto de Bill.

Cada golpe desferido por Adonis era bloqueado por Audrey. A navalha voou longe, e ela, descontrolada, começou a gritar como louca, avançando com um poder descomunal para cima do oponente. Era inacreditável a força daquela menininha. Adonis levou um soco no estômago que o deixou tonto, depois outro no rosto. Aonde tinha ido parar a força de Hércules? Os deuses o tinham abandonando? Madeleine, prevendo a derrota do jovem, pegou o abajur do criado-mudo, arrancou o fio e, quando Audrey se virou para atacá-la, golpeou a lateral da cabeça da garota com força. Audrey desabou.

— Pelos deuses! — exclamou Adonis com a mão no estômago.

— Forte, não?! — Madeleine olhou aliviada.

Enquanto Adonis amarrava Audrey com o fio do abajur, Madeleine puxou o esparadrapo da boca de Bill. Ele gritou de dor e pavor.

— Tudo bem, Bill? — Madeleine sorriu.

Ele tinha os olhos fixos na moça que acabava de ser amarrada por Adonis. Madeleine pegou a navalha no chão e sentou-se na cama, passando a mão por cima do corpo de Bill.

— Não, não, não!

— Calma, Bill. Só vou cortar as cordas dos seus pés. Meu Deus, como vocês têm medo de perder essa coisa no meio das pernas. Depois somos nós que temos complexo do pênis...

— Ela me dopou — disse o agente da Interpol com a voz trêmula — Eu não podia me mexer.

Madeleine pensou onde estariam as chaves. Pediu a Adonis que procurasse nos bolsos da roupa de Audrey. Estavam lá. Soltou o ex-marido, que tratou de cobrir o sexo com as mãos. Ele olhou com terror para Audrey. Ainda sentia o medo de ter o pênis amputado. Era Audrey. O tempo todo esteve ao lado do assassino e nunca desconfiou. Madeleine tinha desvendado o crime mais uma vez.

* * *

Hermes chegou rapidamente para prender a criminosa. Audrey já estava recobrando a consciência a essa altura. Vestido, Bill olhou para a jovem, inconformado. Não entendia como aquela menina de aparência dócil, que dizia amá-lo, podia ser tão forte, capaz de carregar corpos três vezes maiores que o dela? Era um monstro em forma de gente.

— Surpreso, Bill? — perguntou Audrey, mas ele apenas a olhou com olhos arregalados, sem conseguir emitir um som. Estava perplexo — Não diga que eu não tive paciência com você, foram 16 anos de espera. Eu lhe dei a chance de tratar uma mulher com respeito. Se você tivesse sido gentil comigo ou aprendido a desvendar crimes com sua mulher, não teria passado por isso. Parabéns, Madeleine.

A escritora, Adonis e Bill observaram o carro desaparecer na esquina da rua. A sirene soava alto, e teve de ser aberto um corredor no meio dos curiosos para que pudesse passar. Todos estavam ali para ver o rosto da morte. Todos queriam conhecer o Tarado de Atenas. Era grande o contingente de pessoas no local. Mas Bill sentia-se mais solitário do que nunca. Tinha se tornado vítima do caso que acreditava resolver; a garota que dizia que o amava era uma psicopata perigosa que quase o matara, cortando seu pênis para enfiar em sua própria boca. A esposa que Bill acreditou que ficaria com ele para sempre tinha arranjado um amante dez anos mais novo, e os dois estavam felizes juntos. Nada parecia dar certo. Era um grande fracasso. Até o orgulho de ser agente da Interpol tinha se acabado. Pirou. Era o fim.

— Bill. Tem certeza de que não quer ir para o hospital? Você parece ter ficado muito abalado com isso tudo — Madeleine segurou o braço dele.

— Não, Maddy. Vou encarar essa sozinho — William sentiu a solidão pesar.

— A gente nunca está só, Bill. Por que você não procura Helen? Ela precisa falar com você. E também quer companhia.

— Helen?!

— Isso, Bill. Tenho certeza de que você vai gostar de ouvir o que ela tem para dizer.

— Está tudo acabado para mim, baby! Não há nada para gostar.

— Sempre existe uma porta que não foi aberta, William Shelton.

Bill apertou-se contra a mão que tocava seu rosto.

— Fui um cretino todo esse tempo, não fui? — ele a olhou, sério.

— O importante é querer mudar e agir. Ouça o que eu digo ao menos uma vez. Vá falar com Helen — Madeleine deu um beijo no rosto de Bill, que estava muito triste por ter de encarar a sua realidade.

O agente Shelton ficou admirando de longe a mulher seguir pela calçada abraçada ao grego. Bill achou-a tão linda, tão radiante. Sabia que havia perdido a chance de ser amado por uma grande mulher. Sabia que tinha jogado fora sua oportunidade de ser feliz. Madeleine era a mulher que todos os homens desejariam ter a seu lado. Ele a teve, mas nunca a fez tão feliz como naquele momento.

EPÍLOGO

Algum tempo se passou desde a solução dos assassinatos na Grécia. Audrey Masterson, ou agente Sunders, foi condenada, nos Estados Unidos, por crimes hediondos e aguardava no corredor da morte de um presídio de segurança máxima sua sentença ser executada. Os guardas que tinham contato com ela diziam que todo dia ela esperava pela visita do pai e do noivo.

William Shelton descobriu ser pai de Willow, desistiu de trabalhar como investigador e se transferiu para os serviços internos da organização, em Boston. Não viajava mais. Casou-se com Helen depois que ambos se divorciaram e descobriu que tinha muito jeito com as crianças. Paizão tanto para a própria filha como para Daniel, filho de Jack. Já não era o mesmo Don Juan de antes, Helen fazia marcação cerrada, mas ainda dava umas escapadelas.

"Afinal, ninguém é de ferro", costumava dizer aos amigos.

Depois de viver um tempo na Holanda e badalar bastante com Jery e Stoo, Jack Wippon mudou-se para a Suíça, onde conheceu Mark, um homem maduro que também tinha saído de um casamento heterossexual de muito tempo. Eles jogavam golfe. Jack continuou como agente artístico de Madeleine, só que os dois quase não se viam por conta da distância geográfica. O último livro da escritora, feito em Zakynthos, foi o maior sucesso. Noite de autógrafos lotada. Todos querendo conhecer a mulher que tinha desvendado o caso do Tarado de Atenas. Sucesso tão estrondoso que nem Maddy nem Jack precisariam trabalhar mais pelo resto da vida. O romance começava assim:

Quando se é pequeno, muitas coisas que as outras crianças dizem nos magoam, principalmente se você é gordo, baixo e usa óculos. Mas as coisas podem mudar. A adolescência transforma meninos em homens, meninas em mulheres, então...

* * *

Madeleine deitava-se sobre as almofadas, completamente nua e satisfeita. Tinha certeza de ter feito a escolha certa. Tornou-se uma amante ardente e conhecedora profunda das tradições da Grécia Antiga. Era a soberana no santuário. A primeira mulher a ser mestre-conselheira no Templo de Dionísio.

Depois da denúncia feita à polícia, Telêmaco e Calíope foram presos por tráfico, juiz e senadores afastados dos cargos. Ninguém mais com tendências corruptas foi aceito como membro da sociedade. A própria Madeleine se encarregava de investigar a vida do possível sócio antes de aceitá-lo no templo.

Considerada tão importante quanto Adonis, ela recebia as honras e glórias dos habitantes das ilhas e era uma convidada especial em todos os grandes eventos. A única coisa que Madeleine ainda não conseguia entender era o que de fato tinha acontecido no dia em que foi descoberto que Audrey era a serial killer.

Adonis continuava a dizer que os deuses os tinham ajudado, mas Maddy queria uma explicação científica para o caso. *Que diabo de raio era aquele que saiu do teto direto para a cabeça de Adonis?*, repensava. E todas as outras coisas estranhas que ocorreram com ela desde que colocara os pés na Grécia. Os sonhos, os desejos, a luxúria, tudo o que de estranho adveio. Precisava entender. Saber quem era.

Uma noite, pediu a Adonis para explicar o que aconteceu ou, então, para fazê-la crer de verdade nos deuses. Queria acreditar naquilo em que ele era pio.

— Pois se assim o desejas, minha senhora, falarei na linguagem antiga, usada pelos homens antes mesmo de a Torá, o Alcorão ou a Bíblia serem escritos, por meio da língua que os deuses falavam quando frequentavam o homem. Pelas histórias, pelas parábolas, poderás fazer contato com o mundo superior. Só tu conseguirás.

Adonis continuou:

— Reza a mitologia grega que Afrodite sentia muito a falta de Adonis depois que ele foi morto pelo javali que Hermes, marido da deusa, mandou traiçoeiramente atacar o jovem. Assim, pediu a Zeus que lhe trouxesse o amante de volta.

Madeleine beijou-o nos lábios.

— Zeus afirmou que não podia ser responsável pelo desequilíbrio dos mundos. Pois assim como é em cima é embaixo. Ninguém que havia partido para os mortos podia retornar — ele abraçou Madeleine sem interromper a narrativa — Mas Afrodite prometeu que faria qualquer tipo de sacrifício para conseguir reaver seu amado. Ela jurou que esqueceria seu poder, que nunca mais usaria sua sensualidade para obter prazer e recusaria o gozo até que fosse merecedora de seu pedido. Zeus alertou-a para não prometer o impossível.

Madeleine ouvia apaixonada pela beleza de seu amante.

— Porque um ser humano pode almejar o sagrado, mas um ser divino não deve desejar o que é mundano. Mesmo assim, Afrodite se submeteu a essa prova, pois seu amor era maior. Por muitos anos, ela ficou à sombra de um homem mortal, sem prazer, sem alegria, sem a luz de sua alma. Até que um dia, ao retornar ao seu lugar, foi recobrando a memória, recuperando seus poderes. Ela voltou a olhar para os mortais como realmente eram: escravos de seu desejo. E Adonis pôde voltar para Afrodite.

— Eu não conheço essa lenda.

— Porque não é lenda, minha senhora. É real. Mas só hoje se pode terminar sua escrita.

Beijaram-se por um longo tempo, e uma luz verteu de seus corpos.

* * *

Ninguém sabe o que aconteceu com o Templo de Dionísio. Diz a lenda em Zakynthos que o local foi visto sumir numa nuvem quando o alvorecer surgiu de dentro dos mares. O plano inferior ficou no seu lugar. E quem era de direito pôde retornar. O equilíbrio foi refeito. Madeleine sabia agora quem era.

Madeleine era Afrodite.